デジタル馬鹿

DIGITAL BAKA

ミシェル・デミュルジェ／著
鳥取絹子／訳

花伝社

「野蛮人がまだ遠くにいるからといって安心してはいけない。というのも、手から光を奪われるままにしている人がいるかと思えば、他方で、自分の足で光を抑える人もいるからである」

アレクシ・ド・トクヴィル（1805-1859）
フランスの歴史家、政治家※1

デジタル馬鹿◆目次

第三部　影響力——デジタルに育てられた若者たち

エピローグ　基本的な七つのルール　243

プロローグ
「デジタル革命」はチャンスか

「真実は存在する。人が考えつくのは嘘だけだ」
ジョルジュ・ブラック（1882-1963）
フランスの画家、彫刻家[※1]

新しい世代が、遊びのデジタル機器――あらゆる種類（スマートフォン、タブレット、テレビ、コンピュータゲームなど）の――を使用する時間は、まさに天文学的である。先進国の子どもが「画面」に向きあう毎日の合計時間は、平均で2歳からすでに50分に近く、2歳から8歳では2時間45分、8歳から12歳では4時間45分に達し、13歳から18歳では7時間15分を超えている。これを年間で合計すると、幼児一人につき１０００時間以上（1・4か月分）、小学校高学年では１７００時間（2・4か月分）、高校1年生では２６５０時間（3・7か月分）にもなる。これを起きている時間の割合でみると、それぞれ20％、32％、そして45％。最初の2歳から18歳までの時間を加えると、学校教育のほぼ30年に相当し、もっとわかりやすく言うと、フルタイムのサラリーマン雇用にして15年分に相当する。

しかし多くの専門家やメディアは、この状況を心配するどころか、大喜びしているようだ。精神科医、大学教授、小児科医、社会学者、コンサルタント、ジャーナリスト……などは、ものわかりのいい発言を繰り返し、親や大衆を安心させている。時代は変わった、世界はいまやいわゆる「デジタルネイティブ」たちのもの。この世代は脳も変化している、もちろんよくなっている、というわけだ。いわく、押しよせる膨大な情報により速く反応して同時に処理し、総合的に組み立てる能力があり、共同作業にうまく適合できるようになっている。このデジタル化は学校教育にとってまたとないチャンスと言えるだろう。つまり、教育を根本から見直し、子どもたちのやる気をふるい立たせ、創造性を豊かにし、落ちこぼれや社会的格差を根絶する唯一の方法になるだろう、と。

残念ながら、この熱狂は誰しもの賛同を得るにはほど遠いところがある。実際、多くの専門家は、現在のデジタル使用が心身の発達に深い部分で悪影響を与えることを告発している。影響を受けるのは人間の発達のすべての側面で、身体的な面（肥満や心血管系の成長など）から、感情面（攻撃性や鬱状態など）、認識面＝知性（たとえば言語や集中力）にまでに及ぶ。これだけ影響があれば、結果として、学校の成績に影を落とさないわけがない。この点に関しては、教育目的で授業に使われているデジタル教材も、多くの研究が指摘しているように、とりたてて有効とはいえないようだ。そのいい例が、ＯＥＣＤが行っている有名な国際的学習到達度調査ＰＩＳＡで、この調査の代表責任者は最近、教育のデジタル化プロセスについて「結局のところ、デジタル化は物事を悪化させている」[※2]と説明している。

　これらの不安に歩調をあわせ、一部の個人や行政担当者は慎重に対処してきた。たとえばイギリスでは、何人かの中学校長が、家庭で子どもに暴力的なコンピュータゲームをさせ放題の親に、警官や社会福祉の担当者を派遣すると警告している。[※3]また、世界でもっとも優秀な小中学生を輩出している国の一つ、台湾では、[※4]親を対象にした二段構えの法律で対処。一つは生後24か月以下の幼児に、なんであれデジタルのアプリを与えた親、もう一つは、２歳から18歳の子どものデジタル使用時間を制限（提示された目標は連続して30分を超えないこと）しない親に、重い罰金を想定している。[※5]中国でも、政府当局は未成年者のコンピュータゲーム使用を規制する厳しい措置をとっている。教育の成功にかんばしくない影響を与えるというのがその理由だ。[※6]この国では、子どもと思春期の若者は、睡眠に当てられる時間（22時〜8時）と、平日は一日90分以上（週末や夏休みなどは１８０分）、ゲームをしてはいけないのだ。いっぽうアメリカでも、伝説の元アップル共同創業者、故スティーヴ・ジョブズが、自分の子どもたちに家や学校でのネット接続を禁止していたように、多くのＩＴ企業経営者は、彼らが商品化したさまざまな「デジタルツール」から自分の子どもたちを守るのに心をくだいている。[※7]『ニューヨーク・タイムズ』紙によると、あたかも「シリコンバレーで、『画面』と子どもに関する黒いコンセンサスが出現しはじめた」ようでさえある。[※8]このコンセンサスの特徴は、我らがハイテクのギーク〔コンピュータに強いオタク〕たちが家庭の枠を超え、自分の子どもたちを、金をかけてでも「画面」

のない私立校に登校させるようになったということだろう。[9][10]その一人、アメリカのハイテク専門雑誌『ワイアード』の元編集長で、現在、ロボット企業の最高経営責任者であるクリス・アンダーソンはこう説明する。「私の5人の子どもたち（6歳から17歳）は、ハイテクに口うるさい私と妻をファシスト呼ばわりし、友だちは誰もみんな同じルールではないと非難する。私たちが厳しいのは、テクノロジーの危険性をこの目で直接見てきたからだ。私は自分自身でも体験してきたので、子どもたちに同じ体験をさせたくない」[7]。彼に言わせると、「キャンディと、クラック・コカイン［タバコで吸引する］のどちらかと言われたら、クラック・コカインに近い」そうだ。[8]フランスのジャーナリストで社会学博士、ギヨーム・エルネルの結論はこうだ。「これが歴史の教訓というものだ。一般人のあなたは子どもたちを『画面』に任せ、『画面』の作り手は自分の子どもたちを本に任せ続けるだろう」[11]。

では、誰を信じればいいのだろう？　矛盾だらけの主張がごちゃごちゃに積み重なっているなかで、誰が物事を吹聴し、誰が間違え、そして真実はどこにあるのだろう？　「画面」に育てられた私たちの子どもは、ニューテクノロジーの影響を専門とするコンサルタント、ドン・タプスコットが断言するように「これまででもっとも頭のいい世代」なのだろうか？[12]　それとも、エモリー大学の英語教授、マーク・バウアーラインが断言するように「馬鹿のなかでもいちばん馬鹿な世代」[13]なのだろうか？　もっと全体的にみて、現在の「デジタル革命」は私たちの子どもにとってチャンスなのか、それとも「デジタル馬鹿」を製造する悲しいメカニズムなのだろうか？　本書の目的はこの質問に答えることである。そしてできるだけ明確にするために、大きく三つにわけて分析を行っている。第一部では、いまだに強く支持されている「デジタルネイティブ」の基本コンセプトの現実を評価することにする。第二部では、私たちの子どもや思春期の若者たちのデジタル使用を、質的・量的側面で分析する。第三部では、これらデジタル使用の影響についてさまざまな面から検討してみよう。ここで取り上げるのは教育の成功、心身の発達、そして健康である。ただし本題に入る前に、三つの点を明確にしておかなければならない。

第一は、本書を執筆するにあたり、本来はもっと厳格にアカデミックな形式にしたいと願いつつも、実際は科学的文献に必要な基準を満たしていないことである。理由はいくつかある。まずすべての人、親はもちろん、健康の専門家、教育者、学生などに読んで欲しいと願ったからである。つぎに、心の底から怒りに突き動かされているからである。私は「画面」の問題に対し、一般的な主要メディアの多くが不公平で不完全で不誠実な取り扱いをしていることに、怒りを通り越し茫然としている。本書を通して見ればわかるように、入手可能な研究による憂慮すべき現実と、メディアに多い安心感（さらには熱狂）に満ちた内容との落差には、ものすごいものがある。しかし、この断絶はまったく驚くことではない。娯楽のデジタル産業の経済力が如実にあらわれているだけである。この業界は毎年、数十億ユーロもの利益を生み出している。おまけにこの業界はこの利益を手放そうとせず、それによって消費者の健康が損なわれてもいっこうに気にしない。そしてこの金儲け主義の中心にいるのが、迎合的な科学者であり、熱心なロビイスト、そして『世界を騙しつづける科学者たち』[※14]［科学的なコンセンサスに疑念を喚起して混乱を引き起こす戦術］の大部隊である。教訓的な前例としては、タバコ、医薬品、食品、気候温暖化、アスベスト、酸性雨など、枚挙にいとまがない。[※14〜※25] 逆に、遊びのデジタル分野がこの混乱を免れているほうが驚きだろう。そこを出発点に、私は本書では自分の責任としてときに辛辣なことを思いっきり書かせてもらった。もちろん、感情的になると、客観的であるはずの科学的表現がかき消されるが――いずれにしろ感情と科学が相入れないのは承知のうえなのだが――私はこれが現実を無視しているとは思っていない。本書を書きながら、私がとくに心がけたのは、味もそっけもない、退屈な小論文には絶対しないことだった。ここに紹介する資料の中心はもちろんデータだが、それ以上に私が願っているのは、この不安と怒りを読者と共有することである。

　二番目は、本書では誰に対しても、すべきことや信じること、考え方を強制する意図はないということだ。また、ユーザーを軽蔑したり、親の教育法になんであれ判断を下したりすることも意図していない。重要なことはただ一つ、現存する科学的知識をできるだけ正確にまとめたものを、情報として読者に提供することである。もちろん私は、「画面」の問題で人々に罪悪感を抱かせ、そうして無意味な「精神的パニック」を引きおこすのはよくないと理解している。また、それらのパニックは恐怖が生みだすもので、社会やテクノロジーで最先端のものがあらわれるたびに付随してみられることも理解している。新しく合理的な概念は、過去、すでに何度も物議をかもしてきた。たとえばマイクロ波の電子レンジ、ロックンロール、さらには印刷や文字（ちなみにソクラテスはその時代、文字は言葉の本来の働きを損なうと非難していた）に対する拒否反応である。残念ながら、それらは根拠があやふやだった。マイクロ波、ロックンロールの有害性を確証する研究は存在しなかった。同時に、本や文字が発達によい影響をもたらすことを強調するしっかりした文書は存在する。[※26・※27] つまり、一部の人はロックンロールを恐れていたのだが、この恐怖を裏づけるものは何もなかった。また、大昔には文字に不安を抱いていた人もいたのだが、科学的文献の多くはこの不安には根拠がないとした！　「画面」に関しても同じことが言えるだろう。過去のヒステリックな恐怖など気にすることはない。頼るべきは唯一、現在のデータである。そのデータは何を語っているか？　どこからのものか、そして信頼できるのか、一貫性はあるのか、それらの限界は？　などである。これらの疑問に答えていくことで、はじめて人は、各自で明快に決断できるようになるだろう。これまでのように不安をまき散らし、罪悪感を抱かせ、パニックに陥れるだけでは、問題の解決を先送りするだけである！

　最後に、本書は「デジタル」全体を拒否したり、ましてや有線の電報や、17世紀にパスカルが発明した最初の計算機、あるいはラジオやランプの時代に戻ろうなどとは要求していない。本書は、繰り返すが（！）、テクノロジー嫌いとは一線を画している。多くの分野――たとえば健康、航空業界、農業、さらには産業活動など――でデジタル化がもたらした豊かで素晴らしい貢献に対しては、反論の余地はまったくない。畑仕事や鉱山、工場など、それまで人の健康を犠牲にして行われていた、単調で粗野な作業をロボットがするようになったのを見て、いったい誰が文句を言うだろう？　誰が、計算やシミュレーション、データを保存し共有するツールが、科学や医学の研究に多大な好影響を与えたことを否定できるだろう？　誰が、ワープロや管理ソフト、機械設計や工業デザインのソフトがもたらした恩恵に疑念をはさむことができるだろう？　誰が、教育的な価値のある資材が、万人の元に自由に届くのはよくないと、あえて非難できるだろう？　誰もできない。当然である。とはいえ、これら明白な利点はあっても、その裏で、とくに「遊び」の分野において、それ以上に有害な部分が突出して存在するのを、隠しておくべきではないだろう。これらデジタルの消費者が、これから詳しく見ていくように、若い世代のほぼ大半を占めているのがわかると、よけいにその思いを強くする。別の言い方をすると、現在、使用可能な「画面」（タブレット、コンピュータ、コンソール〔画面とキーボード〕、スマートフォンなど）が子どもや思春期の若者の手に渡ると、実際に使用されるのは有益な方向ではなく、遊びの狂乱に向かう傾向があり、その場合、研究では取り返しのつかない有害な特徴が提示されているのである。もちろん、子どもや思春期の若者たちが、デジタルが提供する有益なものだけを使用していれば、本書はまったく必要がないことをつけ加えておこう。

第一部

デジタルネイティブ神話

「嘘を（うまく）つく者は、まず嘘を真実と思わせることから始め、最後は真実を嘘と思わせるようにする」

アルフォンス・エスキロス（1812-1876）[※1]
フランスの詩人、作家

ジャーナリストや政治家、メディアに登場する専門家の一部が、デジタル業界による嘘のような作り話を、何の批判もせず、そのまま垂れ流して平気でいられることには、ただ驚くばかりである。これを笑ってすますこともできるだろう。しかし、それでは「繰り返しの力」を見くびることになる。実際、何度も繰り返し伝えられたおかげで、これらの作り話は、最後には集団的精神のなかで本当の事実になっていく。そうなると議論の場を離れて都市伝説の領域に近づき、つまり「本当らしい、信じるに足りるもっともらしい響きのある」[※2]物語になるのである。たとえばあなたが、新しい世代はデジタルを見事に使いこなし、我われとは異なる脳を持ち、学習方法も違っていると、ことあるごとに繰り返せば、人々はそれを信じるようになる。人々がいったんそう信じると、子どもたちの見方から学習・教育システムの見方まで、すべてがその影響を受けることになるのだ。したがって、都市伝説を解体する第一歩として欠かせないのが、デジタルの本当の影響について、客観的かつ想像力豊かに考えることだろう。

新しい世代

デジタルの素晴らしい世界には、作り話がたくさんあり、しかもバラエティに富んでいる。しかし最近の分析によると、それらはほぼすべてが同じ空想を土台にしている。それは、「画面」が若者の知能の働きと世界観を根本から変え、彼らはいまや「デジタルネイティブ」と呼ばれている[※3〜※7]、というものだ。デジタルの普及活動に熱心な一団に言わせれば、「この（新しい）世代には三つの際立った特徴がある。ザッピングと忍耐の欠如、そして集団力である。彼らはすぐにフィードバックを期待し、すべてを速く、一刻も速く！　を信条とする。チームでの活動を好み、直感的、本能的にやり取りするデジタル文化を持っている。集団で活動して助け合い、グループの力を理解している。……。仲間うちの複数の文書を結びつけて関連づけ、手探りでの暗中模索を得意とするため、多くは理性を働かせて一歩一歩積み重ねていく思考法を避けている」[※8]。また、デジタル技術は、いまや「彼らの生活と密接に絡み合っているので、もう切り離すことができない。……。インターネットやSNSとともに成長した彼らは、問題への取り組みも実験的で、周囲とのやりとりに基づき、与えられたプロジェクトに対して横方向で協力していく」[※9]。そして、これらの子どもたちは、「もはや、かつての子どもたちのように『私たちの小型版』ではない。……。彼らはテクノロジー用語のネイティブスピーカーで、コンピュータやコンピュータゲーム、インターネットのデジタル用語を流暢に話す」[※10]。そして、「彼らは速く、楽にマルチタスクをしてザッピングをする」[※11]ことを現実として認識しなければいけないという。

これらの変化は教育現場にもいきわたり、古い世界の教育的アプローチはすべて、すたれたものになっている。[※8・※12〜※14]その現実を否定するのは不可能だ。「学生は根本から変わってしまった。現在の学生はもはや、私たちが思い描いた教育システムには合わない。……。彼らの考え方や情報の処理の仕方は、前の世代と根本的に違っている」[※7]。「彼らは私たちと違いすぎて、私たちはもう20世紀の知識も、彼らを教育するために訓練してきた経験も使えない。……。現在の学生は、多くのデジタルツールをすでにマスターしているが、私たちはとても同じレベルでマスターできそうもない。コンピュータから計算機、MP3プレーヤーからカメラ付き携帯電話まで、これらのツールは彼らの脳の延長のようだ」[※10]。デジタルに適応するための養成が不足している現在の教師は、もうそのレベルになく、「時代遅れの言語（デジタル以前の時代の）を話す」人種となる。したがって間違いなくいまは「社会の変化を考慮して、別のタイプの教育に移行するときである」[※15]、なぜなら「過去の教育では明日の才能を育てられないからだ」[※16]。この枠組みのなかで最適なのは、教育制度全体のキーワードとなるものをデジタルの天才たちに与えることだろう。古い世界のやり方から解放された彼らは、「学校を効果的で適切な学びの場にするためのガイダンスとして、最初にしておもな情報源になるだろう」[※17]。

この種の教育改革的な弁論や宣言なら、何十ページにもわたって述べることができるだろう。しかし、そんなことをしても意味がない。実際、細かな違いは別にして、これらの内容は三つの重要な提案が中心になっている。（1）「画面」がいたるところにあるおかげで、前の時代とはまったく違う、新しい世代の人類が生まれた。（2）この世代を構成する者たちは、デジタルツールの理解と取り扱いにおいてエキスパートである。（3）教育システムは、いくらかの有効性（信頼性）を保つために、この変化になんとしても適応しなければならない。

根拠のない楽観論

かれこれ15年、これらの主張の妥当性は、科学界によって徹底的に検証されてきた。しかし驚くべきことに、そこで得られた結果は、いまをときめくおめでたい楽観論を真っ向から否定している[※2・※18〜※27]。デジタルネイティブに関する文献は全体として、「これらの主張の内容と証拠には、明らかなミスマッチがあることを証明している[※26]」。別の言葉で言うと、「これらの主張を支える決定的な証拠はなく[※23]」、「世代的なステレオタイプ[※23]」のすべては明らかに「都市伝説[※2]」で、少なくとも「若い世代のデジタル能力についての楽観的な描写の根拠は乏しい[※28]」。結論として、入手可能なすべてのデータが一致して指摘しているのは、「デジタルネイティブはまったくの神話[※19]」、「ナイーヴな人のための神話[※29]」ということだ。

実際、「デジタルネイティブ」のコンセプトに対する科学界からの反論は、あっけないほど単純だ。この言葉が意味するような新しい世代は存在しない、それだけだ。もちろん、よく探せば、「画面」に釘付けで

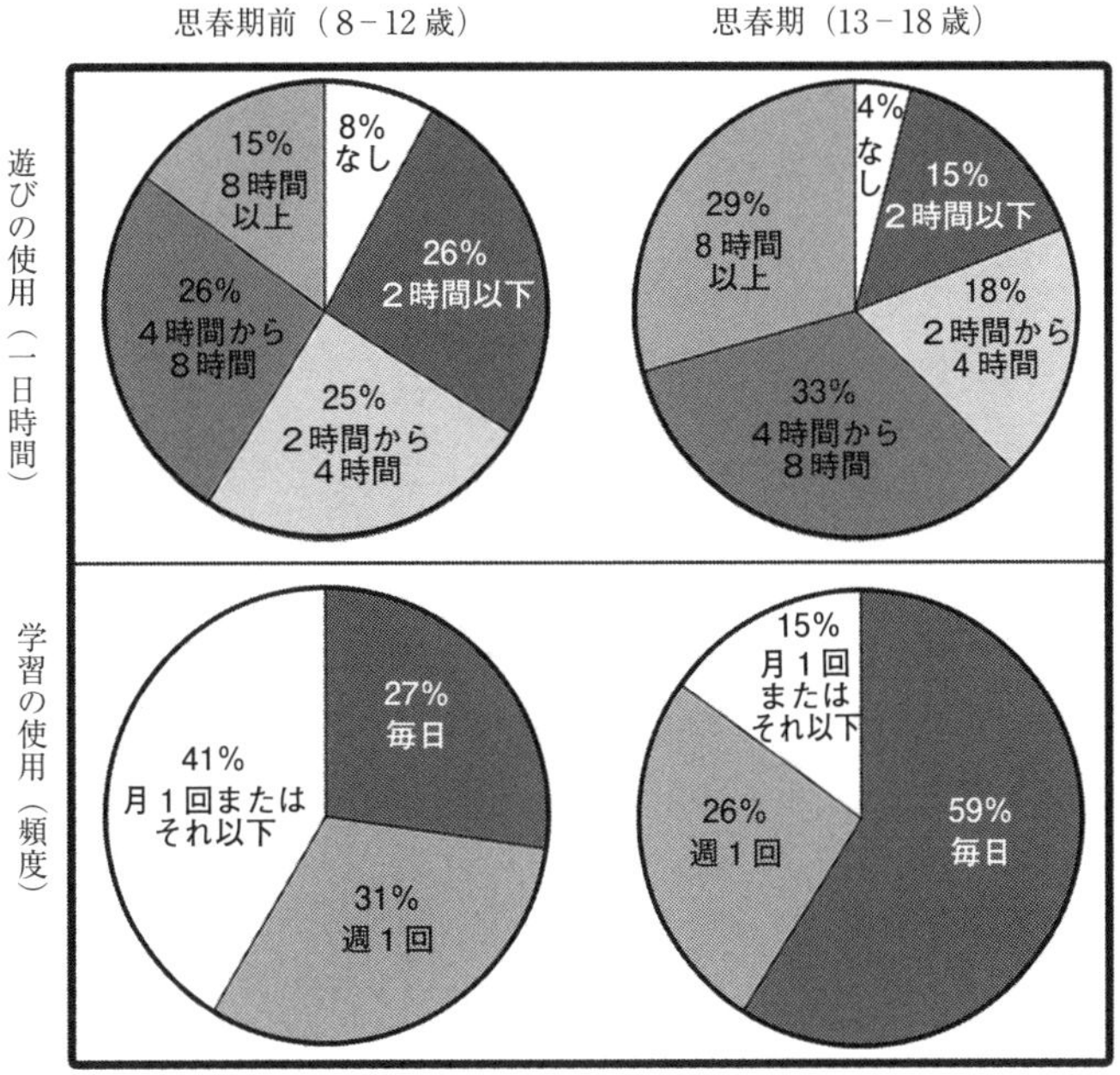

図1　思春期前と思春期の若者がデジタルに費やす時間
上；「遊びの画面」で過ごす時間のばらつき。
下；宿題のために画面を使用するばらつき（この場合、毎日の使用時間が短いことから——思春期前22分、思春期60分——、「遊びの画面」のように時間的な区切りで紹介することができない）。一部の合計が100%になっていないのは、端数を切り上げたからである※41。

超有能な「ギーク」といった、ステレオタイプの個人が何人か見つかるのは当然だが、しかし、これらはあくまでも例外[※30・※31]。全体で見れば、「少数派の集まり」[※32]である。ちなみにこの世代を内側から見てみると、デジタル使用の広がりや使われ方、専門知識は、年齢や性別、継続中の勉強、文化的あるいは社会経済的背景によって非常に異なっている[※33~※40]。たとえば、遊びの消費に費やされる時間を見てみよう（図1・上）。デジタルネイティブ神話から想像されることとは逆に、データは多様な状況を示している[※41]。思春期前の若者（8~12歳）では、一日にさらされる時間は「なし」（8%）から「過剰」（8時間以上、15%）まで、一定の間隔をおいてほぼ均整がとれた形で並んでいる。それが思春期（13〜18歳）になると均衡が崩れ、長時間のユーザーが急激に増えている（思春期の62％が一日4時間以上、「遊びの画面」に費やしている）。多くの場合、この時間の格差は家庭の社会経済的な特徴にそっている。こうして恵まれない家庭の子どもは恵まれた子どもより、画面にさらされる平均時間がきわめて長くなっているのである（一日約1時間45分）[※41]。

当然、宿題などで画面を使う時間を取り入れると、状況はさらに複雑になる（図1・下）。実際、この分野でもまた、個人間のばらつきが非常に大きいのは明らかだ[※41]。思春期前の若者を見てみよう。この層は、毎日使用する者（27％）と、週1回（31％）、例外的（月1回またはそれ以下、20％）、なし（一度も、21％）がほぼ均整がとれた形で分散している。格差が目立つのは思春期だが、それも薄らぐ傾向にあるのは、毎日の使用が大きく増えていることで説明できる（59％、２０１５年は29％だけだった[※35]。これはあとで述べるが、現在、教育のデジタル化が強く進められていることの反映だろう）。ここでもまた、家庭の社会経済的な格差が変数となってあらわれている[※41]。たとえば13〜18歳の思春期層では、宿題のために毎日コンピュータに頼る生徒は、恵まれた家庭の生徒のほうが、恵まれない家庭より圧倒的に多い（51％に対して64％、平均34分に対して55分）。いっぽう、恵まれない家庭の若者は、スマホを使用する傾向が大きいようだ（12分に対して21分）[※41]。つまり、これらすべての若者を、一つの画一的な世代として紹介しても、単に意味がないのである。

デジタルに弱いデジタル世代

もう一つ、「デジタルネイティブ」のコンセプトに対し、科学界からわきあがる反論がある。彼らが「技術的に優れている」という点についてだ。まずなんと言っても、「これらのシステムと環境を最初につくった（そして、いまもそうあり続けている！）[※42]」のは、それ以前の化石世代である。そして、一般に信じられていることとは逆に、現在の若き「ギーク」の大半は、遊びで使用する基本的なツール以上となると、そのレベルはとにかく低い。[※28・※36・※43～※46] じつはこの問題は非常に大きく、欧州委員会の最近のレポートでも、教育のデジタル化の障害となりうるリストのトップに「学生たちのデジタル能力の弱さ」があげられている。[※47] まさに、現在の若者のほとんどは、もっとも基本的な情報能力の制御――端末の安全設定、ＯＡ機器（ワープロ、表計算ソフトなど）の使用、動画のカット、簡単なプログラム（言語はなんであれ）の作成、バックアップシステムの構築、リモート接続の設定、メモリーの増設、ＯＳの起動、一部のプログラムを起動または無効にすること――に苦労していると言えるのである。

しかも、これはまだいいほうだ。実際、新しい世代は、ウェブ内に保存された膨大なデータを処理し、選り分け、整理して評価し、統合することが恐ろしいほどできない。[※48～※53] この問題の研究者によると、「グーグル世代」を情報検索のエキスパートだと信じるのは「危険な神話である[※48]」。この残念な事実は、別の大規模な研究、アメリカ・スタンフォード大学の研究者が発表した結論でも裏づけられている。それによると、「若者がインターネットの情報について推理する能力は一言で要約できる。『救いようがない！』。我らが『デジタルネイティブ』は、フェイスブックとツイッターを飛び回りながら、インスタグラムにセルフィーをアップし、友だちにテキストを送ることはできるだろう。しかし、ＳＮＳ上に流れる情報を評価することになると、簡単にだまされる。……どんな場合も、どんなレベルでも、学生の能力不足にはあっけにとられるばかりである。……多くの人は、若者はソーシャルメディアを使いこなしているので、ウェブ上のことにも精通していると考えている。私たちの研究が示すのはその反対だ[※43]」。そして最後に、この能力のなさについて「衝撃的で、狼狽するほど一貫している」と表現されている。この研究者たちにとって、問題はあまりに深刻で、これ以上「民主主義の脅威」となるものはないのである。

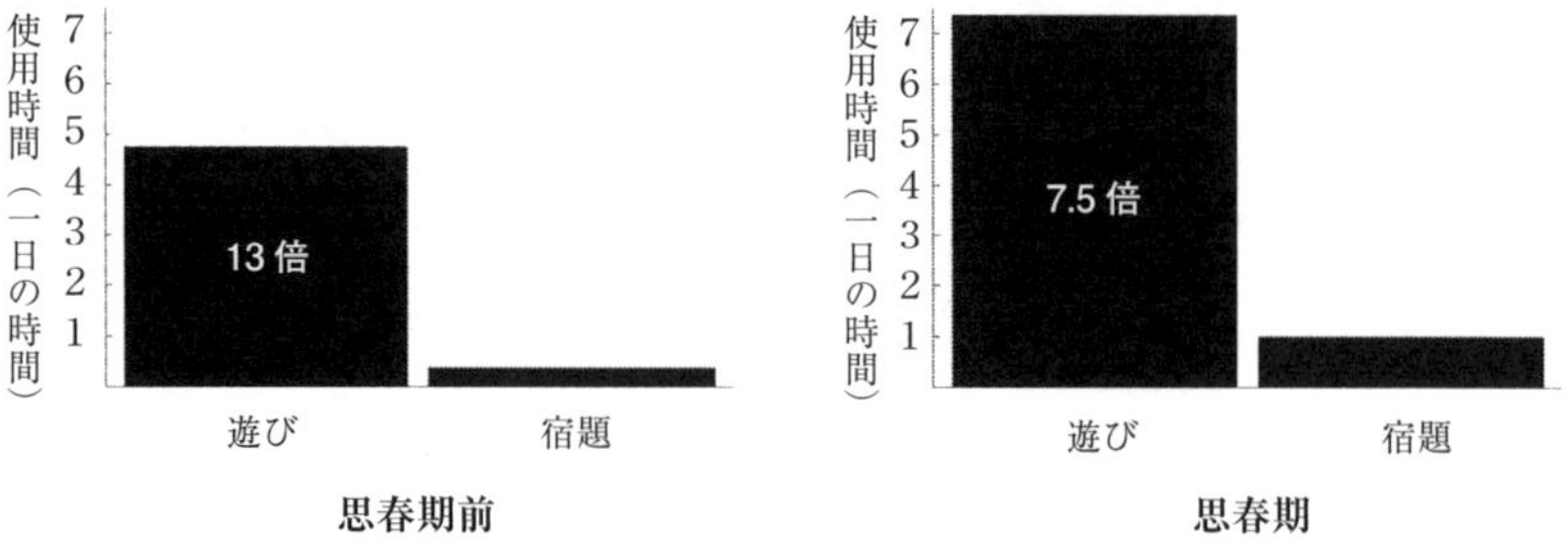

図2　家で気晴らし（遊び）と学業（宿題）のために画面に費やされる時間。思春期前（8～12歳）と思春期（13～18歳）[※41]。

もちろん、これらの結果はさほど驚くことではないとも言える。というのも、「デジタルネイティブ」が使用するデジタルは「限られている」[※34]と同時に「パッとしない」[※27]からだ。次の章で詳しく見ていくように、若い世代が実践しているのは、第一に遊びに関連するもので、とにかく基本的なもの、役に立ちそうもないものが多い。たとえばテレビ番組、映画、ドラマ、SNS、コンピュータゲーム、ショッピングサイト、音楽クリップ、さまざまなビデオ、[※35・※41・※54～※56]などだ。ちなみに、思春期前の世代が画面でコンテンツの作成に費やす時間は（ブログなどを書く、あるいはデジタルアートや音楽をつくる）[※41]、平均して使用時間全体の2％、情報プログラムを頻繁に書くのはわずか3％である。この割合は、思春期になるとそれぞれ3％と2％に変わるだけである。デジタル使用に関して幅広い研究を行っている研究者が書いているように、「デジタルに有利な新しい環境が整い、デジタル機器も進化しているにもかかわらず、若者が自分自身のコンテンツ制作に捧げる時間は非常に少ない。画面の使用は、あいも変わらずテレビとビデオ、ゲーム、そしてSNSに支配されており、読書や執筆、テレビ電話、あるいはコンテンツ制作にデジタル機器が使われるのは最小限にとどまっている」[※41]。この結論は、宿題などの使用にも当てはまりそうだ。これらに使われる時間は、平均して画面使用時間全体のごく一部にすぎず、思春期前で8％以下、思春期（13～18歳）で14％である。別の言い方をすれば、図2

が示しているように、8～12歳は勉強に使う時間の13倍を気晴らしに使い（284分対22分）、13～18歳ではそれが7・5倍（442分対60分）になるというわけだ。※41

このような状況で、「デジタルネイティブ」をビット［情報の単位］のスターと信じるのは、ペダルの二輪車を、宇宙を飛ぶロケットと勘違いするようなものである。それはユーザーがある一つのアプリを使いこなせるだけで、組み込まれたアイテムならなんでも理解できると信じるようなものだ。これはおそらく「以前」なら（少しは）そう言えただろう。初期のＤＯＳ［ディスクオペレーティングシステム］やＵＮＩＸ［マルチユーザー用のオペレーティングシステム］が隆盛をきわめていた時代は、プリンターを設置するだけでホメロスの大航海に匹敵するほどの体験だった。この考えを学校の成績に結びつけてみると面白いのは、１９９０年代の学生の場合はまだ、遊び目的のパソコン使用と数学の成績にプラスな相関関係があったのに対し、２０００年代（ミレニアル世代）になるとそうではなくなったことである。※57 これでよくわかるのが、家庭でのコンピュータ使用と機能は、ここ20年ですっかり変わったということだ。現在の子どもや若者にとっては、これらのツールは特別な努力も才能も必要なく無限に使えるもので、とりわけ遊びに使われている。現在、すべてはほぼ「プラグ・アンド・プレイ＝接続するだけで実行」。いまだかつて、使用方法の簡単さと、コンピュータにセットされた機能や装置の複雑さが、これほど大きく乖離したことはないだろう。ごく普通のユーザーであっても、自分のスマホやテレビ、パソコンがどのように機能し、食べ歩きに有名レストランのランチへ行くのにどんなに便利かを、改めて理解する必要があるだろう。料理の分野でも、情報の分野でも、使う者がいれば、考案する者がいて……、しかし、その関係が成立するために、前者は後者の秘密を把握する必要はまったくないのである。

まだ疑う人のために、「デジタル移民」（高齢になってからコンピュータをやる人）※7 と言われる人たちについて話すともっとわかりやすいだろう。実際、多くの研究が、デジタルの分野での大人は、子どもたちと同じくらい力があり、[※23・※34・※38] しかも熱心[※58〜※60]なことを明らかにしている。シニアでさえ、役に立つと判断すれば、大した苦労もなく新しい世界に入り込むようになるのだ。[※61] 私の友人のミシェルとルネ夫婦もそうである。それぞれ70歳以上で、すでに退職している二人は、インターネットやテレビが普及する前に生まれている。二人にとって最初の固定電話は、もう30年以上前に入手したものだ。そんな二人は現在、大型の薄型テレビ1台、タブレットを2つ、2個のスマートフォンと1台のデスクトップ型コンピュータを所有し、ネットで飛行機のチケットを注文し、フェイスブックやスカイプ、ユーチューブを使い、ビデオサービスを利用して、ときに孫とコンピュータゲームをして遊んでいる。夫よりも熱心なミシェルは、ウォーキングクラブのツイッターに盛んに投稿し、セルフィーも、最後の決め台詞も忘れない。

　素直に言って、これぐらいのことができるだけで、誰でも情報のマエストロやコード化の天才だと、どうして信じられるだろう？　どんなに馬鹿でも、ほんの数分で、これらのツールを使いこなすことができる。さらに言うと、これらは誰でも使えるように考えられ、構想されている。少し前の『ニューヨーク・タイムズ』紙では、グーグルの社員で、子どもを画面のない小学校に通わせることにした通信サービス部門の幹部の一人が、この種のアプリを使うのは「スーパー簡単で、歯みがきを覚えるようなものだ。グーグルとその子会社では、テクノロジーを超簡単にしている。子どもが大人になってからでも十分に覚えられる[※62]」と説明していた。別の言葉で言うと、米国小児科学会が説明するように、「テクノロジーを早く導入しなければとプレッシャーを感じることはない。コンピュータのインターフェイスは直感で判断できるので、子どもは家でも学校でも、使いはじめたらすぐに理解するだろう[※63]」。その代わり、もし子ども時代（と思春期）に基本の適性が十分に活性化されていなかったら、それをあとで学ぶには遅すぎることになる。基本の適性とは、熟考し、集中力を維持し、努力をして基礎以上の言語をマスターし、デジタルの世界で生じる膨大な量の情報を分類し、ほかの情報と関連させることなどである。結局のところ、すべては単純な暦の問題で要約できるだろう。一方では、デジタルへの転向が遅れても何の問題もなく、最低限の時間で「デジタルネイティブ」と同じくらい機敏になれるのに対し、他方では、あまりに早くデジタルに浸ると、脳の発達の「窓」が閉ざされて、基本の学びから離れることになり、それを成し遂げるのがますます難しくなるのである。

「以前」の世代

したがって明らかなのは、メディアが描く「デジタルネイティブ」の肖像には、事実に基づく要素が少々欠けていることだ。これは困ったことだが、しかし驚くことではない。実際この種の作り話では、驚くほど根拠の脆弱なものがまかり通っている。先に紹介した引用からもわかるだろう。そこでは、いかにも学問的に立証されたかのように、「デジタルネイティブ」は突然変異体の集団で、ハイパーであると同時に活力にあふれ、忍耐力がなく、ザッパーでマルチタスクが可能、創造力もあって、実験的な試みが大好きで、共同作業が得意、などと断言している。しかし、突然変異ということは、以前とは違っているということだ。そこから透けて見えるのは、前の世代は哀れなほど孤独で、無気力でのろく、忍耐強くて、一度に一つのことしかできず、創造力がなく、実験的な試みには適性がなく、共同作業を受け入れない……などというイメージだ。なんともおかしな対比だが、そこから熟考すべき点が少なくとも二点、浮き彫りになる。一つは、これまで長きにわたって知的に有害とされてきた精神的な特性を、肯定的に再定義する努力がなされていることだ。注意力散漫、ザッピング、マルチタスク、衝動性、忍耐力のなさ、などだ。二点目は、デジタル以前の世代が、こっけいなほど笑いものにされていることだ。そうなると、哀れなほどの個人主義で、なめくじのような我らの祖先が、どうしてダーウィンの進化論を生き抜いてきたのかと自問せざるをえない。それについては教師で研究者でもあるデイジー・クリストドゥルーが、新しいデジタル教育の元となる神話を見事に分解した著書〔『七つの神話との訣別』東海大学出版部、2019年〕のなかで「2000年以前の人は、誰も批判的精神や問題を解決する能力、コミュニケーション、共同作業、創造性、革新性、読書を必要とされなかったと言うのは、少し優越感がこもっている」[※64]と書いている。また、「以前」の世界は社会性のない人間で構成されていたというのも、まったく馬鹿げているだろう。テクノ推進派には申し訳ないが、電子メールもSNSもなかったにもかかわらず、「ベビーブーマー」は孤独の大洋に引きこもってなどいなかった。人々は望めば楽にコミュニケーションが取れ、意見を交換し、愛しあい、距離が離れていても強い人間関係を維持していた。従当時は電話があり、郵便があった。子どもだった私は、毎週、ドイツのマリー叔母さんと話をしていた。従兄弟のハンス＝ヨッヘンには、伝説のサッカーチーム、バイエルン・ミュンヘンが勝つたびに、大ファンだった彼に手紙を書いていた。彼はいつも返事をくれ、ときに一枚のカード、ときに小さな包みが送られてきて、なかにはキーホルダーやカップ、クラブの紋章入りジャージが入っていた。これらの現実を疑う人には、オーストリアの詩人ライナー・マリア・リルケ（1875-1926）や同じく作家のシュテファン・ツヴァイク（1881-1942）、ヴィクトル・ユーゴー、マルセル・プルースト、ジョルジュ・サンド、シモーヌ・ド・ボーヴォワールといった作家たちの感動的な文通や、大戦中に前線の兵士から家族に送られた、胸を刺すような、多くの手紙にも興味を抱いて欲しいものだ[※65]。

最後に教育の分野を見てみよう。フランスで教育問題の専門家とされ、学校のための情報技術の重要性について書かれた公式レポート二通の著者でもある一人の国会議員が[※66・※67]、「デジタルによって自尊心と経験、習得の教育が可能になる」[※8]と、信じられないようなことを書いたとき、私は笑っていいのか、怒っていいのか、落胆すべきかわからなかった。我らが政治家は、何を言いたいのだろう？　デジタル以前は、クラスでは教育も実験的試みも、自尊心も問題にならなかったというのだろうか？　幸いにも、これまで教育に力を注いできたフランソワ・ラブレー（１４８３-１５５３）やジャン＝ジャック・ルソー（１７１２-１７７８）、マリア・モンテッソーリ（１８７０-１９５２）、セレスタン・フルネ（１８９６-１９６６）、ラ・サール（１６５１-１７１９）、アンリ・ワロン（１８７９-１９６２）、ルドルフ・シュタイナー（１８６１-１９２５）、さらにはエドゥアール・クラパレード（１８７３-１９４９）はもうこの世になく、彼の侮辱は耳に入らない。しかし、「習得の教育」で片づけるとは、なんと信じられない改革なのだろう。あたかもほかのやり方があったかのような、まるで教育が、本質的に教える術であること（したがって習得）を意味していなかったかのようである。この種の空虚で馬鹿げた言説が私たちの国の教育政策を導いていることがわかると、どこか末恐ろしいものを感じるのである。

デジタルで進化した脳？

「デジタルネイティブ」の神話によく出てくるのが、すでに述べたような、突然変異体の子どもという妄想である。それによると、人類の系譜は、現在新しい領域の入り口にいるようだ。一部の専門家によると、現在の変化は、「人類史上、もっとも想定できなかったきわめて重要な進歩の一つである。おそらく、最初に道具を使うことを発見した人間以来、人間の脳がこれほど速く、劇的に影響を受けたことはなかっただろう」[※68]。そして、知っておかなければいけないのは、「私たちの脳はいま現在、かつてないほどのスピードで進化中である」[※68]ということらしい。そのうえ、間違えてはいけないのは、私たちの子どもはもう人間ではなく、「宇宙人」[※69]、「突然変異体」[※69・※70]になってしまったということだ。「彼らの頭はもう同じではない」[※71]。彼らは「先人たちとは根本的に違うやり方で考え、情報を処理する」[※7]。この世代は「より頭がよく、より回転も速く」[※4]、神経経路は「サイバー検索で矢継ぎ早に配線をつなぐ」[※72]。あらゆる種類の「画面」の作用に従い、私たちの子どもの脳は「違うふうに発達した」[※4]。その脳は「もはや同じ構造ではなく」[※73]、いまや「テクノロジーによって改善され、引き伸ばされ、強化され、拡大され（解放され）ている」[※74]。これらの変化はあまりに深く、根源的なので、「もはや後戻りはできないまでになっている」[※7]のだ！

　これらの考えはすべて、とくにコンピュータゲームの分野で支持されている。実際、多くの脳内画像の研究で、ゲーマーの脳は普通の男女の脳に比べて、ある部位の形態がかなり不均衡になっていることが明らかになった[※75〜※79]。これは、我らがジャーナリストにとっては吉報で、一部の記者はおそらく、都合よく情報を操作したのだろう。この研究は大げさなタイトルとともに、世界中で華々しく受け入れられた。そのタイトルをいくつか引用しよう。「コンピュータゲームをすると脳のボリュームが増加する」[※80]、「コンピュータゲーム愛好者の脳は大きく、その接続性も優れている」[※81]、「コンピュータゲームと厚い脳の驚くべき関係性」[※82]、「コンピュータゲームは脳のサイズと接続性を増大させる」[※83]など、よいことばかりが並べられている。これを見るかぎり、大人がこんなに優れたものを子どもから取り上げていいのかと、自問せざるをえないだろう。実際、これらのタイトルには明らかに威圧的な響きがある。親たちよ、コンピュータゲームのおかげで、あなたの子どもの脳はより発達し、接続もよくなり、そうして知的能率も高まるだろう。

魅力的な作り話

　残念ながら、この神話もまた、すぐに化けの皮が剥がれることになる。メディアのはったりがいかに空虚かを検証するために、まず理解しておくべきは、執拗な状態の維持、あるいは繰り返しの活動はすべて、脳の構造を変えるということだ。[※84] 別の言葉で言うと、私たちが行っていること、生きて経験していることはすべて、脳の構造と機能を変えうるということだ。ある部分はより厚く、ほかの部位はより薄く、一部の連結経路は発達し、ほかは研ぎすまされる。これは脳の柔軟性による特性だ。このことから、先に引用したタイトルは、繰り返しや、特殊な活動であればなんにでも、すべて一様に当てはまる。曲芸、[※85] 楽器の演奏、[※86] マリファナの吸引、[※87] 身体の一部が切断される、[※88] タクシーの運転、[※89] テレビの視聴、[※90] 読書、[※91] スポーツ、[※92] などである。

それにもかかわらず、これまで新聞の一面に、たとえば「テレビを観ると脳のボリュームが増加する」とか、「マリファナの吸引で脳のサイズと接続性が増大する」、あるいは「手足の切断と厚い脳の驚くべき関係性」といった記事が踊るのを見たことがない。しかし、もう一度言おう！　これらのタイトルは、コンピュータゲームに限らず当たり前だということだ。つまり、ゲーマーの脳の構造が異なると言って喜ぶのは、「わかりきったことで有頂天になること」で、「水は服を濡らす」と吹聴するようなものだ。もちろん、ユービーアイソフト［フランスの大手コンピュータゲーム開発・販売会社］の社長が宣伝のためにテレビに出演し、番組中に放送されたドキュメンタリーのなかで、コンピュータゲームのおかげで「脳が発達する」[※93] と説明するのは理解できる。しかし認めがたいのは、教養があり、組織に属さないはずのジャーナリストが、この種の馬鹿げた宣伝を、冷静に判断することなく、そのまま繰り返していることである。

このやり方が詐欺に思えるのは、認識能力と脳の厚さとの関係がまったく明確になっていないからである。実際、脳の機能について、大きい脳は必ずしも有能とは言えない。多くの場合、脳の皮質は薄いほうが機能的で、脳の皮質が薄いということは、神経間の余計な接続や不要な接続が削除されているということだ。[※94] たとえば知能指数＝ＩＱを見てみよう。思春期と若者では、ＩＱが高くなると、脳皮質の多くの部分、とくに前頭前野が徐々に薄くなるのに対し、コンピュータゲームの影響の研究ではより厚くなることがわかっている。[※95〜※97]これら前頭前野についての独自の研究では、ゲーマーで皮質が厚すぎると、ＩＱが低くなることが直接結びつけられた。[※98]この否定的な関係は、テレビ人間[※98]やインターネットの病的ユーザーでも確認できた。[※99]したがって、明白な事実が突きつけられたことになる。つまり「より大きな脳」は、知能の印ではないということだ。多くの場合、部分的にふっくらした皮質をもつ脳は、機能的に優れて最適化しているのではない。それは、まだ成熟していないという悲しいサインなのである。

「スーパー・マリオ」と戦略的思考

先に引用したセンセーショナルな「第一面記事」には、たしかに、解剖学的な適応について正確な主張が添えられていることがままある。たとえば、ある研究が明らかにした、[※76]「スーパー・マリオ」を持続して使用することの影響と脳の柔軟性が結びつけられ、「それは右の海馬と右の前脳前皮質、小脳で観察される。脳のこれらの領域は、空間進行、記憶の形成、戦略的な計画、手の運動機能に関与している[※100・※101]」といった具合である。結局のところ、この種のよくできた編集では、観察された解剖学的な変化と、前提とされる機能的な適性に因果関係があると断言しないようにはしているのだが、しかし、この表現の仕方はそのような関係があると思わせるに十分なものである。こうして、普通の読者は次のように理解する。右の海馬が厚くなると空間進行と記憶力が増大し、右の前脳前皮質が厚くなると、戦略的思考力が発達するサイン、そして小脳が厚くなると、器用さに磨きがかかることを意味する。素晴らしいことだが、しかし、残念ながらこれらには根拠がないのである。

海馬を見てみよう。この組織は実際、記憶の中枢である。しかし一様ではなく、ゲームで厚くなる右海馬の後ろの部分は、おもに空間の記憶に関与している。ということは、研究者自身が認めるところによれば、

「スーパー・マリオ」のユーザーが学ぶのは、ゲームのなかで散歩することである。[※76] 別の言い方をすれば、海馬で観察される変化は、単にこのゲームのための興味の対象や道などの地図が、空間的に構築されているのをあらわしているだけなのである。同じタイプの変化はタクシーの運転手でも観察され、こちらは頭のなかで持ち場の都市の地図が徐々に構築されるのが確認されている。[※89] このことから、問題が二つ生じてくる。一つは、この種の知識は超専門的で、したがってほかに置きかえられないということだ。「スーパー・マリオ」の錯綜した地形では進むべき方向がわかっても、現実世界の錯綜した空間において、道路の地図の標識を見ることなどには役立たないのだ。[※102] 二つ目は、もっと基本的なもので、この移動経路の記憶は、機能的にも解剖学的にも、一般的な意味での「記憶」とは何の関係もないということだ。「スーパー・マリオ」で遊んでも、ゲーマーの記憶、たとえば楽しい思い出やフランス語のレッスン、歴史や外国語、算数の九九、その他もろもろの知識の記憶力はいっさい向上しない。したがって、「スーパー・マリオ」で遊ぶと「記憶の形成」によい影響があると暗に言われても、よくて雑多な情報の寄せ集め、最悪は真っ赤な虚偽であることがわかるのだ。そして最後に、最近の研究を加えて補充しよう。それによると、空間の学習に関して、「スーパー・マリオ」で本当だったことが、一人称シューティングゲーム（ゲーマーが本人視点で動くゲーム）では必ずしも当てはまらなかったということだ。[※103] これらのゲームは、海馬の灰白質を減少させることがわかっているが、研究者が強調するように、「海馬の灰白質が減少すると、さまざまな神経精神症に発展するリスクとなる」。

前脳前皮質の右側についても同じである。この領域は認識機能の多くの分野、注意力から決断、ルールの習得から行動の抑制、空間の移動まで司っている。[※104～※106] しかしここでもまた、これらの機能と解剖学的な変化を正確に結びつけるものは何もなく、それについては研究者たちも認めている。[※76] 実際、データを正確に見てみると、集中的に「スーパー・マリオ」をすることで前脳前皮質が適応するのは、ゲームをしたいという単なる欲望だけであることがわかるのだ！　研究者の説明によると、「ゲームをしたい欲望が報告されると、背外側前頭前皮質が厚くなる」[※76]。別の言葉で言うと、この解剖学的な変化は、ごくありふれた「報酬系システム」［楽しい行動を誘発する刺激。楽しい経験をすると神経伝達物質が放出され、それが楽しみを循環させ、繰り返させようとする］の反映で、そこで鍵となっているのが、背外側前頭前皮質なのである[※104〜※106]。もちろん、ここで使われた「ごくありふれた」という言葉は、報酬系システムの過敏性がわかると不適切だろう。とくにこれがアクション系のコンピュータゲームによって増進されると、衝動的な行動や依存症になるリスクと密に結びつくことになるからだ[※108〜※111]。多くの研究が、前頭前皮質のこの部分が厚くなることと、インターネットやコンピュータゲームの異常な使用を関連づけている[※99・※112]。このデータを無視できないのは、思春期は前頭前皮質の成熟にとくに重要で[※113〜※117]、依存症や精神的、行動的障害に陥りやすい、きわめて傷つきやすい時期だからである[※118〜※120]。このような状況で、一部のメディアが騒ぎたてる解剖学的な変化は、輝かしい未来の基礎になるどころか、破壊的な行動をもたらす元になる。この仮定については、第三部で詳しく述べることにしよう。

　ここでは、ゲームを一般化することの問題について、もう一度おさらいしておこう。「スーパー・マリオ」のユーザーで前頭前皮質が厚くなっているのが観察されると、事実、「戦略的思考」能力が高くなる。しかし、それをもって、ゲームの特殊な世界以外でもその能力が通用するというのは別問題、まったく違うものである。実際、いったんゲームから離れたとき、ゲームで身についた「戦略的思考」が一般的な能力だと、誰が信じるだろう？　こうも言える。たとえば、「スーパー・マリオ」で鍛えられる「戦略的思考」と、チェスの試合や商取引での交渉、数学の問題やスケジュール調整、小論文の論拠を整理するときの「戦略的思考」に共通点があると、誰が信じるだろう？　最新の研究でも、コンピュータゲームから「本当の人生」

に移行するものはほとんどないことが実証されている。[※121〜※129] さらに言い換えれば、「スーパー・マリオ」で学べるのは、おもに「スーパー・マリオ」で遊ぶことだけで、取得した能力は一般に通用しないということだ。よくて、ゲームと同じような条件を強いられる、一部の似たような活動に広げられる可能性はあるだろう。[※127・※130]

残るは小脳と、器用になるという想定だ。ここでもまた、解釈の拡大と、一般化することの問題が明らかになる。まず小脳は、ほかの多くの動き（安定した姿勢を保つことや、目の移動、刺激・反応の関係を学習することなど）でも、解剖学的に適応することが報告されている。[※131・※132] 次に、仮に器用になる仮説を認めるとしても、レバーをうまく使って、目で見た目標物を移動させる（たとえばドローンやパソコンのマウス、外科の遠隔操作装置の操作[※133]）など一部の特殊な仕事以外、ほかの仕事に移行させることはできそうもない。誰が、「スーパー・マリオ」をすれば、バイオリンの演奏やデッサン、絵画、卓球、あるいはレゴで家を作るなど、繊細な視覚・手動の能力を身につけるのに役に立つと、本気で信じるだろう？ 現在、きわめて特殊な学習の分野として確認されているのは、それこそまさに感覚と運動機能の分野なのである。[※134]

結論

この章では、一つ重要なことをおさえておかなければならない。それは、「デジタルネイティブ」など存在しないということだ。デジタルによる突然変異体という子ども像は、伝説にすぎず科学的文献のどこを探してもいない。しかし、そのイメージは集団的精神に深く根づいており、そして、そのことにもっとも驚くのである。いや、このような不条理が注目されること自体は、そう驚くことではない。考えはなんであれ評価されて当然だからである。いや、驚くべきは、このような不条理がどんなに否定されても永続し、そしてさらに、私たちの公共政策、とくに教育分野の方向づけに貢献していることである。

というのも、この神話には下心が見え見えだからである。[※22] まず家庭面では、子どもたちは実際には平凡(で高価)なアプリしか使いこなせないにもかかわらず、親にはデジタルと複雑な考えの天才であると信じこませて、安心させている。ついで教育面でも、パフォーマンス的には不安が非常に大きい(これについては第三部で詳しく述べよう)にもかかわらず、教育のデジタル化を推し進める強力な根拠になっている。つまり、全員が得をして――得をしていないのは子どもだけなのに――しかし誰もそれを気にしていないようなのである。

第二部
使用法

「失った時間はもっとも取り返しがつかず、そしてもっとも不安を与えない」

オクセンスティエナ伯爵（1583−1654）

スウェーデンの政治家※1

新しい世代のデジタル使用については、三つの問題——何を、どのくらい、誰が？——を補充して検討しなければならないだろう。

何を？ 誤解を避けるために、明白な事実の再確認からはじめよう。デジタルは多くの分野で確実に進化しており、「画面」の影響をもろに否定するのは、ここでは論外である。当然のことだが、影響は使い方次第。だから、何を使用しているのかを正確にすることが基本になるだろう。私たちの子どもはどんな「画面」を、どのように、何の目的で使っているのだろう？ ここでは、「画面」の理想的な使い方うんぬんではなく、実際に日常的にどのように使われているかが重要になってくる。

どのくらい？ この問題は、二つの補充的な角度から取り上げることができるだろう。（1）それぞれ個別（テレビ、コンピュータゲーム、教育活動など）の消費時間、（2）遊び全体の時間、である。二点目に関しては、遊びのデジタルという特性以上に、構成面（たとえば、音や映像や通告が溢れていることによる感覚的な飽和状態）や機能性（ほかに発達を促進させるためにやること——家族との会話、読書、創造的な遊び、学校の宿題、体操、睡眠など——から「盗まれた時間」となる）からいっても、全体に類似性があることを強調しておこう。類似性とはつまり、「遊びの画面」は一点に向かって作用することを示しているということだ。別の言い方をすると、気晴らしとされる行い（テレビ、コンピュータゲームなど）に焦点を合わせる場合、全部ひとくくりで「画面」と表しても、人を騙すことにはならないというわけだ。おかげで「過剰」の問題、つまり、障がいや発達の遅れが心配される時間的な閾値までひとくくりで言及することができる。

誰が？ この問題は、メディアの議論では忘れられている。しかし、すでに述べたように、若い世代での「画面」の使用は均一とはほど遠く、とくに年齢、性別、社会経済的環境によって大きなばらつきがある。この不均一性を考慮することこそ、教育の成功の問題に取り組むうえでの基本であり、それによって、子どもたちが「遊びの画面」に使う時間を管理することも可能にする。その意味で、たとえばフランス科学アカデミーがまるで敗北宣言をしたかのように「〝デジタルのなかで〟生まれた新しい世代では、「画面」にさらされる時間を減らす問題は二の次にしないとうまくいかないだろう[※2]」と認めたことには驚かざるをえないのである。

データの信ぴょう性

問題の核心に触れる前に、一点、確認しておかなければならないことがある。それは、ある人口あたりのデジタル使用のあり方を確認するのは、なんであれ、簡単な作業ではないということだ[※3]。理想はもちろん、研究者の一団に依頼して、若いユーザーの集団を24時間体制で1、2か月間つきっきりで観察してもらい、そのデジタル行動をもれなく記入してもらうことだろう。これは理想だがしかし……できるわけがない。一つの代替案としてあげられるのは、各個人が使用するデジタル機器（スマートフォン、タブレット、テレビ、コンソールなど）に追跡ソフトを入れ、得られたデータを数週間にわたって収集させることだろう。技術的にはおそらく可能だが、しかし私生活の保護というデリケートな問題があり（たとえばナタンはユーポート［アメリカの無料アダルト動画共有サービス］のファンであることを知られたくない）、さらに機器がシェアされていると複雑になる（何人かでテレビを見ている場合、使用者はそのうちの一人か、それとも全員か？）。いずれにしろ、私の知るかぎり、この種の全体的な研究はまだ報告されていない。

現在、もっともよく行われているのは、聞き取りまたはアンケートによる方法である。ところで、これも完ぺきとは言いがたいのは[※3]、人は間違えることがあり、個人や自分の子どもの消費については過小評価する傾向があるからだ[※4〜※9]。次に、よく引用される研究の多くは[※10〜※14]、重複している可能性を考慮せずに（セリアはテレビを見ながらスマホのＳＮＳでチャットすることが多い）使用時間を合計していることから（テレビ＋スマートフォン＋コンピュータゲームなど）、全体の消費時間が必然的に高くなることだ。最後に重要な変数、たとえば季節（同じ調査でも、冬と夏では結果が違ってくる）[※15]や、観察された地域（おもに都会に住む子どもたちの調査では[※16]、「画面」の使用時間が過小評価されるリスクが高い）[※17]がほとんど考慮されていないことである。

これらの不安を前提としても、本書で紹介される研究は、なかでももっとも綿密に行われたものが選ばれている。広範囲な人口を対象に、厳密な聞き取り形式に基づいたものである。それでも、問題はすべて解決しない。自己評価や、とくに同時使用（自分では同時に使用しているとは思わない）ではバイアスのかかることが多いからだ。これらの要因による影響は、大まかにいって絶対値で20％から50％とされている。つまり自己評価では高く、同時使用では低くなるということだ[※4・※8・※9・※18・※19]。したがって、少なくとも一部の調査結果が無効になることも考えられるのだが、それでも、これらの研究をまとめて無視するのは常識的ではないだろう。実際、それらは完ぺきでもないが、馬鹿げていると言い切るにも無理がある。別の言葉で言うと、この章で紹介する結果を文字通り受け取ってはいけないとしても、全体的には信頼できる土台になるということだ。

ここで強調しておくべきは、デジタル使用に関して、もっとも完全で厳格な研究はアメリカで行われているということだ[※10・※11・※20・※21]。そうすると、そこで得られた消費の数字や習慣には一般性がないと不安になる人がいるだろう。しかしそれは間違いだ。アメリカのデータと、ほかの先進国——フランス[※13・※14・※15]やイギリス[※23]、ノルウェー[※24]、オーストラリア[※25]、日本など——で観察されたデータを突き合わせると、非常に高い割合で一致していることが確認できる。つまり、デジタル使用に関しては、文化的な例外はもう過去のもの、いまや先進国の若者の習慣はどこもまったく同じなのである。

子ども時代――浸透

年齢的に早すぎるデジタル使用についての研究は、次の、少なくとも二つの理由によって、きわめて重要だ。

一つは、このときの消費状況をもとに、のちの使用法の大部分が形成されることである。子どもが「画面」に向き合うのが早いほど、その子はのちに長時間、熱心に「画面」を見て過ごすユーザーになりやすいということだ。[※5・※26〜※31] これはまったく驚くことではない。私たちは習慣の生き物で、食べ物や学校、社会、あるいは読書の習慣がどうして生まれるのかを見てもわかるように、のちのデジタル習慣は幼児の頃の使用法に深く根づいているのである。

二つ目は、生まれて最初の数年間は脳の学習と成熟に非常に重要な「敏感な時期」だということだ。これから詳しく述べていくとわかるように、幼児期に発達の基本となる刺激や経験のいくつかを「画面」に奪われると、そのとき「身につかなかった」ことをあとで取り戻そうとしても、非常に難しいことが明らかになっている。[※34〜※43] これが残念でならないのは、デジタルへの（不）適応性は、年齢に関係なく埋め合わせることができるとわかっているからである。第一部でも強調したように、普通の大人あるいは思春期の若者であれば誰でも、ＳＮＳやＯＡソフト、商品サイト、ダウンロードのプラットフォーム、タッチタブレット、スマートフォン、サイバークラウド、その他のデジタルの使い方をすぐに身につけることができる。しかし、子どもにとってきわめて重要な知識の場合はそうはいかない。実際、幼児期のあいだに必要な言語や運動協調性、基本的な数学の知識、社会の習慣、感情の管理などが発達していないと、時がたつにつれ、それらを取得するのにますます苦労することになるのである。

脳は粘土のようなもので、年とともに組織が徐々に硬くなっていくと思えばいいだろう。もちろん大人になっても学べるが、子どもほどではない。大ざっぱに言えば、大人は主としてすでにある神経経路を再調整して覚えるのに対し、子どもは新しい経路を構築して覚えるのだ。この基本的な開きを、似たような例で簡単に説明してみよう。たとえば、ボストンからダラスまで行かなければならないと想像してみよう。そこへたどり着くのに、子どもならショベルカーを使い、神経の野原に最良の道を切り拓いていく。いっぽうの大人は、ショベルカーを持っていない。ささやかな左官用のコテがあるだけで、それを武器に、よくてせいぜい隣の駅までの道をつけていくだけだ。そこからは、目的地に行くために、すでに作られた道をたどらなければ（信頼性を高めるためにも）ならないだろう。たとえば過去の経験をもとに、ボストン→クリーヴランド、クリーヴランド→アトランタ、それからちょっと回り道になるがアトランタ→サンアントニオ、そして最後にサンアントニオ→ダラスへ向かうことにする。最初のうちは、遠回りであるにもかかわらず、子どもより早いだろう。道を一から建設するには時間がかかるからだ。しかし子どもは、あっという間に大人を抜いてしまい、大人は引き返す希望もなく笑い者になるというわけだ。もしまだ疑うなら、5歳の娘と一緒にバイオリンに挑戦してみよう。最初はあなたのほうが優勢だから、そのときを十分に堪能するように……その期間は短いだろうから。もしバイオリンを好まないなら、駅へ行って、発車する列車と並んで一緒に走ってみよう。同じ結果になるだろう。最初、あなたは列車より早いだろう。しかし列車は徐々にあなたに追いつき、あなたをその場に残して去っていくだろう。

子どもが発達している真っ最中の早熟な時期に、デジタル使用に時間が独占されると、とんでもない結果になるのは目に見えている。ここでは二つの時期を考慮に入れておかなければならない。一つは、大ざっぱに生後24か月をまとめた時期で、言ってみればポンプを始動させる時期。もう一つは、2歳から8歳までのあいだで、思春期に飛び立つ前の、安定化の段階である。

スタート：0〜1歳

現在、2歳以下の子どもは毎日平均して50分間ほど「画面」に向き合っている。[※11・※20・※21] この時間の長さが、ここ十年安定しているのは驚くばかりで、一見したところ問題ないように見えるだろうが……じつはそうではない。これは子どもが目覚めている時間の8％、[※44] さらに言うと「自由な」時間――「強制的な」活動、たとえば食事（2歳前は一日平均7回）[※45・※46] や着替え、風呂、おむつ替えなどにかかる時間を抜きにした時間――の15％にあたる。[※47〜※49] もちろん、この強制的な活動も子どもの発達に大きくかかわっている（とくに、大人との言葉や感情のやりとり、社会との相互作用を伴うことから）。しかし、この幼児期の自由時間の経験は、学校をさぼって「道草」をするときと同じではない。これらは主に、世界を熱心に観察することや、自発的な遊び、動的な探検、あるいはほかの思いがけない活動で構成されている。子どもは一人のときもあれば、誰かと一緒のときもある。誰かと一緒のとき、とくにパパやママとの交流はとりわけ重要で、風呂や食事のときの会話とは大きく違うと言えるだろう。

ここでの問題は、この強制されずに学ぶことの豊かさと、デジタルに費やされる時間の破壊的な恐ろしさ、その二つのギャップに尽きるだろう。まだ幼い子どもが毎日「画面」に向き合う「わずかな」50分間は、この二つの対立を頭に入れて評価されなければならない。これらの時間を24か月間積み重ねると、合計で600時間以上。これは大ざっぱにいって幼稚園の1年分（幼稚園の教育時間はもちろん、国や州によってさまざまだ。たとえばフランスは864時間、[※50] カリフォルニア州は600時間、ミズーリ州は522時間、ノースダコタ州は952時間である)[※51]、言語に関しては、発しなかった言葉にして20万個、聞かなかった言葉にして約85万個である。[※52]ちなみに、ここで操作された数字の大きさを実感したい人は、薄型「画面」の前にじっと座り、「デスパレートな妻たち」や「ドクターハウス」、「メンタリスト」、「ロスト」、「フレンズ」そして「マッド・メン」のエピソードを全部観るといいだろう。そうして奪われる時間は……ちょうど600時間!

そして、デジタルツールが、とくに言葉のために親子で共有する素晴らしい媒体であるとは、どうぞ言わないで欲しい。2歳前で、子どもが「画面」に向き合っているときに一緒にいた親は、「つねに」と「大部分の時間」を含めて半分だけ。[※53]おまけに、一緒にいたからといって、お互いに交流があるとはかぎらない!たとえばある研究で明らかになったのは、生後6か月の乳幼児の約85%が「画面」の前では黙ったまま、つまり、大人による言葉の介入がないということになる。[※54]ほかのデータでこの結果が共通するのは、テレビを対象とした研究だ。生後6か月から8か月の幼児の場合、親が一緒にいたといっても、90%近くが子どもを横に置いて自分たちが観たい「一般向けの」番組を観ていたことである。[※55]

実際の使用状況を詳しくみると、テレビが一人勝ちしているようで、それだけで幼児が「画面」に使う時間の70%にあたる。[※11]ほかの媒体が使われる場合、とくに携帯はテレビの補助的なものとしてDVDやビデオを見るのに使われている。年に平均すると、0歳から1歳の幼児の「画面」使用時間の95%以上が、これらのオーディオヴィジュアル(テレビ、ビデオ、DVD)の消費に使われている。しかし、この数字には、状況ごとに大きなばらつきが隠れている。子どもの29%は一度もテレビを視聴したことがなく、34%は毎日、37%がこの両極端を行き来している。毎日視聴する小さなグループだけで、平均90分にもなる。別の言い方をすると、1歳以下の3分の1以上の子どもが、一日に1時間半も「画面」をむさぼっていることになる。これら大消費者は、主として社会的に恵まれない環境にいることが多い。

そのような恵まれない環境に特定したデジタル使用の研究もいくつかある。結果は悲惨で、研究対象になった集団によって、一日の使用時間は1時間半から3時間半のあいだをゆれ動いている。[※54・※56・※57]この大量の消費時間を説明する親の言い分でおもな理由は、公共の場で（65％）、買い物中に（70％）、家事をしているあいだ（58％）に、それぞれ子どもたちを静かにさせておくためというもので、うち28％で子どもを眠らせるために使われていた。毎日、生後12か月の子どもの90％近くはテレビを見て過ごし、65％は携帯のツール（タブレットやスマホ）を使い、15％はコンピュータゲームのコンソールにさらされている。生後6か月から12か月では、この数字はそれぞれ85％（テレビ）、45％（携帯のツール）、そして5％（コンソール）となる。[※57]なんとも異様な数字である。

最初の壁：2〜8歳

子どもについて、問題にすべき事態が訪れるのは2歳からである。一日あたりのデジタル消費時間は、2歳から4歳のあいだに、一挙に2時間45分に達し、急激な上昇は3時間あたりで高止まりする。これは驚くべき数字である。ここ10年間で、50％以上も上昇しているのだ。[※11・※21]これは子どもが起きている普通の時間の5分の1、[※44]1年にすると、軽く1000時間を超える。つまり、2歳から8歳のあいだに、1人の子どもが「遊びの画面」に費やす時間の「平均」は学校教育の6、7年分、[※50・※51]あるいは目覚めている日数にして460日分（1年と4分の1）、これはまさに、腕の確かなバイオリニストになるのに必要な個人レッスンの時間に相当するのである。[※58]

いっぽう2歳から8歳の子どもの「画面」使用時間の90％以上は、オーディオヴィジュアルやコンピュータゲームに費やされている。しかし、年齢によって少し違いが見受けられ、いずれもテレビなどの割合のほうがゲームより多いのだが、2～4歳ではより多く77％対13％なの対し、5～8歳では65％対24％になっている。[※11] もちろん、これらの数字は、家庭の文化社会的特性から見て冷静に判断しなければならない。恵まれない環境の子どもは、恵まれた子どもより、遊びのデジタル消費がほぼ2倍多いようだ（1時間50分に対して3時間30分）。[※11] だからといって、恵まれた家の子どもが喜ぶのは早すぎるだろう。実際、教育の成功に関する多くの研究では、「画面」の有害な影響は一様には作用しないことが明らかになっている。子どもが恵まれた家庭の出身であればあるほど、[※5・※59～※61]テレビやコンピュータゲーム[※62]の前で無駄に過ごした時間が不利に働くことがわかっているのだ。別の言い方をすれば、恵まれた環境では、「画面」に使われる時間全体は確かに少ないが、失われた時間の代償はもっと高いということだ。というのも、恵まれない環境に比べて、より豊かで、形成に役立つ体験（読書や言葉での対話、音楽やスポーツ、芸術、文化的な外出など）が犠牲にされるからだ。

最後に、ここで取り上げたデジタル消費は、大部分が0～1歳と同じように、親の視線から離れていることを明確にしておこう。たとえば、2～5歳では、「画面」のタイプとは関係なく、ごく少数の親だけが（約30％）子どものそばに「いつも」または「ほとんどの時間」いると答えている。[※11・※53] 6～8歳になると、状況はもっと多様化する。管理がもっとも行き届いているのはテレビで、25％を少し下回る親が「いつも」または「ほとんどの時間」子どもと一緒にいると答えているのだが、この割合は、携帯ツールやコンピュータゲームになると、約10％にまで落ちている。

思春期前――拡大

思春期前は、本書では8歳から12歳までとしているが、そのあいだに子どもたちの日々の睡眠欲はいちじるしく減少する。それ以前の時期と比べて、60分から90分長く起きているのである。[※44]ここで「得した時間」を、全部、彼らはデジタルのがらくたに提供する。こうして、8歳から12歳のあいだ、一日の「画面」使用時間の平均は、それ以前の3時間から一挙に4時間45分に跳ね上がる。[※63]4時間と45分！　これは大変だ。起きている普通の時間の約3分の1、[※44]一年にすると1700時間以上、ほぼ学校教育二年分[※50・※51・※64]に相当し、フルタイムのサラリーマンの一年間の雇用にあたる。[※65]呆れてものも言えないが、しかし必ずしも驚かないのは、現在の思春期前の若者は「デジタルの飽和状態」に置かれているからだ。52％が自分のタブレットを、23％が持ち運びのできるパソコンを、5％がスマートウォッチを所有し、84％が毎日オーディオヴィジュアルのコンテンツ（テレビ、ビデオ）を消費、64％が毎日、コンピュータゲームなどで遊んでいる。8歳からスマートフォンを持っているのは19％。このパーセントはほぼ直線で上昇し、12歳で69％になる。おかげで新経済の成金たちが……有頂天になっているのは間違いないだろう。

　使用法の面では、きわ立った変化が見られない。実際、大ざっぱにいって、何を使用しているかは前の世代とほとんど変わらず、「画面」に使われる時間の85％近くがオーディオヴィジュアル系（2時間30分）やコンピュータゲーム（1時間28分）に費やされている。ＳＮＳに使用されるのは、この年齢ではまだ相対的に少数派（4％、10分）で、ネットサーフィンの時間もまだ少ない（5％、14分）。また、デジタルで好きな活動として思春期前の世代が上位にあげているのは、ビデオをウェブ上で観る（67％）、携帯ツール（55％）またはコンソールで（52％）ゲームをする、テレビを観る（50％）となっている。もちろん、これら平均的な傾向の裏には個人間の大きなばらつきが隠れている。一部の思春期前の若者（しかしこれは思春期も同じで、それについてはまた触れよう）はテレビに夢中なのに対し、ほかの若者はコンピュータゲームやＳＮＳに夢中、かと思えば、これら全体を混ぜて遊ぶ若者もいる。[※10]このばらつきは、「遊びの画面」に使われる時間でも見受けられる（図1参照）。たとえば8～12歳では、「大口ユーザー」（一日4時間以上）41％に対し、「小口ユーザー」（一日2時間以下）は35％。うち後者では8％がいっさい「画面」を見ていない。[※63] そして、よく耳にするのは、これら「画面」を奪われた子どもは、仲間外れになるリスクが高いという話だ。だから、子どもからこの「共通の文化」を取り上げるのは危険というわけだが、しかしこの作り話に対しては二つの点で反論することができる。一つは、現在、「遊びの画面」を使えない子どもについて、社会面や感情面、認識面、学業面での障害は、どの研究でも報告されていないことだ。二つ目は、データは一致しないとしても[※66・※67]、多数の研究やレポート、メタ分析（複数の研究結果を統合し、全体的な分析をすること）、総合的な科学雑誌が明らかにしているのは、サイバー世界で過ごす時間が少ない思春期前や思春期の若者は、より健康でもあるということだ。[※10・※68～※86] 結論としては、私たちの子どもは「遊びの画面」なしでもまったく平気で、それによって感情的なバランスや社会への同化に障害はない、むしろ逆！　ということだ。

いっぽうこれまで述べたばらつきが、多くの部分で、家庭の社会経済的特性に左右されることも、驚きではない。[※63] たとえば、恵まれない家庭の思春期前の若者は、毎日、「遊びの画面」に、恵まれた家庭の若者より1時間50分多く使っている（5時間49分対3時間59分）。この違いは、おもにオーディオヴィジュアルのコンテンツ（プラス1時間15分）とＳＮＳ（プラス30分）の消費が増えていることからくる。[※10] コンピュータゲームではこのような違いはなく、環境に関係なく、同じような使われ方をしているようだ。この点は興味深い。つい結びつけたくなるのは、ここ何年かメディアで強引に繰り広げられている、これらのゲーム（とくにアクションもの）が、注意力や決断力、学校の成績によい影響があるというキャンペーンだ。このキャンペーンについてはあとでまた詳しく述べる予定だが、親の判断に影響があったと考えることができるだろう。しかし、これらのキャンペーンは女子にはあまり影響がなかったとも言えそうだ。実際、8歳から12歳では、男子が女子に比べて「画面」の使用時間が過剰なのは（1時間06分、5時間16分対4時間10分）、大部分がコンピュータゲームで増えていることで説明できる。[※63]

思春期——没頭

思春期は、本書では13歳から18歳までとしているが、この間の「画面」の使用時間はとくにスマートフォンの普及でさらに増え、毎日のデジタル消費はなんと7時間22分までになる。[※63] この数字がいかに天文学的か！　一日の30％、起きている平均の時間の45％に相当する。[※44] 一年にすると２６８０時間以上、１１２日に相当し、学校教育の3年分、さらには中学から高校までの選択過程で、フランスの学生がフランス語と数学と生物学の学習に費やす時間全体に相当する。別の言い方をすると、「遊びの画面」は、たった一年で、中等教育のフランス語、数学、生物学に使われるのと同じ時間を吸い込んでいるのである。しかしそれでも、中学生が授業で忙しすぎることに変わりはなく、[※87] この豊かな社会で勉強に押しつぶされ、遊びまで奪われてはかわいそうだという議論もある。このうちの一人、中学生のアユーブは、この問題である全国紙に質問され、こう答えていた。「僕なら、もし学校の授業を短くしてくれたら、その時間はプレイステーションで遊ぶか、テレビを観て過ごしたいな」[※88]。これがいわゆるウィン・ウィン・ウィン計画だ。アユーブは喜び、ソニーは大金を手に入れ、国民教育省は節約できる（授業時間が少なくなるということは、給料を払う教師も少なくてすむからだ）。ちなみに、授業時間を一般の公立学校より1・5倍多く設定した、非営利目的の教育プログラムがアメリカで成功した例は、恵まれない環境において教育の勝者になるには、逆に授業時間は多いほうがいいことを示している！[※89〜91] しかし、だからといってその計画に邁進するのは馬鹿げているだろう。なんといっても、これらアメリカのデータは「以前の」世界のもの……、私たちの子どもが、まだサイバー検索の専門家に突然変異する前のことである！

「画面」の使用法の問題に戻ろう。これに関しては、思春期世代はその前に確立された習慣と大きな変化はない。少し増えているのがオーディオヴィジュアルのコンテンツで（2時間30分対2時間52分）、同じくらいがコンピュータゲーム（1時間28分対1時間36分）、ぐっと増えているのがＳＮＳ（10分対1時間10分）、少し増えているのがネットサーフィン（14分対37分）とビデオチャット（5分対19分）である。年に平均して、これらの活動は思春期のデジタル使用時間の90％も占めている。もちろん、家庭の社会経済的特性はここでも重要な役を演じている。恵まれない家庭の若者は、恵まれた若者より、毎日1時間45分多く「画面」に向かっている。これも前の年齢で観察された傾向を確信するだけだ。ジェンダーの影響についても同じである。13歳から18歳でも、男子の消費が引き続き女子を上回っているが、差はより縮まっている（29分）。しかしそう見えても、裏には男子と女子の傾向の違いが隠れている。思春期では、女子は男子に比べてＳＮＳを優先する（51分対1時間30分）のに対し、男子はコンピュータゲームに多くの時間を当てている（47分対2時間17分）。

家庭環境でコントロール

したがって、「遊びの画面」の使用法は、それぞれの社会環境、年齢、性別によって大きく異なるようだ。しかし、これらの要因は重要でも、それだけで物語が成立するわけではない。デジタルと向き合う新しい世代の行動範囲を見定めたいとき、ほかのもっと「環境的な」特性も考慮すべきである。これら環境的な特性の利点は、いわゆる社会人口学的な目印と違って、楽にコントロールできるところにある。その意味でこれらは、親が子どもたちのデジタル消費を有効に抑えたい場合、可能性のある介入手段と言えるだろう。

親のデジタル消費を減らす

使用を促す要因の最初にくるのは、当然のことながら、「画面」が物理的に使用できることである。家に多くのテレビやコンソール、スマートフォン、タブレットがあれば、消費が増えるのは当然で、それが部屋にもあればなおさらだ[※92~※101]。言いかえると、もしあなたが自分の子どもにもっとデジタルに向き合って欲しければ、子どもに自分のスマートフォンやタブレットを所有させ、部屋にテレビやコンソールがあるようにすればいいだけだ。この最後の心遣いは、子どもの睡眠[※96・※98・※102~※107]や、健康[※92・※96・※100]、学校の成績[※6・※93・※105]をむしばむが、しかし、少なくとも子どもは静かになり、あなたも落ち着いていられることになる[※53]。このテーマでは、3000人以上の5歳児の行動を対象にした研究が一つある[※108]。それによると、部屋にテレビのある子どもたちは、ない子どもに比べ、一日の消費が2時間を超える子の数がほぼ3倍だった。ゲームのコンソールに関しても同じで、部屋にコンソールが1台ある子どもたちは、一日の使用が30分を超えるリスクが3倍だった。これと同じような結果は、もっと年上の思春期前や思春期の若者でも報告されている[※94・※95・※97・※100]。つまり、子どもがデジタルにさらされるのを抑えるのに最高の方法は、寝室から「画面」を取り上げ、さまざまな携帯ツールを持たせるのをできるだけ遅くすることだ。これに関しては、もし親がよく言うように「子どもの様子を知るためのコンタクトを保つため」だけだったら、ネットに接続できない基本の携帯で十分。衛星回線のスマートフォンなど必要ないということだ。

環境としては、これら接続の要因に加えて——驚くべきことに——、家族の習慣も重要である。たとえば多くの研究で、子どもの消費は親の消費とともに増大することが明らかになっている[※28・※95・※99・※109~※114]。これは三重のメカニズムで説明できる。（1）「画面」を共有する時間（たとえばコンピュータゲームやテレビ）が使用時間を全体的に増加させる（なぜなら共通で使用すると、多くの場合、一人だけの使用とはならず、一人ずつにつけ加わるからである）[※115]。（2）子どもは親の過剰な行動を模倣する傾向がある（社会的学習ではよく知られたメカニズム）[※116・※117]。（3）大人のデジタル大量使用者は、発達に関する「画面」の影響力で肯定的に見られており[※53]、子どもの「画面」使用のルールを緩めにしがちなところがある。この点に関して多くの研究が明らかにしたのは、厳しく制限しなければ、不適切なコンテンツに接続しやすく、使用時間も長くなるということだった[※28・※95・※97・※108・※113・※115]。たとえばテレビについて、ある研究では10歳から11歳の子どもを対象に、親の三つの「スタイル」が比較された。放任主義（ルールなし）と権威主義（厳しいルールを課す）、そして説明主義（説明してルールにする）[※118]だ。それぞれのスタイルで、一日に4時間以上テレビを観た子どもの割合は、それぞれ20％、13％、7％だった。

この最後の結果が強調しているのは、説明することの意義だ。子どもの頃から、なぜ制限を課すのか、その理由を説明することである。制限が長期的に十分に有効になるには、それが独断的な罰と思われてはならず、肯定的要求でなければならない。そこで重要なのは、子どもがそのやり方を受け入れ、そのよさを内面化することだ。子どもがほかの仲間は「好きなことをしていい」のに、自分が「できない」のはなぜなのかと聞いてきたとき、親は子どもにきちんと説明しなければならない。「画面」は脳や知性、集中力、学校の成績、健康などに深刻な悪影響を与えると言わなければならない。そしてその理由を正確に伝えなければならない。睡眠不足になって、より豊かな活動、たとえば読書や楽器の演奏、スポーツ、他人との会話などに当てる時間や、宿題をする時間も減る、などである。しかしこれらすべてはもちろん、親自身が「遊びの画面」に没頭していないことでのみ信用される。最悪、子どもにとってよくないことは、大人には必ずしもそうではないと、説明してもいいだろう。というのも、大人の脳は「完成している」のに対し、子どもの脳はまだ「構築中」だからである。

正しいルールづくり

とはいえ、いくらルールを作っても、最後は予測不能な要因に左右され、うまくいかないのがオチで、実際、これを証明する研究はたくさんある。しかしこの点に関しても、研究者たちはもはや従来の観察法では満足していない。「遊びの画面」の消費を減らすのを目的とした実験プロトコル〔手順や条件を記述したもの〕を作成、それを元に研究を行っている。最近のメタ分析では、この目的のためだけに行われた12の研究を組み合わせて比較分析されたものがある。[※119・※120] 結果、親が（一部の研究では子どもも）遊びのデジタルの有害な影響を知らされ、それを元に正しく制限したルール（一週間または一日の最大時間を決める、部屋に「画面」を置かない、学校へ行く前の朝の「画面」は禁止、誰も観ていないときはテレビを消す、など）を設けると、消費時間は大幅に減少、平均で半分になっている。ちなみに、おもに13歳以下の子どもを対象にした先の研究では、親が介入したことによって、一日の使用時間が2時間30分少々から1時間15分以下になっている。念のためにつけ加えると、この傾向は一時的なものではなく、その後の2年間まで（平均は6か月と少々）安定して減少していたことが確認されている。

このことからわかるのは、新しい世代に遊びのデジタル消費を減少させるのは、決して乗り越えられない壁ではないということだ。入手可能な研究で明らかにされているのは、きちんとした使用ルールを定め、接続の機会を制限することで、大きな結果が得られるということだ。しかし、もう一度繰り返すが、このやり方が長期的に機能するには、子どもや思春期の若者に絶えず働きかけて賛同させなければならない。多くの人が信じていることとは逆に、このしつこく説明するやり方は、じつは束縛を求めることでもある！　そして束縛と責任を持たせることは、成功を補足しあう二つの糧なのだ。実際、子どもの自己規制の能力は、明確に定められたルール、つまり束縛に基づいてこそ少しずつ構築していくことができる。こうして身についた能力は、好ましい環境に支えられているぶん、より高くなるだろう。結局のところ、基本の考えはいたって単純。欲望に抵抗するのにいちばん楽なのは、その手段がないか、ロックされているか、作動させるにはリスクが高すぎるときである。[※121・※122]たとえば、食べながらテレビを観てはいけないという制限に従わせるのにいちばん簡単なのは、食事の場から画面をなくすこと、というわけだ。同じく、スマートフォンに没頭させないためにいちばん簡単なのは、持たせないか（10歳や12歳、15歳の子どもは本当にスマートフォンを必要としているのだろうか？）、きちんとした使用ルールを定めるか（たとえば、20時以降や宿題をするあいだ、スマホは必ず消してサロンの台の上におくなど）、または、ソフトウェアのウィザードを使用して、毎日の持続時間や時間帯を制限する（現在は簡単に操作できる多くのアプリがある）ことだ。そしてこのときにへたに監視したり、逆に無責任になったりしてはいけない。いずれにしろ、これらの「支え」は、よい習慣が永続的に発達する助けになるのは間違いないだろう。

デジタルを奪われた子どもたち

こうして環境に働きかけることで、「画面」の時間を有効に減少できることがわかった。しかしもっと先を行き、より全体的に、子どもの行動も導くことができるアプローチがある。たとえば一人の生徒が、[※26・※123]本を読むか、テレビを観るかを選択できると想像してみよう。ほとんどの場合、子どもは二つ目を選ぶはずだ。しかし、もしそこでテレビをなくしたらどうなるだろう？　おそらく、それほど好きではなくても、子どもは本を読み始めるだろう。できすぎた話だろうか？　いやそうではない！　最近の多くの研究で明らかになったのは、私たちの脳は何もしないことに耐えられないという事実だ。[※124・※125] 観察されたのはたとえば、20分間何もしないで過ごすと、数字の操作の複雑な課題（四桁の各数字に3を加える、6243→9576）をして過ごした20分間より、精神的な疲れが大きかったということだ。[※126] したがって大半の人は、やるべきことがとっつきにくくても、または最悪痛みを伴う一連の電気ショックを自分に課すことであっても、退屈するよりはむしろそちらに飛びつくのである。[※127・※128] この何もしないことによる力を間近で観察したのが、アメリカ人ジャーナリスト、スーザン・マウシャートだ。彼女はある日、3人の思春期の子どもたちのデジタルへの接続を切断する決心をした。[※129] 電子機器の玩具を奪われた子どもたちは、最初は反発したのだが、徐々に適応して（再び）本を読み始め、サックスを演奏し、犬を連れて浜辺に行き、料理をし、ママと話し、よく眠るようになったという。

「過剰」の線引き

残るはもっとも中心的な問題、「過剰な使用とは何か？」である。このテーマが公に取りあげられる場合、たとえば「『画面』の時間が多すぎると脳にダメージを与える」[※130]、「過剰な『画面』使用は精神衛生によくない」[※131]、「『画面』の理にかなった使用を促さなければならない」[※132] などと、表現が曖昧なことが多い。しかし実際問題、「理にかなった」とは、どのくらいなのだろう？　どこからが「過剰」で、どの時間以上だと「過」なのだろう？　これらの問いの答えとしてふさわしいものはあまりない。しかしそれでも、科学的文献にはデータがあふれている。

「画面」依存とは何か

依存に関しては、現在、何十という研究が、この現象の現実を行動学的、神経生理学的に明らかにしている。[※133〜※143] それにもかかわらず、病的な特徴には大きな幅があり、分類の仕方もまちまちで、一般論として、「画面」の依存症とは、日常生活、とくに社会や職業の分野で損害をもたらす衝動的な使用のこと、と特徴づけられているだけである。[※144〜※147] 割合としては、平均値は相対的に低く、ユーザーの3から10%。もちろん、ここにも大きなばらつきが観察されている。[※134・※140・※141・※145・※148・※151] この低さから見ると、「過剰な使用」は結局、人口的にはごく少数派だと結論づけたくなる。しかしこれには注釈が二つ必要だ。一つは、パーセンテージが少なくても、人口が大きければ、結局は多くなるということだ。ちなみにフランスでは、14歳〜24歳の5%は約40万人、[※152] アメリカではこの6倍で、約250万人になる。[※153] もう一つは、なかには害をもたらすほど病的ではない行動があるということだ。言いかえると、子どもがスマホやSNS、コンピュータゲームにどっぷりでも、なんであれ悪い影響から逃れていれば、臨床学的に「依存」ではないということだ。というのも、集団心理における「依存」のイメージは非常に悪く、テレビで見るような麻薬中毒者やアルコール中毒者が典型になっているからだ。親にとっては、自分の子どもたちがこのような悲しいモデルと同じだと認めるのは難しく、子ども自身にとっても、自分がその原型だと認めるのは難しいだろう。[※154] そのうえ、デジタル依存もほかの依存と同じように、自分では頑固に否認することが多いので、よけい難しいのである。[※155〜※157]

年齢が重要

では、依存で判断できないとしたら、過剰の境界線はどこにあるのだろう？　答えは年齢で決まってくる。

それを理解するには、人間の発達は「静かに流れる大河」ではまったくないことを実感しなければならないだろう。脳の構築についていうと、とくに幼少期の一部の期間、すでに述べたいわゆる「敏感な時期」は、ほかと比べてもきわめて重要である[※34〜※42]。この時期、もし神経が質的にも量的にも不適切な「糧」を提供されたら、最良の方法で学ぶことができず、そして欠乏期間が長くなるほど、埋め合わせが難しくなる。たとえば子猫は、生まれてから3か月間片目を閉ざされたままでいたら、両目で普通に見ることが一生できなくなる。同様に、生まれてから2週間、特別な音の周波数にさらされたネズミは、この周波数を解読する脳の領域がいつまでも発達する（もちろん、ほかの領域を犠牲にして）[※159]。臨床的に観察された結果も検討してみたい。生まれつき耳の聞こえない子どもでは、人工内耳の長期的な効果が、植え込む年齢によって大きく変化することがわかっている。また、音の識別能力は、とくに言語の分野では、3歳から4歳前が最高で、その後は徐々に衰え、8〜10歳を過ぎるときわめて不満足になる[※160・※161]。同じように、大人の音楽家の大脳皮質が、ある楽器を絶えず演奏することで再編されていくときの広がり方は、演奏全体の時間よりは、年齢的に早く（7歳前）学んだ人のほうが大きかった[※162・※163]。同じく、移民では、受け入れ国の言語の習得の難易は、現地で過ごした年数より、到着した年齢によることがわかっている。7歳を過ぎると目立って難しくなるのである（年齢に制限のない語彙の取得は別にして）[※164・※165]。たとえば双子の場合、受け入れ国で何年過ごしたかより、到着したのが4歳か8歳かによって、言語の習得レベルが違ってくるということだ。そうは言っても、ネイティブと比べると、若年齢での移民もまた、正確なテストを受けると長期的な欠陥が見受けられる。実際、言語の多くの才能が脳で「具体化」されるのは、7歳のバリアのずっと前なのである[※166〜※168]。たとえば発声の分野では、「生粋の」英語圏の人は、十分に注意して聞くと、大人になって北米に来た移民と3歳のときにきた移民とでは、軽いアクセントの違いがあるのを見分けられるそうだ[※169]。文法も同じである。1歳から3歳の幼少期にアメリカに受け入れられた中国人の大人は、ネイティブの同胞に比べて構文能力が目立って劣っている[※170]。違いは微妙だが、しかし探知できるのである。

この種の観察なら、数十ページにわたって紹介することができるだろう。しかしメッセージは変わらない。つまり幼少期の体験はきわめて重要だということだ。だからといって、1970年代にアメリカでベストセラーになった本（F・ドドソン『親になる方法』、1970年〔『ダドソン博士の子育て百科』1996年、あすなろ書房〕）のフランス語版が鳴り物入りで吹聴したように、「すべては6歳前で決まる」ということではない。そうではなく、それが意味しているのは間違いなく、0歳から6歳のあいだに行われることが、子どもの将来に深い影響を与えるということだ。結局のところ、これは自明の理でもある。つまり、学習は無からは生まれないということだ。学習は、既に取得した能力が段階を経て変化し、組み合わさり、そして徐々に豊かになっていくことで行われる。[※171] したがって幼少期、とくに「敏感な時期」に作られる骨組みが弱いと、遅れての発達全体を危険にさらすことになる。統計学者はこれを「マタイ効果」と呼んでいる。聖書の有名な一文「おおよそ、持っている人は与えられて、いよいよ豊かになるが、持っていない人は、持っているものまで取り上げられるであろう」[※172]（マタイによる福音書）を参照したものだ。考えはいたって単純だ。知識は積み重ねていくものという性質から、力学的にいっても、最初の遅れは徐々に増大していくと明言しているのだ。この現象は多くの分野、言語からスポーツ、さらには経済、職業の軌道まで、資料で裏づけされている。[※89・※173〜※178] もちろん、多くのケースで動向が逆転することもあるが、それはあくまで部分的である。[※179] しかし、繰り返すが、脳の柔軟性による最適な時期から遠ざかるにつれて、それはますます難しくなる。そのときに要求される努力は、最初の予防に必要だった努力の何倍にもなるだろう。ここでも、「予防は治療に勝る」のである。それでもまだ疑っている人には、アメリカの経済学者で、2000年にノーベル経済学賞を受賞したジェームス・ヘックマンの研究が興味をひくだろう。教育の投資効果について研究した彼は、子どもの年齢とともに投資効果が減少していくことを証明したことで知られている。メッセージは明らかだ。「発達に関しては、幼児期の比類のない可能性を無駄にしないほうがいい！」。彼はつまり、就学前に教育投資することの有効性を実証したのである。

デジタルで遊ばせない！

この「敏感な時期」の概念ほど、人生の最初の数年間の学習の重大さ、規模の大きさをうまく表現しているものはないだろう。人生のほかのどの段階においても、変化がこれほど密に集中している時期はない。6歳で小さな人間が学ぶのは――社会的慣習以外と、ダンスやテニス、バイオリンなど「自分の意思による」活動を抜きにすれば――、座ること、立っていること、歩き、走り、排泄をコントロールして、一人で食べ、手を制御して調整し（絵を描き、紐を結び、物を操るなど）、話し、考え、数や書き方の基本を自分のものにし、激しい感情や衝動を抑える、など山のようにある。このような状況では、一分一分が重要になる。だからといって、子どもに過剰な刺激を与えなければならないというのでは、もちろんない。重要なのは、発達に必要な「糧」がたっぷりと手に届くような環境に、子どもを「正しく」置くということである。ところで、「画面」はこの環境には入っていない。それについてはあとで述べるが、「画面」が物事に構造を与える力は、ほかのどんな標準的な生活環境から与えられるものよりいちじるしく劣っている。多くの研究で明らかになったのは、幼い子どもの場合、一日に平均10分から30分間「画面」にさらされるだけで、健康面（たとえば肥満）、認識面（たとえば言語）で、見逃せない危害をもたらすということだ。[※181〜※184] 小さな人間が正しく成長するために必要なのは、生きた人間であり、行動である。子どもは言葉や微笑み、愛撫、励ましを必要とする。体験し、身体を動かし、走って跳んで、触って遊び、豊かな形を操ることを必要とする。自分のまわりの世界を見つめ、ほかの子どもと一緒に遊ぶことを必要とする。幼児向け番組の「ディズニー・ジュニア」や「カートゥーン・ネットワーク」、「ベビー・ファースト」などはまったく必要としないのである。

「画面」は、生まれて最初の数年間の真ん中を流れる氷流という言い方もできる。それは、発達の段階で貴重な時間を奪うだけではない。また、のちにハイパーユーザーになる基礎を固めるだけでもない。「画面」はそれらに加えて、感覚を強制的に飽和状態にすることで、脳の構築に深く損害を与えるのである。この間、神経組織の中心に刻み込まれるのは、注意不足と衝動性である[※185・※186]（これについても次の章で詳しく触れよう）。そしてそれも、脳が（再び言おう！）もっとも柔軟性を発揮する時期に、である。年齢的に早い時期から「画面」を禁止しても、コストはいっさいかからない。別の言い方をすれば、幼児を捕食者であるデジタルツールから守れば、いいことしかないということだ。用心をするのに越したことはない。それに関しては、米国小児科学会の専門家がいみじくもこう言っている。「もし、それがいいということがわからず、そして、いくらかでも悪いと信じられる理由があるなら、なぜそれをするのか？」[※187]。したがって、過剰の線引きは簡単だ。それは最初の1分から始まる。6歳以下の子ども（さらには7歳でも）には一言、「『画面』なし！」。もちろんだからといって、子どもをときどき映画に連れて行ったり、一緒にアニメを見たりしてはいけないというわけではない。ただ、日常的にだらだらと「画面」を見せるのを、できるだけ禁止するということだ。

この勧告を極端だと考える人は、ＷＨＯが最近表明した立場を参考にできるだろう[※188]。それによると、「同じ座りっぱなしの時間でも、『画面』ではなく、世話をする人と一緒に過ごす質の高い時間、たとえば読書や読み聞かせ、歌、パズルなどは、子どもの発達にとって非常に重要である」。したがって「1歳の子どもに、座ったままの『画面』タイム（テレビやビデオの鑑賞、コンピュータゲームなど）は勧めない」、そして5歳までは「座りっぱなしの『画面』タイムは1時間以上になってはならず、以下がベターである」。言いかえると、子どもが幼いときはすべて、「画面」は少ないほうがよく……そして少ないとはつまり、ゼロなのである。これに関してはいずれ、国際的な専門家がもう少し努力して、遠回しな言い方ではなく、明快な事実をはっきりと言ってくれるだろう。

もちろん、ここで問われることになるのは、いわゆる「教育的な」コンテンツの問題だろう。非常に幼い子どもの場合、問題は解決しているようだ。世界的に権威のある国際機関の圧倒的多数はいまや、米国小児科学会が1999年の時点からすでに明白に表明していたように[※189]、2、3歳前は、「画面」全体が有害であることを一致して認めている。[※190~※193]テレビの影響（幼児の「画面」をほぼ独占）に関する最近の学術雑誌でも、それを明確に断言している。それによると、「乳児期に『画面』にさらされた時間を測定した（内容分析をしたもの、しないものも含めて）研究では、一貫してテレビ視聴が発達に悪い結果をもたらすことが実証された。これは注意力、学業成績、実行機能、言語の結果で確認された」[※194]。この結果はまったく驚くものではない。幼児には、人を介せば何の問題もなく取得できる簡単なことでさえも、ビデオからでは一貫して学ぶ能力がないことを反映しただけである。これについても次の章で詳しく述べることにしよう。

ただし、もう少し年齢の進んだ子どもになると、そうはっきりと断言できなくなるようだ。実際、多くの研究が指摘しているのは、教育プログラムが正しく考案され、編成されていれば（ゆっくりとしたリズム、落ち着いた調子の語り、物の具体的な名称など）、子どもの一部の発達、とくに語彙の分野ではプラスの影響があるということだ。これらは、大人が言葉で介入するさいのサポートとして利用されればもっといいだろう[※194・※195]。そのことから、多くの国際機関は、時間的な問題以上に、使われるコンテンツの性質について強調してきた。その姿勢をもっともよくあらわしているのが、米国小児科学会である。その最新の報告書にはこう書かれている。「2歳から5歳の子どもには、『画面』使用は質の高いプログラムを一日に1時間に制限し、親は子どもと一緒に視聴して、子どもが内容を理解するのを助け、まわりの世界に適用して学ぶよう助けること。ペースの速いプログラムや（幼児はうまく理解できない）、気が散るコンテンツの多いアプリ、暴力的なコンテンツはなんであれ避けること」[※191]。権威ある機関が、ただの束縛や制限を超え、これだけ強く勧めているからには、少しばかりの解説が必要だろう。

まず一緒に視聴することから始めよう。注意すべきポイントは二つ。一つは、一緒に使用すると、よい点だけでなく、すでに述べたように、消費時間全体が目に見えて増えることがある点。もう一つは、これもまたすでに強調したように、一緒に視聴するといっても例外が多いということだ。2歳から5歳では、親が「いつも、あるいはほとんどの時間」一緒にいると答えたのは少数派にすぎず、子どもがテレビを見ているときが32%、コンピュータゲームをしているときが28%、スマホを使っているときが34%[※53]である。これらの数字は、6歳から8歳の子どもでは、それぞれ23%、9%、13%に落ちていく。これで説明できるのは、もしや親は「画面」をコミュニケーションのサポートというよりは、ベビーシッター代わりにしているのではないかということだ[※53]。それとは別にもう一つ、親が一緒にいるからといってやりとりが発達するとは言えないということだ。アニメを見ながら、あるいはゲームをしながら話をするのは、そう簡単ではない！　同じ共有をするなら、本や[※175・※196・※197]、自由なやりとりのほうがよほど得るものがあるだろう。その点、カナダ小児科学会の立ち位置はとりわけ興味深い。専門家たちは強く奨励したいことを、二点を軸に訴えている。「『画面』の時間を最小限にし、（そして）、一緒にいて『画面』の時間に結びつくリスクを軽減する（減らす）[※192]」ことだ。最初の点については、こう書かれている。「2歳から5歳の子どもには、一日の『画面』時間は1時間以下に制限する」。二点目に関しては、「『画面』が使用されているときは、そばにいて関わり、できるかぎり一緒に視聴する。コンテンツに注意して、教育的かつ年齢に応じた、相互にやりとりできるプログラムを優先する」とアドバイスしている。そして、ここからが興味深いものになる。実際、文書には次のように書かれているのである。「しかしながら、（……）未就学児の学習にベスト（つまり表現力や語彙で）なのは、ライヴで、大人の保護者と直接、活発なやりとりをすることである」。別の言い方をすると、質の高い「教育的」なコンテンツは、大人とのやりとりのサポートであれば、言語の発達にはよい影響はあるが、しかし、これらの影響は「画面」のないほうがきわめて高いということだ。もっと言うと、「画面」のまわりでやりとりすることは可能だが、しかし同じやりとりでも「画面」のないほうがより豊かで、実りがあるということだ。

　これらのアドバイスが信頼できるのは、「教育的」と保証付きのコンテンツは全体的に、驚くほど文化的、創造的、言語的に貧しいことが多いからだ。ここでは例として言語の分野を取りあげ、いわゆる珍しい単語、つまり、英語でよく使われる１０００語のリストに入っていない単語について見てみよう。これらの単語は、就学前の本や普通の言葉による会話のほうが、「セサミストリート」や「ミスター・ロジャース」といった象徴的な教育番組より8倍も多い（16／１０００と17／１０００対2／１０００）のである。[※198・※199] この理由については、あとでまた述べることにしよう。しかしその前に、語彙に関しては、珍しい単語だからといって本や会話の中で使われないわけではないことを、確認しておく必要があるだろう。それをよくあらわしているのが『三匹の小豚』である。この有名なおとぎ話は、日常あまり使われなくても基本となる言葉であふれている。たとえば、立腹、プッと吹く、麦わら、唸り声、きしむ、エール、叫ぶ、などである。逆にそれらの単語の欠乏は、広く携帯ツールから、教育的と称賛される、あらゆる種類の、双方向のアプリすべてで確認できる。それについては最近、米国小児科学会も次のように強調している。「教育的と保証された幼児・就学前用のアプリ１００個を再検討した結果、ほとんどのアプリは教育的な可能性が低く、ターゲットにしているのは繰り返しによる暗記だけで（たとえばアルファベット、色など）、確立されたカリキュラムをベースにしておず、そしてほとんどで発達の専門家や教師が投入されていないことが証明された」[※200]。つまり、ここでもまた、子どもたちはおそらく「何か」を学ぶのだろうが、しかし、人との自由な、本を介した交流などから得られるものに比べれば、きわめて少ないということだ。

要約すると、2、3歳前は、「画面」に関係なく、どんな性質やコンテンツの教育的アプリであっても、何ももたらさないということだ。それ以降の就学前の年齢になると、一部の「教育的」と銘打つプログラムは、一部の基本の認識能力、とくに言語能力の発達を助けることはあるだろう。しかしこの学習はつねに、「本当の人生」から得るものに比べるときわめて劣っている。したがって、子どもを一人で砂漠に放棄するより、教育的なデジタルコンテンツの前に置いておくほうが明らかに好ましいとしても[※201]……いちばんいいのは、人と相互に関係する世界の中心に浸らせておくことに尽きるのである。

しかしここでもう一度、曖昧さを避けるために、ぜひとも強調したいことがある。子どもの世話をするときに、「古い時代」でもまた（私は知っている、そこの出身！）、親はときに静かに落ち着ける時間を欲していたことだ。そのため、子どもたちを安全な環境のなかに一人にさせ、積み木やパズル、本、ボール、さまざまな仮装遊びやあらゆる種類の玩具と過ごさせた。子どもはそこでまわりの誘惑から抜け出し、自分の内なる世界に集中することを学んだ。ここから生まれたのが、とくに「象徴遊び」［子どもが現実や想像で経験したことを、事物や身ぶりで表現する遊び］と言われる空間で、これは多くの研究によって、語りの能力や創造性、感情の調整力の構築と結びつけられている[※202〜※204]。別の言い方をすれば、早期の発達は人間関係（これは間違いなく重要だとしても）だけによるものではないということだ。自分を構築するために、幼児には一人で退屈し、夢を見て、想像し、新しいものをつくるなど、（一方的に）反応するより自分で行動することもまた必要なのである。子どもをつねに熱狂に浸らせ、興奮させておくよりはむしろ、一人で世界を探求できる可能性を与え、自分で活動できるようにしておくことが基本と言えるだろう。

6歳以降は一日1時間以下

残るは、6歳以降での有害な使用時間の閾値を明確に定めることである。これは思ったほど複雑な問題ではない。実際、統計の研究では、参照する単位として「一日の時間」を使っている。得られた結果を収集してまとめてみると、一日の最初の1時間から多くの問題が浮き彫りになるのが確認できる。言いかえると、6歳を過ぎると、どの年齢でも、「遊びの画面」(テレビ、コンピュータゲーム、タブレットなどすべてを含む)の使用が一日60分を超えたところで、有害な影響がいくつも測定できたのである。それらはたとえば、家族関係[※205]、教育の成功[※206]、集中力[※207]、肥満[※208]、睡眠[※209]、心血管系の発達[※210]、あるいは平均寿命[※211]などである。残念ながら、それらが害になるのは30分後からなのか、45分を過ぎるとあらわれるのか、またはたっぷり1時間後なのか、正確に決めるのは不可能なことがわかっている。そこで、まずは慎重に「寛容な」バージョンを選ぶことにしよう。その場合の表現はこうなる。6歳以降は、「遊びの画面」の使用が一日1時間を超えると、量的に検出できる害をもたらし、したがって過剰とみなすことができる。しかし、手元の資料と突き合わせると、代替の閾値を「慎重」に30分としても極端ではないようだ。したがってこの場合は、30分(慎重な境界線)から60分(寛容な境界線)以内を維持するように勧告することになる。しかし、これらの境界線は一日ではなく、週単位で設定できることも明確にしておこう。こうして、学校のある平日は「遊びの画面」をいっさい見ず、週末に90分間、アニメやコンピュータゲームで遊ぶ子どもも、正しく統計に組み入れることになる。しかしもちろん、時間がすべてではなく、ここで決められた境界線は、適切なコンテンツと、受け入れられる時間帯に対してのみだということを明確にしておこう。だからたとえば、拷問あり、過激なセックスシーン

(フェラチオ、性交など)ありの超暴力的なコンピュータゲーム「GTA(グランド・セフト・オート・シリーズ)」は、12歳、14歳、あるいは16歳であっても、どんな時間配分であっても、「ダメ」にすべきである。同様に、6歳でも8歳、または10歳でも、翌日学校のある日曜日の夜は、どんなに楽しい家族劇でも、23時までテレビを見るのは「ダメ」だろう。

最後に強調しておくべき点が一つ。「画面」のコンテンツや使用状況のほうが、一部の社会心理面(攻撃性、不安症、タバコやアルコールの手ほどき、など)[※5・※212・※213]で重要だからといって、イギリスの大手日刊紙のジャーナリストが最近、あえて断言したように「『画面』タイムは、それ自身、有害ではない[※214]」とはならないということだ。実際、このコンピュータゲームの専門家は、食べ物で広く普及している例を元に、こう説明している。「カロリー(「画面」の使用時間)計算をするより、何を食べたかを考えたほうがいい」。しかし問題は、いいものを食べても食べ過ぎは食べ過ぎだということだ[※121・※216]! この点は、アメリカの保健福祉省と農務省による共同報告書で、次のように明確に強調されている。「重要な問題は、食事における主要栄養素の比率ではなく、食事のパターンでカロリーが減少するかどうか、そして各個人が長期的に減らしたカロリーを維持できるかどうかである。体重に関しては、食事で摂取したカロリーの総数がもっとも重要な要素である[※217]」。言いかえると、その料理が質的にも栄養のバランス的にも最高であったとしても、「全体の量、それ自体が有害」なのである!

「遊びの画面」であっても同じである。この種の活動に3、4、5時間、さらに6時間も費やすのは過剰、ただ単に過剰! たとえ個人が病的に「依存」していなくても、また、いわゆる「適切な」コンテンツだけを使用したとしても、それは同じである。事実、多くの研究が、すでに述べ、これからも述べるように、一日60分で、コンテンツに関係なく有害な影響が認定されている[※5・※206〜※211]。この影響は、現在よく知られてきた「盗まれた時間」のプロセスとも結びついている。この場合、重要なことはただ一つ。「画面」使用は、ほかのもっと重要で、発達の「糧」となるものを犠牲にして行われるということだ。そのうえに「コンテンツ」の影響があるとしたら、こちらも使用時間と無関係なわけがない。これら二つの要因が影響しあう結果、不適切なコンテンツの有害性は、使用時間とともにさらに増大することになる。[※5・※212] タバコ[※218〜※222]や、リスクのある性行為のきっかけを作っている[※223〜※226]ことが、そのいい例である。それでも、この分野では著名な研究者のなかにも、「画面」の使用時間は関係がないと主張する一団はおり、事実、先に述べたジャーナリストも「十代の子ども『画面』時間は一日1時間にせよという提案は、誰であれ子育て中の親にとっては笑いごとである[※214]」と書いている。

　これには失望せざるをえないのだが、しかし、この種のくだらないことには三つの点で反論できる。一つは、これまで述べたことで明らかなのは、一部の子ども／思春期の若者は、この閾値を尊重することに成功し（彼ら自身／または親の助けで）、そしてみんな不幸にもならず、時代遅れにもなっていないことだ。二つ目は、この一日の時間は「笑えるほど」小さくても、6歳から8歳まで積み重ねると、学校教育の5年分[※50・※51・※64]、フルタイムのサラリーマン生活の2年半に相当するということだ[※65]。最後に、人類の歴史は「笑える提案」にあふれており（黒人と白人／男性と女性は知的に平等、耳の聞こえない子どもに手話を教える、タバコでガンになる、大陸の偏流など）、いずれもその後、確固たる事実になったのは、ある日、「大馬鹿者」が、俗世間の意見や偽の定説に立ち向かい、事実にひたすら従うことを決意したからである。アメリカの教育家、ニール・ポストマン（1931-2003）もその大馬鹿者の一人だった。1980年代、ニューヨーク大学で文化とコミュニケーションの教授だった彼は、テレビが私たちの世界観や考え方に途方もない悪影響を与えることを心配した。そこで、資料に裏打ちされた200ページにわたる力作に着手、テレビが何世紀にもわたる印刷文化を破壊したのに、私たちはそれを忘れて中味にうつつを抜かしていると訴えた。ポストマンの言葉によると、「私たちはテレビそのものについてはほとんど話さず、中味についてだけ話している。その環境は、物理的な四角い形だけでなく、私たちが普通に観ているものも含めて、自然に受け入れられている（……）。テレビでの素晴らしい会話に加わるため、アメリカの文化機関は次から次へとテレビ言語を学んでいる。別の言い方をすると、テレビは私たちの文化をショービジネスの広大なアリーナに変えているところなのである。もちろん、最後は私たちがそのことを楽しいと思い、まったく問題がないことにできるだろう。これはまさに、イギリスの著作家オルダス・ハクスリー（1894-1963）が50年前に抱いていた不安である」※227。

結論

この章では、三つの重要な点をおさえておくべきである。

一つは、私たちの子どもは遊びのデジタルに驚くべき時間を費やしているだけでなく、その時間がたえず増えつづけていることである。

二つ目は、マーケティングでよく言われていることとは違って、これらの行動や傾向は避けられるということだ。明確な使用ルール（朝の学校へ行く前と、夜寝る前、宿題をするあいだは「遊びの画面」を禁止する、など）を課し、周囲の誘惑を最小限にすることで（部屋にテレビやゲームのコンソールを置かない、スマートフォンよりはベーシックな携帯電話、など）、効果的に打ち勝つことができる。しかし、重要なことが一点。十分に効果をあげるために、これらのルールや措置は突然に実行してはいけないということだ。それらはどんな小さな子どもにでも、つねに説明し、正当化してからでなければいけない。簡単な言葉で、噛みくだくように、「画面」は知性を土台から崩し、脳の発達を妨げ、健康を損なわせ、肥満を促し、睡眠を妨害する、などと説明しなければならない。

三つ目は、「遊びの画面」による健康や認識への悪影響があらわれるのは、観察された平均使用時間の手前であるということだ。入手可能な科学的文献によると、これは二つの勧告の形で文書にすることができる。（1）6歳以前は「遊びの画面」なし。これらが「教育的」と保証されていても同じである。（2）6歳以降は、すべての使用時間を含めて、一日60分以上はダメ（入手可能なデータを慎重に読むと、30分以上はダメとなる）。

全体的に見て、これらのことはもちろん、デジタル礼賛者の支持を得ないだろう。しかし「遊びの画面」への大狂乱がなんら重大な結果をもたらさずに行われていると信じるには、よほどの夢想家か、うぶか、無責任でなければならず、そうでなければ買収されているかだろう。もう一度言おう！　私たちがここで話しているのは、一日の平均で、2歳から4歳の子どもで3時間、思春期になると7時間以上という「画面」の消費時間の話である。これらの時間が使われているのは、おもにオーディオヴィジュアル（映画、ドラマ、クリップなど）や、コンピュータゲーム、もっと年齢が上になると、SNSでダラダラと話すことである。発展性のある豊かさの一かけらもない、不毛の時間である。ここで無駄に使われた時間は、子ども時代や思春期に特有の、脳の柔軟性が最大限になる時期をいったん閉じてしまったら、もう二度と取り戻せないのである。

第三部

影響力——デジタルに育てられた若者たち

「かつて人類の歴史のなかで、一つの年齢集団に、これほど物質的な条件と知的達成度に大きな亀裂のあったことはなかった」

マーク・バウアーライン[※1]
イギリス・エモリー大学英語教授

イントロ――多様で複雑な影響力

こうして私たちは神話から解放された。しかし、現実はどうなっているのだろう？「デジタルネイティブ」と言われ、デジタルに育てられた若者たちは、本当は何に似ているのだろう？彼らの現在はどうなのだろう？未来は？学歴や知的な発達面、感情のバランス、健康はどうなっているのだろう？彼らは幸せなのだろうか？親が「遊びの画面」から厳しく守った少数派の「生き残り」の子どもたちとの関係はどうなのだろう？そして親たちは、子どもたちに本当は何を与え、何を奪ったのだろう？

これらの質問を通して、この章で問いかけていくのは、子どもの行動や発達に対する「画面」の影響力である。問題は一筋縄ではいかない。実際、従来の方法論的な困難（サンプル、因果関係、統計モデルなど）以上に、認識論的に重大な二つの問題にぶつかってしまうのだ。

一つは、関係する分野の多様性である。デジタルツールが悪影響を及ぼすと考えられているのは、私たちのアイデンティティを構成する四つの柱、認識と感情面、社会面、そして保健衛生面である。ところで学術的な研究は、これら異なる分野に対して分析的に、細分化して取り組む傾向がある。この細分化された状態は、往々にして問題の広大さを覆い隠すことになる。それでも、時間をかけてパズルの断片をつなぎあわせると、軽い思い違いはあっという間に消え去り、事態の破壊的な大きさが明白に見えてくる。

二つ目は、行動のメカニズムの複雑性である。これが単純で直接的なことはめったにない。多いのは隠れた経路で、期間をあけて次々と相乗効果で作用することだ。これは困ったことだ。まず研究者にとって難しいのは、影響力を与える一部の要因を認定することだけでなく、説明がつけられないことだ。次に一般大衆にとっても、多くの主張が突飛すぎることから、「良識」派に退けられるのがオチである。それをよくあらわすのが、「画面」が睡眠障害を介して教育の成功に影響を与えることだろう。現在、「画面」が私たちの夜の長さと質に深刻な悪影響を与えることは、しっかりと証明されている。そこから、教育の成功にどう関わっていくかをみてみよう。

一部の影響はかなり直接的：睡眠が不足すると、昼間の記憶力、学習能力、知的機能が妨害され[※1~※4]、必然的に学校での成績が悪くなっていく[※5~※8]。

一部の影響はより間接的：睡眠が不足すると、免疫システムが弱くなり[※9~※11]、子どもは病気がちになって欠席が増え、それによって学業についていけなくなる[※12~※14]。

一部の影響はあとになってあらわれる：睡眠が不足すると、脳の成熟が悪影響を受け[※4・15~※17]、それが長期的に個人の可能性を抑え（とくに認識面）、したがって、学業での能率も悪くなる。

一部の影響は直感的にわからないままドミノ式に働く：睡眠不足は肥満の大きな要因の一つである[※18~※21]。ところで、肥満が学校の成績と結びついているのは、とくに長期欠席が増えることと、公衆衛生面の状態（無気力、無為、不潔、不誠実、不器用、怠慢、無作法など）から嫌われ者の典型になるからである[※22~※28]。これらの典型は、メディア業界でも「太った」人物として紹介されることが多い。たとえば映画やドラマ、テレビのショー番組、音楽クリップ、雑誌の記事などである[※29]。学校での彼らは大きく二つの意味で存在感がある[※24~※26・※30]。一つは、クラスの仲間から侮辱的な扱いを受けやすく、教室が荒れる要因になることだ。もう一つは、教師が肥満の生徒に対しては厳しい評価をする傾向が強いことから、採点基準がいちじるしく下方修正されることである。

影響の大部分は重複している：学業に対する悪影響は睡眠不足だけが原因でないことは明らかだ。これがきっかけとなり、ほかの要因――これもあとで詳しく触れよう――、たとえば宿題に割く時間が減る、言語能力や注意力が崩れるなどとの相乗効果で、害をもたらしていくのである。しかし同時に、その悪影響が学業の分野だけにとどまらないもの明らかだ。きちんとした睡眠を取ることは事故のリスクを下げ、気分や感

情を調整し、健康を守り、脳を早期の老化から守る、などのためにもきわめて重要なのである。[※4・※31〜※36]

影響の大部分は部分的：多くの子どもたちが学業でぶつかる障害の全責任をデジタルに負わせるのは間違っている。実際、学業が最後まで成就されるかどうかはまた、デジタル以外の要因、人口や社会、家族構成などにもかかっているのは、誰も疑わないだろう。

しかし、「画面」の影響力の問題に関しては、これがすべてではない。これまで得られた知識の下にひそかに潜む「隠れた要因」の存在を考慮すると、事態はさらに複雑になる。この点を説明するために、脳の老化問題に戻ることにしよう。大人を対象にしたある研究で明らかになったのは、テレビを観る時間が毎日1時間増えると（社会人口統計学的な特性や、認知刺激の度合、肉体的活動のレベルなど、この病気の進行に結びつく共変動を考慮したうえで）、アルツハイマーになるリスクが30％増えるということだった。[※37] もちろん、この結果が意味するのは、テレビが患者にアルツハイマーを「うつす」ということではない。ただ、病気の進行と同時に、「画面」への依存がアルツハイマーの「隠れたきっかけ」であると予測できることだ。つまり、ここでのテレビの影響は病気になるうえでは二次的な行動様式で、のちのちの研究で明らかにされるはずのものである。現在のところ、可能性のある仮説のなかで、睡眠障害が引きおこすこととして言及できるのは、ある種の生化学的な乱れが、認知症の出現を促すというものだ。[※36・※38〜※42] 同じことは、座りきりの生活、肥満、タバコの習慣についても言えるだろう。これらもやはり「画面」への依存が予測できる要因である（これについては最後の章で触れよう）。これらすべてから言えるのは、一つの結果では、因果関係の視点がはっきりせず、それでもあまり間違いはないということだろう。

要約すると、ここでおさえておかなければならないのは三点。一つは、観察したことが直感と異なり、理解しづらくても、それを排除してはならず、それらを超えたところで何かの原因が働いているということだ。

二つ目は、「画面」には悪影響があると言っても、それだけが作用しているのでも、影響力がいちばん大きいわけでもないということだ。つまり「研究者によると、『画面』にはすべての悪害の責任がある、うんぬん」と決めつけるのは、馬鹿げていると同時に不誠実である。[※44] 最後に、新しい世代へのデジタル使用による影響力は、総合的かつ全体を見渡す視点で光を当てないと、見えにくいところがあり、多少の表面の凸凹や、一時的な反証は気にしなくていいということだ。結局のところ重要なのは、全体的な総括で、それが、私たちがこの章でやろうとしていることである。ここでカバーしているのは三つの分野で、（1）教育の成功（影響力のパラメータがもっとも広く入手できる）、（2）発達（とくに認識と感情の分野）、（3）身体的な健康（座りきりの生活から肥満まで、もちろん暴力やリスクのともなう行為――タバコ、性行為など――も含む）である。

教育——「画面」は成績を上げるか

ここでは問題を明快にするために、「画面」の消費を家庭と学校の二つに区別して考えることにしよう。ちなみに家庭での使用とは、学校以外で接続する「画面」のことで、個人用（スマートフォン、部屋のテレビ、ゲームのコンソール、パソコンなど）または家族用（居間のテレビ、家族用のタブレット、共有のパソコンなど）の「画面」である。

家庭での「画面」

全体的に、科学的文献が一致して証明しているのは、家庭での「画面」の使用時間が教育の成功に大打撃を与えることである。それも性別、年齢、社会環境に関係なく、「画面」の消費時間は学校での成績と悪い意味で結びついている。言いかえると、子どもや思春期の若者、学生は、デジタルと寝るときまで一緒にいればいるほど、その成績は落ちていく。ここ何年か、社会学で行われた研究のおかげで、「学校のために家庭環境を整える家族の建設」[※1]〔教育の成功は家族の日常生活のなかで準備されているという意味〕という概念に光が当たるようになったのも、驚きではない。実際、これらの結果で明らかになっているのは、学校の成績がいい子どもの家庭の特徴は、「遊びの画面」使用を厳しく制限し、代わりにより確実な課外活動（宿題、読書、音楽、体操など）を奨励していることだ。[※1・※2] これは幅広く行われた観察でも同じような確認が得られており、社会文化的に恵まれた子どもは、遊びのデジタルの使用がより制限され、学校の成績もよくなる傾向を示している。[※3〜※5]

「画面」の消費時間が増えるほど、成績が落ちる

この研究でもっとも一般的なのは、「画面」の消費時間を媒体全体で考える方法である。一般的にはテレビ、コンピュータゲーム、携帯電話、タブレット、パソコンで、次の章で指摘するように、これらは主として遊び目的で使われている。多くの研究が明らかにしているのは、デジタル使用が積み重なると、学校の成績がいちじるしく落ちることだ。[※6〜※18] たとえばイギリスで行われた、中等教育の最後の検定試験に基づく研究を見てみよう。[※6] この試験は16歳前後を対象に行われ、合格者は素晴らしい（A+）から不十分（G）までの八段階で評価された。「画面」による「直近」の悪影響があるのは疑いないしとふんだ研究者は、時間を「さかのぼった」影響の可能性に取り組んだ（もちろん、年齢や性別、体質、鬱病、学校のタイプ、社会経済的身分など、使用の共変数を考慮したうえで）。その結果で明らかになったのは、試験の18か月前のデジタル使用が、最後の合格にきわめて深刻な影響を与えることだった。つまり、14、5歳のときの「画面」使用1時間で、点数が9点下がることがわかったのだ。図3を見るとわかるよう

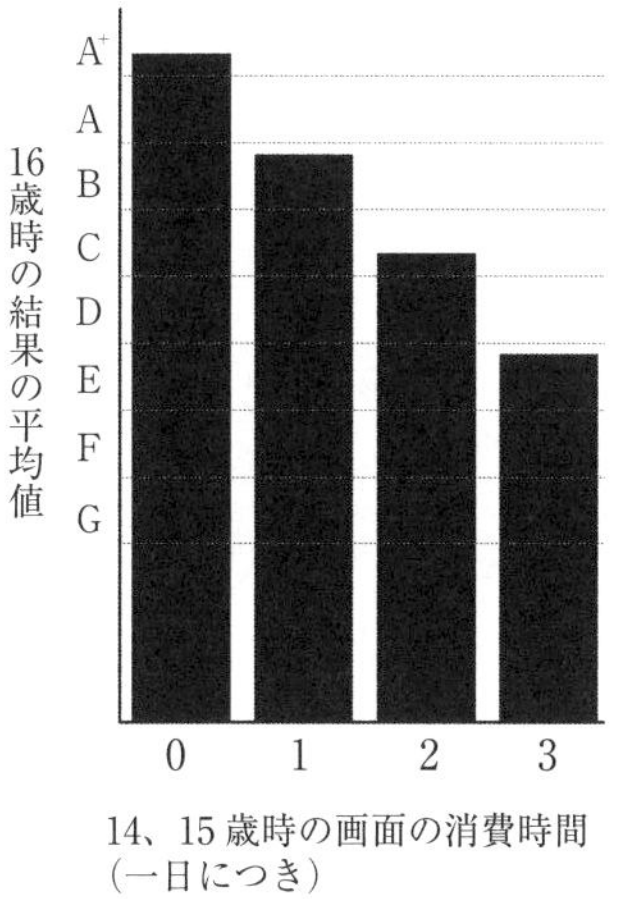

図3　学校の成績に対する「画面」の消費時間全体の影響力
ここでは16歳時に行われる中等教育最後の検定試験の合格者に対し、デジタル消費で時間を「さかのぼった」（試験の18か月前）影響が測定された※6。

に、これは評価の一段階以上に相当する。たとえば仮に、ポールがデジタル消費ゼロで評価のA^{+}を獲得したと想定しよう。その評価は毎日1時間の「画面」使用でBに、2時間でCに落ちたかもしれないのだ。

もちろん、これらは「平均値」で、各個人間のばらつきは考慮されていない。「画面」を禁止された思春期の若者全員が最高点に達しないのは明らかであり、同様に、一日2、3時間さらには4時間使用し続ける中学生が、非常によい成績をあげるのもありえることだ。事実、ハイパー接続している思春期の若者の親から、子どもの成績には満足していると聞かされることは珍しくない。これに対しては、二つの点で対応できる。一つは、デジタル使用が多いにもかかわらずうまく立ち回っている若者がいるとしても、それによる社会的コスト、つまり時間的損失が大きいのは明らかで、集団としてみると、「画面」を一日1時間消費する中学生集団の成績は、「画面」を消費しない同じ人口集団の成績にくらべて、格段に低いことも明らかになっている。二つ目は、ハイパー接続しているごく普通の生徒の成績が「よい」ということは、「画面」がなければ一挙に「よりよい」になる可能性があるということだ。言いかえると、ポールの成績は「画面」の時間で予測でき、「画面なし」ではそれより上になると言えるということだ。この考えをわかりやすく示しているのが、ドイツで行われた10歳から17歳の生徒を対象にした研究である。[※14] 成績は四つのレベルでグループ分けされた（AからD）。その結果明らかになったのは、研究が始まって1年後の成績の数字は、観察された「画面」の使用時間に比例して下がっていたことだ。グループAの生徒で、使用時間が17％増加するとグループBに落ち、50％増加でグループC、57％でDに落ちた。これらの影響を見逃すわけにはいかないだろう。

テレビが奪うもの

これら一般的な研究のほかに、特定的な研究も数多くある。もっとも古いのはテレビに関するものだ。結果は議論の余地がない。どれも一致して、明白に明らかにしているのは、子どもや思春期の若者がテレビ画面に時間を費やすほど、学校の成績が落ちるということだ。[※19〜※37] たとえば、とりわけ面白いある研究では、同じ個人（１０００人近く）が20年間以上にわたって追跡された。[※26] 最新の分析は、参加者が26歳だったときのもので、５歳から15歳までの毎日のテレビ視聴時間各1時間で、各個人の大学卒業資格取得の可能性が15％減少、資格なしに卒業するリスクが3分の1以上増えていた。もう一つ別の研究では、もっと年齢の低い層でも同じような結果が得られている。それによると2歳半のときの毎日のテレビ視聴時間1時間で、数年後の10歳時点での算数の成績が40％以上低くなっていた。[※31] この影響力は「重く」見えるだろうが、しかしまったく想定外のことではない。ちなみに年齢の低い子どもが積み木を色で集め、レゴを形で選び、人形を小さい順から並べ、粘土をいろいろな形にしてはちぎって作り直しなどをするとき、その子は概念（一致、保存など）や基本の数学の能力（順番に並べ、集めるなど）を発達させている。そこに大人がいて、やり方を導き、一緒に数を計算すれば、その能力をいっそう発達させることになる。ところで、すでに述べたように、これら現実の生活を元にした人とのやりとりや、遊びながらの探求は、早期のデジタル使用（とくにテレビ）によっていちばんに犠牲になるものである。したがって、子どもが「画面」の使用に支配されると、前もって必要な基本の数理・論理的な知識の一部が、不完全に形成されるだけでなく、この機能がないとその後にしっかりと構築するのが難しくなるのである。

ほかの研究では、小学校の生徒を対象に、部屋にあるテレビの影響力が分析されている。[※25] データで明らかになったのは、部屋にテレビのない生徒はある生徒に比べて成績がよく、数学ではプラス19％、文書による表現ではプラス17%、読解力ではプラス15%だった。9歳から15歳の生徒を対象に行われたほかの研究でも似たような結果が得られている。分析で明らかになったのは、優秀（評価AからDにおけるA）な平均点を取得した生徒の数は、平日にテレビの前で過ごす時間に沿って減少、テレビのない集団は49%だったのに対し、毎日4時間以上視聴した集団は24%にまで下がった。[※29]

結局のところ、これらの影響を軽視するのはきわめて難しいようだ。とりわけ、先に述べた長期的な研究が[※26]、最近、職業の分野まで拡張されたことでよけいにそう言える。[※38]その研究では、男子の場合、5歳から15歳の時の毎日のテレビ視聴が1時間増えるごとに、18歳から32歳の期間、24か月以上の失業を体験するリスクが2倍になっていた。同じ傾向は女子でも確認できたのだが（失業のリスクは1・6倍）、統計上の閾値には達していない。

ゲームが生み出す成績格差

研究者はまた、当然ながら、コンピュータゲームにも取り組んだ。そこでもデータは驚くほど一致している。ゲームをして過ごす時間が長いほど、成績は落ちている。[※29・※30・※33・※37・※39〜※48]アメリカで行われた研究がとりわけ面白い。[※49]ある新聞の広告で、「現在進行中の男子の学業と行動の発展に関する研究」（男子に限定したのは、女子よりゲームをする割合が高いという理由から）に参加するボランティアを求めるという記事が掲載され、家族が募集された。報酬として、参加者はコンソール（プレイステーション）とコンピュータゲーム（一般向け）がもらえるということだった。選ばれた男子は、学校の成績が満足できるもので、行動に何の問題もなく、家にゲームのコンソールが一台もない生徒だけだった。参加した家族の半分は即座に「報酬」を受け取り、残りの半分は研究が終了するまで待たなければならなかった（4か月）。この実験形式は見事というほかはない。実際、この方法では、最初は同じだった二つのグループの学業成績が、ゲームのコンソールを取得したあとどう変化するかを、偏らずに比較できる。当然、「コンソール」グループの子どもたちは、これを箱に入れたままにしておくことはできず、毎日、平均40分ほど使用していた。これは「管理された」対照グループの30分以上だった（参加者は家庭以外、とくに友だちの家で週末や放課後に遊んでいたと思われる）。半分の子どもたちは、ゲームにかかった時間を、毎日、だいたい30分から15分かかる宿題の時間から取っていた。このような「侵害行為」が学校の成績に害を及ぼさないわけがない。研究が終わると、「対照」グループは「コンソール」グループに比べ、三つの分野で優秀な成績を残した。書き言葉の理解力（プラス7％）と、読書（プラス5％）、そして数学（プラス2％、この場合、それほど大きな違いは観察されなかった）である。興味深いのは、研究者が教師にも標準的な心理検査を依頼し、生徒たちの学校での問題点（とくに学習と注意力）を記入してもらったことだ。その結果わかったのは、「コンソール」グループは「対照」グループより、問題点がきわめて多い（プラス9％）ことだった。これらの影響によけい説得力があるのは、思い出してみよう、実験期間が相対的に短く（4か月）、使用時間の増加がごくわずか（一日に30分）でこの結果だということだ。

別の、やはりアメリカで行われた研究では、経済学者がより高い年齢層の、大学へ入学したばかりの若い大人を対象にして、これらの結果を確認した。[※48]「実験的」といっていい手順は、とにかく巧妙だった。大学に入学した最初の年、学生たちはアットランダムにルームメイトをあてがわれた。一部のケースでは、ルームメイトはゲームのコンソールを持っていた。そこで研究者は、ルームメイトがコンソールを持っていた場合と持っていなかった場合で（ルームメイトのコンソールが共有されるか、借りるという想定で）学生の成績を比較した。結果明らかになったのは、コンソールの所有者と一緒に住む個人の成績が目に見えて下がった（マイナス10％）ことだった。可能性のある要因を幅広く（睡眠、アルコールの摂取、欠席、有給の仕事など）考慮したあと、個人的な勉強時間が占める割合が分析され、記録された。ルームメイトがコンソールを持っていない学生は、持っている学生より45分以上を長く復習に当てていた。当然ながら、この違いはゲーム時間の増加につながっていた。こうして、「コンソール」グループのメンバーは、毎日「対照」グループよりほぼ30分以上多くゲームをして過ごしていた。この30分が最終的に、成績で10％の格差になったのである。ここでも、ゲームの影響を見逃すわけにはいかない。とくに、先に述べたように、思春期と思春期前の若者の毎日の消費時間が平均で1時間半に近いとなれば、なおさらである。

1時間のスマホで8人に抜かれる

近年、研究者は携帯ツールにも興味を抱き始めている。どこでも見かけるスマートフォンである。この娯楽のつまったプラットフォームには、遊びのデジタル機能が全部（あるいはほとんど）集結している。オーディオヴィジュアルのコンテンツすべてに接続でき、コンピュータゲームで遊べ、ネットを検索し、写真や映像、メッセージを交換し、SNSでの連絡などができる。しかもそれらをいっさいの束縛なし、時間も場所も気にせずにできるのだ。そんなスマホは、私たちが行くところどこでも、難なくいつもついてくる。それは脳を吸いこむ聖杯で、私たちの脳を除去する最後の罠である。アプリが「知能」を備えれば備えるほど、それらは私たちの考えの代わりになり、私たちをいっそう馬鹿にする。それらはすでに私たちの代わりにレストランを選び、私たちのところに届く情報を選択し、送られる広告を選び、私たちが進むべき道を決めている。私たちが言葉でした質問の一部への答えを自動的に提案し、私たちの子どもを幼稚園から飼いならしている。もう少し努力すれば、最後は本当に私たちの代わりに考えるようになるだろう。※50

スマホ使用の悪影響は教育の成功に明確にあらわれている。すなわち消費時間が増えるほど、成績が落ちているのだ。[※32・※51〜※62] この点から見て非常に興味深いのが、最近のある研究だ。[※62] 実験の手順として、参加者（この場合は管理・経営学の学生）に、成績やスマホの使用時間を質問するだけにとどまらず、そのデータを客観的に測定することも組み込んだ。こうして、各参加者と文書による合意がかわされ、厳格な秘密厳守と匿名による条件で、研究者は管理側から試験結果を転送してもらう許可を得、そして参加者は、２週間の期間限定で、彼らのスマホに本当の使用時間を記録する「スパイ」ソフトを設定する許可をした。研究の結論によると、「発見された影響のマグニチュードは、危惧すべきものである」[※62]。まず、使用時間に関しては、参加者が考えていた（一日平均で2時間55分）以上に、彼らはスマホをいじっていた（一日平均で3時間50分）ことが確認された。次に、使用時間が長いほど、学業の結果が落ちることも明らかになった。

　この現象を量的に評価しやすくするために、著者はデータを１００人の標準化した人口に置きかえた。それで明らかになったのは、毎日スマホを1時間使うごとに、成績の順位がほぼ4つ後退することだった。これはたぶん、非選択的な資格を取得するためだけなら、それほど大したことではないかもしれない。しかし、優れて卓越した分野の大学では、困ったことになる。そのいい例が医学部だろう。たとえばフランスでは、試験で入学が許可されるのは、１００人の受験生に対して平均18人。[※63] 要求の高さがこのレベルになると、スマートフォンは一挙に不利な条件となり、乗り越えるのが難しくなる。たとえば、スマホなしで２０００人中２４０位にいる学生は、入学試験に合格できるだろう。しかしその学生が一日2時間スマホを使用したら、順位はたちまち４００位になり、不合格になるのである。そしてもしあなたが、非常に多くの学生がそうしているように、講義中もスマホをいじっていたらどうなるか？「罰」はもう決まっている。１時間の使用で順位が下がるのは平均で8位である。

影響は使い方次第？

これらすべての研究に加えて、より専門的な研究もある。たとえば、ＳＮＳの使用に関する研究だ。ここでも、結果は一貫して否定的である。生徒（おもに思春期の若者と学生）は、これらのツールに時間を費やすほど、学校の成績や知的なパフォーマンスが落ちていく。[※32・※52・※64〜※72] しかし、そう言い切れない点が一つ。教育的な体験の一つとして、ＳＮＳを利用して限られた場で議論するグループが創設され、そこで学術的に的を絞った情報が共有された結果、学生の数学の成績がやや上昇した例が報告されたのだ。[※73] しかし、最近行われた広範囲の研究では、この観察結果を一般化することはできなかった[※71]一方、厳格に教育的な使用に限ったＳＮＳでは、少なくとも悪くはならないというよい感触が確認されたデータも入手した。結局のところ、わずかでもよい影響があることは認めるとしても、純粋に教育的な使用が遊びの大波に埋没している限り（図２を参照）、事態が大きく変わることはないといえるだろう。

同じ問題は、家庭のパソコンにも突きつけられる。これらの機器は、ほぼ無制限にあらゆる遊びのコンテンツに接続でき（テレビ、ドラマ、コンピュータゲームなど）、これらはすでに述べたように、学校の成績に悪影響を与えるものである。それでも同時に、教育的な資材に接続できることの利点には誰も異議をはさめないだろう。もちろん、自由に利用することと、活用することを混同してはいけない。たとえば、ハーバード大学やマサチューセッツ工科大学の講義を、オンラインで受講できるのはいいことだが、ただしそのことと、そこで提供される知識を自分のものにするのに必要な注意力、動機、アカデミックな能力があるかどうかは別問題なのである。[※74〜※76] それについては後で述べることにして、とりあえずパソコンの問題に戻ることにしよう。その全体的な影響力とは何なのだろう？　結局のところ、パソコンは人を馬鹿にするのか、それとも糧を与えてくれるものなのか、どちらなのだろう？　答えは、参照した研究次第だが、大規模にきちんと行われた研究に従えば、「影響力は何もない」[※77・※78]から、「悪影響あり」[※79〜※81]まで、一定の間隔を置いて並んでいる。別の言い方をすれば、家庭のパソコンにはよい点もあり、悪い点もあるということだろうか。[※82] 実際、全体的な悪影響を示すのに失敗した研究もある。[※77・※78] これは貧しい環境の中学生にパソコンを支給した外交儀礼に基づいたもので、これらの中学生の大部分は、家でネットに接続できず、せっかく機器を与えられても使用する時間はわずかだった。さらに、使用が増えたとしても（一日に約20分）宿題をする時間にはあまり関係なく、いずれにしても短かった。しかし、パソコンの支給とインターネットの接続が一緒だったら、事態は変わっていただろう。そうなると子どもたちは、目の前に開かれた素晴らしい世界で、なんの屈託もなく遊び呆けたことだろう。コンピュータゲーム、映画、ドラマ、音楽クリップ、SNS、ポルノサイト、商品のプラットフォーム、などである。そうなると、家庭のパソコンは学校の成績に影響しないといういくつかの研究は、すぐに、圧倒的に多い否定的な研究の一団に加わることだろう。そして、虚空からオルダス・ハクスリー〔前述、イギリスの作家〕が再びあらわれ、80年近く前に予言したことが現実になったと言うだろう。「完ぺきな独裁、（……）。壁のない刑務所、囚人は脱走しようとも考えない。まさに奴隷制度、消費と娯楽のおかげで、奴隷たちは従属状態に愛さえ抱いているだろう」[※83]。そして最後に、いやたぶん少し遅れて、ニール・ポストマン（前述）が書いた本の予言的なタイトル――『愉しみながら死んでいく――思考停止をもたらすテレビの恐怖』（三一書房）――について再び考えるのだろう。[※84]

「子ども一人に一台のラップトップを」

このように、娯楽がなによりも上に位置している問題については、宿題を例にして説明するのがいちばんだろう。宿題は学術的な成果にとって重要な要素の一つである。[※85〜※89] これは、短期的には、興味ある内容を自分のものにし、記憶を促す働きをする。長期的には、自己規制や自己調節といった一部の素質を発達させ[※90〜※93]、これもまた教育の成功にとっては基本の要素である。[※94〜※99]というのも実際、人は生まれながらに真面目で勤勉ではなく、偶発的なこと（たとえばコンピュータゲームで遊ぶ、フェイスブックでチャットするなど）を犠牲にして、すべきことをする素質（文章を書き上げるなど）があるわけでもない。そう「なる」のであり[※100・※101]、宿題はこの変化の基本の要素なのである。先に強調したように、個人的な勉強時間は遊びのデジタル使用に深刻な影響を受けている。宿題の時間が短くなるだけでなく[※23・※48・※49・※102〜※106]、気が散るようになって（マルチタスクをするようになる）、覚えたての内容を理解し記憶するのが難しくなる。[※52・※107〜※114]この影響が量的、質的に宿題にもたらされることで、教育の成功に対する「遊びの画面」の悪影響が、明白で直接的に説明できるのである。もちろん、影響を受けるのは学業だけではない。それについては次の章の発達の項で詳しく述べることにしよう。

いずれにしろ、これらすべてのデータで確認されるのは、画面（パソコン、タブレット、スマートフォンなど）が子どもや思春期の若者の手に渡ると、ほぼ必ず遊び目的の使用が勝り、有益な使用を押しのけてしまうことだ。この結論は、国際的に有名なプロジェクト「子ども一人に一台のラップトップを」のデータでも確認されている。プロジェクトの目的は、恵まれない子どもたちに「ローコスト」のパソコン（タブレットも）を提供し、学業や知的な能力によい影響を与えたいと願うものだった。アメリカのNPOが立ち上げたこのプロジェクトは、世界中のメディアから素晴らしい試みと絶賛され、当初は大反響を呼んで、大々的に書き立てられた。[※115〜※122]こうしてたとえば、計画の創始者ニコラス・ネグロポンテ自身が「エチオピアの子どもたちは、学校へ行かずに読み書きを学べるのに対し、ニューヨークの子どもたちは、学校へ通いながらもこのレベルには到達しない。これをどう結論づけるべきだろう？[※119]」と語っていたこともわかった。しかし残念ながら、この計画では当初期待されたほどの影響は観察できなかった。評価に評価を重ねた研究者は、結局、子どもたちの学業と認識能力のためにコストをかけたこの計画が無駄だったことを認めざるをえなかった。[※123]かなりのケースで、得られた結果は否定的で、パソコンをもらった子どもたちは、(驚いたことに!)それを勉強より、楽しみ(ゲーム、音楽、テレビなど)に使ったのである! たとえばスペインのカタロニア地方では、「この計画は学生たちのカタルーニャ語、スペイン語、英語、数学の成績に悪い影響があった。テストのスコアが平均点の3・8%から6・2%下がったのである」[※124〜※129]。驚くほどの低下ではないが、それでも実質的には大きいと言えるだろう。学術雑誌の記事の結論はこうだ。「『子ども一人に一台のラップトップを』計画は、複雑な社会問題を極端に簡単な方法で解決するために研究されてきた、テクノロジーによるユートピア的なアプローチの長いリストの最後になるだろう」[※129]。かなり暗澹たる結論だが、強調しなければいけないのは、メディア、とくに当初はこの計画を熱狂的に支持した媒体で、この結果がほとんど取り上げられなかったことである。「忘れられた」ことで説明できるのは、現在もなお多くの人が、この計画で当初華々しく伝えられたように、タブレットのおかげで、字の読めなかった子どもたちが「一人で勉強し[※130]、そして「教師がいなくても自分たちで読み書きできるようになる」[※131]と、おそらく信じていることである。ここで驚くのは、この種の作り話が世界中のジャーナリストによって、無条件に繰り返し報道されているのに対し、ほかの、目立たないけれども実りの多い活動が完全に無視されてきたことだ。たとえば、発展途上国の若い母親たちに絵本を支給する計画は、子どもたちの言葉や注意力、社会的な相互能力の発達にきわめてよい効果のあったことがわかっている[※122]。[※132・※133]

デジタル信仰の裏側

もちろん、前述の一致した研究に対して、いくつかの単独の研究による矛盾した結論をぶつけることは、つねに可能である。これはまったく驚くことではない。科学界ではすべて、どんなに意見が一致している分野でも、内部には一致しない観察が閉じ込められている。困るのは、多くのメディアが待ってましたとばかりに、これらの観察に批判一つせず飛びつくことだ。その重大な結果として、世論で、実験に基づいてきちんと確立された事実が問い直されることになる。この点は非常に重要で、少し立ち止まってみる価値があるだろう。そのために三つの段階をふんでいこう。最初の段階では、基本の統計学の原則を紹介し（短く）、数学的に一致しないデータが出るのは避けられないことを理解できるようにする。二段階目では、メディアが「常軌を逸した」研究に飛びつく傾向があるのを具体的に示し、それはただ「広くバズって」話題になりたいだけのものであることを紹介しよう。三段階目では、教育の成功のテーマに戻り、「画面」の有害性に反論する最近の研究のいくつかを紹介し、それらにはコンセプト的にも方法論的にも大きな欠陥があるにもかかわらず、ジャーナリストのあいだで信じられないほど熱く支持されている話をしよう。

統計学の罠

統計は役に立つ……しかし不完全でもある。統計学は「合理的な疑いの科学」ということもできるだろう。たとえば、科学者は二つの実験グループの違いが、「偶然」に起こる確率が5％以下であれば、それは偶然に起こったのではなく、何かの原因があったと考え、統計学的に意味がある（つまり違いは本当に存在する）

とする。これを有意水準と言い、わかりやすくいうと、１００回に5回ぐらいは間違った判断をしても許されるだろうということだ。

簡単な数の例で考えてみよう。２個の完全にバランスの取れた硬貨を手にし、それぞれ２００回投げて、「表」になった数を数えよう。仮に１００人の研究者が実験して、95人が「表」と「裏」が同数だったと確認すれば、最終的に硬貨は同じということになる。しかし5人は、「表」と「裏」の違いには統計的に意味がある（つまり、「偶然」に起こる確率が5%以下）という理由で、異なる結果として表に出せるだろう。

今度は機械的に斜めにした2個の硬貨で、「表」を上に落ちるのが、それぞれ40%（硬貨1）と60%（硬貨2）のケースで実験してみよう。それぞれ２００回投げて、「表」になった数を比べてみよう。仮に１００人の研究者が実験して、98人が違いを識別するとしたら、２人は何も探知しないだろう。これは統計学上「偽陰性」（違いがあるのに見つからない）という。この数はしかし、投げた人の数によって変わってくるだろう。投げた人が多いほど、間違いの確率は低くなる。たとえばいまの例で、投げる人が３００人に増えれば、エラーの確率は１０００に対し1ぐらいになり、逆に、20人に下がれば、間違う率は70%近くにはね上がる（つまり、大半の研究者が同じ硬貨であると結論づけるレベル）。場合によっては、１０００人に1人が最初の硬貨（硬貨1）のほうが二つ目の硬貨（硬貨2）より、表を上にして落ちやすいと断言することもありうるのである。

つまり、科学界で膨大な数の研究が発表されている時代、間違った研究が出てきても、ある意味仕方がないのである。それがありもしない影響について書かれた研究のこともあれば、確認された影響を識別するのに失敗した研究もあるだろう。結果として、実験に基づくコンセンサスのある分野で、矛盾する研究が発表されたら、つねに用心には用心を重ねて受け入れなければならないということだ。残念ながら、現実はそれとはほど遠く……注目された研究が方法論的な弱点をさらけ出すケースもある。次の項ではその教訓となる例を紹介しよう。

チョコレートで痩せる？

少し前、ある「科学的な」研究が、世界中のメディアを興奮のるつぼに陥れた。それはきちんと導かれた何百という研究結果とは相反する内容で、チョコレート（脂肪と砂糖）を食べると痩せられる、というものだった。ヨーロッパ最大の日刊紙、ドイツの『ビルト』紙にいたっては、第一面に情報を掲載するほどだった！　この研究を取り仕切ったのが、アメリカの分子生物学の博士ジョン・ボハノンで、権威ある科学雑誌『サイエンス』の特派員だった。彼の目的ははっきりしていた。非常識ではあるが、メディアの興味を引くには十分な研究を生みだし、「ダイエット・ブームにのって、悪い科学をビッグなタイトルに変えることがいかに簡単か」を証明することだった。※134 ボハノンはごまかしたのではない。ただ、よく知られた統計上の操作をいくつか行っただけで、何もないところに何かを見つけて確信できることを見せつけたのである。ついで彼は、架空のアカデミックな団体「ダイエットと健康の研究所」（ウェブサイトにすぎない）を作って加入し、自分の記事を、金を払えばなんでも載せてくれるまがいものの科学雑誌『国際医学アーカイヴ』に送って出版させた。いったん記事が出れば、「いざ、騒ぎを起こす時間」！　そのためボハノンは出版関係の専門家に助言を頼んだ。結果は引く手あまたもいいところ。情報は6か国語に翻訳されて20か国以上で紹介され、第一線のメディアで取り上げられることも多かった。これがもっと恐ろしいのは、研究で紹介されたすべてに怪しい匂いがすることだった（情報源、伝統破壊的な結論、著者が加入した団体、著者にこの分野で過去に研究発表がなかったことなど）。その意味でこの研究は、これ以上ないほどの疑いをもって取り扱われるべきだった。ところがあっけないほど簡単に受け入れられ、国際的にも有名になった。加えてジャーナリストの大半は、ボハノンによって書かれたプレス用資料を「コピーして貼りつける」だけで満足していた。

結論は……、どんな偽研究で、いかに馬鹿げていても、見た目が十分に派手で、〝バズる〟可能性があるだけで、世界中の主要メディアで「一面」を飾ることができるということだ。

「巧妙な」研究成果

もしチョコレートで痩せられるのが本当だとしたら、「画面」で頭がよくなることになる！　残念ながら、その典型がフランスの一つの研究である。2万7000人の中学生を対象にしたこの研究は、ほぼ同時に2か所で発表された。(1)研究全体を網羅する形で、[※135]心理学の学術書としては最低のランクに位置するフランス語圏のマイナーな雑誌。[※136](2)概要の形で、[※137]非科学系の活動家団体の雑誌。火がついたのはこの情報源からだった。大手の一般メディアが、ほぼ一列になってこの情報に飛びついたのだ。[※138〜※146]言っておかなければならないのは、この研究は、著者自身がただの「調査で、実験に基づいたものではない」(科学的な研究とはとても言えないことを理解してほしい)[※135]と認めているのに、デジタルの愛好家を喜ばせてしまったのだ。たしかに、研究の結論はテレビのリアリティ番組には厳しかった。「リアリティ番組は思春期の若者の成績を落とす」と、全国版の週刊誌がタイトルにしたほどだ。[※143]しかし、そこは重要ではなかった。実際、テレビのリアリティ番組の問題は現在、もう時代遅れになった感があり、[※19・※147〜※153]いまや、論争はほかのもっと「開かれた」テーマ(テレビ一般、SNS、コンピュータゲームなど)に移行している。そしてこの視点から、注目の「調査」には新たな刺激の種がたっぷりとあることがわかったのだ。たとえば、あるジャーナリストが「メディアとしてのテレビ自体は問題にはならないのか」と聞いたところ、筆頭著者がきっぱりと否定してこう答えた。「はい、ほかの番組、たとえばアクション映画やドキュメンタリーは、学校の成績にはほとんど影響がありません」[※141]。

同じように、これが大手無料日刊紙でも取り上げられ、「コンピュータゲームは言われるほど有害ではない。『コンピュータゲーム（アクション、戦闘、プラットフォーム）で遊んでもマイナスの影響はない』と研究者は書いており、デジタル中毒の思春期の子どもたちに手を焼いている一部の親には逆風となっている。（……）。一般に悪の根源と非難されているほかの活動、携帯の使いすぎ（調査対象の78％）やSNSのやりすぎ（同73％）も、成績には『わずかな影響』しかないようだ[※138]」。つまり、調査した研究者たちによると、「コンピュータゲームのような遊びの大半は、学校の成績や認識力に影響はないか、あっても少なく、それらは純粋に遊びとしてくつろげる、生徒が社会的、感情的に表現できる場（携帯、SNS）となっている[※137]」という記事になったのだ。

まさに親の不安を和らげてくれる内容だ。残念ながらそれが間違っているのは、調査の方法があやふやだったからである。この点については実際、携帯電話についての一般的な害が、コンピュータゲームのことなのか、あるいは携帯電話の場違いな使い方についてのことなのか、最初からわかりにくい。まず時間の問題がある。この研究の一般向けバージョンのイントロ部分で、研究者たちは調査での質問のいくつかをリストにし、たとえば[※137]「電話をしたり、SNSでやりとりをしたりして過ごす時間は、読書や理解力に悪い結果をもたらしますか？」と聞いている。驚くべきは、彼らがここで「一日の使用時間を測定しなかった[※135]」と認めていることだ。そこにこそ弱点がある。この研究では、持続時間が問題になったことは一度もなかった。参加者に、どのツールで一日何時間すごしているかなど聞いていない。聞いたのはただ、使用しているのが「（ほぼ）毎日、週に約1・2回、月に1・2回か、一学期に1・2回、新学期になってから一度もなし[※135]」のいずれであるかだけである。ところで、この分類の仕方は暗に認められているのだが、実際の使用時間となるとまるでわからない。たとえば、一人の中学生が一日にデジタルを使用する時間が15分でも、2時間または6時間でも関係がなく、毎日使用すれば「大口使用者」に分類される。逆に、学校のある日はコンソールやテレビを禁止され、しかし水曜の午後や週末に何時間もかぶりつく子どもは「小口使用者」に分類されることになる。それに加えて、各グループの内部にはよく知られた社会的格差という落とし穴がある。ちなみに疫学の調査はすべて、この類の共変動を考慮していないと信用してもらえない。ところが、ここではそれが考慮されていないのだ。逆に、すべてのリスク要因がごちゃごちゃに混ざり合い、解きほぐせない状態になっている。そんな雑然としたなかから、なんであれ結論を引きだすのはまさに不可能だ。研究者や統計学者はそれをずっと前から知っている。こうして、たとえば15年近く前、ドイツの経済学者たちが、PISA（前述、OECDの国際学力調査）のデータから、家にパソコンを持っている中学生は持っていない仲間より成績がよかったことを示したことがある。成績の違いは無視できないほど大きく、大ざっぱにいって一学年ほどの差があった。これは大発見！……だったのだが、分析をおし進めていくと、この美しい話は成り立たないことがわかる。観察されたプラスの影響は実際、家庭の社会経済的特性を考慮に入れたとたん、完全にひっくり返り、害があることになったのである。研究者たちの結論は一転、「家にパソコンがあるだけで、学生が効果的に学ぼうとする気を散らすようだ」[※79]になった。

もちろん、これら方法論的に「巧妙な」やり方は、場合によっては、専門家ではないジャーナリストの目をかいくぐることがあるのは認めよう。しかし、すでに発表されている大方の研究との矛盾や、著者たちが結果を正当化するために立てた仮説の非常識さを、どう考えたらいいのだろう。先の研究の筆頭著者によると、「テレビのリアリティ番組を見すぎる生徒は、当然ながら、学校の勉強のための時間が十分に取れず、しかしとくに、この種の番組は文化や語彙の貧困化に加担する」[※141]。ところが同じような弊害は、アクションゲームや戦闘ゲーム、プラットフォームで遊ぶ子どもたちには及ばず、逆にこれらのコンテンツの言葉の豊かさによって、学校の宿題の時間と質にもよい影響を与えると指摘しているのだ！　こんな論法がまかり通るとは、まったく誠実とはいえず……しかし、不可解なメディアのからくりで、いまもその考えは維持され、中学生がデジタルを使用しても学校の成績にはなんの影響もないと思われている。そうして人は良心の呵責を感じることなく「コンピュータゲームはクラスでの成績にほぼなんの影響もない」と親に説明し、この種の遊びに専念するのは「ゴルフをしているときと同じである※144」とまで言い放つのである。唖然、呆然‼

授業にゲームを取り入れるべき？

ところで、欠陥のある研究がすべて、上記の調査のように方法論的な貧弱さが目立つかというと、そうではないのが明らかだ。多くの場合、目に余るような実験的な弱点は、いわゆる統計上のうわ塗りによって隠されている。たとえば現在、ある研究が国際的な科学雑誌で発表される場合、その雑誌のランクがどんなに低くても、対象の共変動（性別や年齢、社会経済的レベルなど）が考慮されていないと掲載されるのは難しい。しかしこのことが、統計上のうわ塗りによって不都合な研究の識別を複雑にしているのも事実である。ただ、いくつかの警告サインがあり、容易に見分けられる。たとえば出版媒体のランクが低いか、最悪、専門分野ではない場合。結論が伝統破壊的で、多くの一致した研究とは真逆なのだが、納得できる説明がない場合。いっぽうで強固に非難されている工業製品（殺虫剤、人工甘味料など）の利益に沿うか、あるいは無害だと結論づけている場合である。だからといって、繰り返すが、これらの指摘が絶対に間違いというわけではない。ただ明らかなのは、これらに対してジャーナリスト集団は細心の警戒をもって当たらなければならないということだ。それなのに現実はそれとはほど遠く、このような異様な見かけをした多くの「研究」が、奇妙な熱狂とともに繰り返し伝えられている。

最近の例として、学校の成績に対するデジタル使用の影響に取り組み、マイナーな雑誌に掲載されたオーストラリアの研究がある[※154]。この反響は世界的だった。とくに二つの結果がジャーナリストの興味を引きつけた。それはオンラインでコンピュータゲームに励むと成績にプラスの影響があるというのに対し、逆に、SNSの使用はマイナスの影響があるというものだ。大部分のメディアの「一面」は最初の点を取り上げ、たとえば「オンラインでゲームをする思春期の若者は成績がよい[※155]」と強調。一部はごくまれだったものの、全体的なアプローチでSNSの問題にも言及した。「コンピュータゲームは子どもの知性を伸ばすが、しかしフェイスブックは学校の成績を落とす[※156]」、あるいは「ある研究によると、十代のゲーマーはSNSのスターより数学に強い[※157]」といった具合である。

これらのキャッチコピーに加え、プレス記事の大部分は、この研究で得られた結果の解明を研究者自身に委ねていた。経済学者である研究者はこう説明した。「ほぼ毎日、オンラインゲームをする生徒の点数は、数学と読書で平均点より15点高く、科学では17点高い[※154・※156・※158〜※161]」。そしてこの関係は「オンラインゲームでパズルを解決して次のレベルにいくということは、あなたが何日もかけて学んだ数学や、読書、科学の一般的な知識やスキルの一部を動員しているということだ[※155・※156・※159〜※161]」に基づく。これらのデータから導き出される結果が、「教師は授業に、暴力的なものは除き、人気のコンピュータゲームを組み入れることを考慮すべきである[※156・※160・※161]」となる。

これらの情報に直面し、大手メディアの多くは両手をあげて称賛した。なかの一紙が「コンピュータゲームと教育が同じ土俵に立つ」と熱狂すれば[※158]、他紙も「コンピュータゲームの悪評はおそらく不当」と全面的に賛同[※157]。さらには、フランスの大手日刊紙に意見を聞かれた「専門家」は、なにを勘違いしてか、いっぽうでコンピュータゲームのプラスの影響を称賛し、他方でSNSのマイナスの影響力に反駁した。「一部のゲームで征服や発見、建設に結びつくものは、未来を予想する理性の働きや、倫理的、戦略的な考え方など一部の力を伸ばす」のに対し、SNSについては「すべては状況次第で、一般化してはならない。（……）。SNSは決してクラスのお喋りだけにとどまらない。若者はそれを学校ですることで、社会的に成熟することを欲している」[※162]という。さらには研究者自身も、生徒のSNS使用を制限することを拒否[※157]。もっと悪いことに、学校でもこれらのツールの採用を強化すべきとまで主張した[※156・※161]。彼によると、「我われの研究に参加した若者の78％が、毎日か、ほぼ毎日SNSを利用している事実からして、学校は教育目的でSNSを使用するようもっと積極的にアプローチすべきである」[※163]という。

この称賛の嵐のなかで、ただ一人のジャーナリストが洞察力を発揮、平均点（これがなんと515点前後！）に目をつけて観察された違いを報告した。するととたんに、その差異は「意味はあるが、しかしわずかなもの」となり、「オンラインゲームで定期的に遊ぶ若者の点数は、平均より3％高い」[※163]だけとなったのである。奇妙なことに先の研究では、この量的に少なめの％表記はSNSのケースで強調されていた[※155・※157]。たとえば、「オンラインゲームでほぼ毎日遊ぶ生徒の点数は、数学と読書で平均点より15点高く、科学では17点高い。（……）。研究者はまた、SNSの使用とPISAの点数の相関関係にも注目した。彼が結論づけたのは、フェイスブックやツイッターの利用者の点数は、平均より4％低いことだった」[※159]という具合で、この4％の低下が、絶対値にして20点であることはどこにも書かれていない。したがって、プラスの影響が絶対値で表記されたコンピュータゲームと比較すること自体が不可能なのである。

つまり、ここで問題になっている研究が示しているのは、よくて、SNSのわずかな悪影響と、オンラインゲームで学校の成績にわずかなよい影響があることである。正直、メディアのあの大騒ぎから見たら、ごく些細な結果である。しかしまあいいだろう、最悪、誇張は認め、大げさに伝えるのはメディアの競演の一部と見なすことにしよう。本当の問題はじつは別にあり、つまり、この研究が信じられないほど不完全だということだ。まず方法論的な面で、統計モデルの手法は問題ないとしても、すでに述べた調査でも指摘した多くの不備が含まれている（とくに、「毎日」「毎日かほぼ毎日」など実際の使用時間が考慮されていない）。それだけではない。ほかの二つの欠点はとりわけ重要だ。生じたさまざまな結果に一貫性がないこと（それらは一致しているのだろうか？　信用できるのだろうか？　既存のデータと両立するのか、もししないのなら、なぜなのか？）と、研究者に、観察した結果を説明する能力が欠けていることである。

一貫性の問題から始めよう。元々の出版物は、メディアによって「選ばれた」二つの要素（コンピュータゲームとＳＮＳ）以外に、多くの変数を考察している。宿題に使われた時間、勉強目的のネット使用、学校での勤勉さ、生徒の性別、家庭の社会経済的レベル、などだ。もし我らがジャーナリストが、これらの変数を見て一旗上げようとしたら、あらゆる種類のタイトルで読者の目を引くことができるだろう。たとえば、

――「テストの点数を上げるには、宿題をするよりコンピュータゲームで遊ぶほうがいい」。コンピュータゲームを「ほぼ毎日すれば」平均より15点上がるのに対し、毎日1時間宿題をしても12点しかよくならない。

――「テストの点数を上げるには、学校へ行く必要がない」。「月に1、2回」ネットを使って宿題をする生徒は平均点が24点上がり、これは「週に2、3回」欠席して点数を落とす（マイナス21点）より大きい。また、月に1、2回ネットで宿題をすると（プラス24点）、毎日1時間ネットを使わずに宿題をするより（プラス12点）2倍点数がよくなる。

ここまでくると魔法のようだ！　それだけではない。実際、「毎日学校をズル休みすると、フェイスブックやチャットを毎日するより、成績が約2倍悪くなるという結果もある」[※154]。やれやれだ！

――「テストでよい点数をもらうには、親が貧しいほうがいい」。ここ数十年、専門家は著名な社会学者

ピエール・ブルデュー（1930-2002）[※3]の影響を受け、経済的に恵まれた家庭の子どものほうが恵まれない子どもより学校での成績がいいと信じてきた。[※4・※5]ところがこの研究ではそうではないと言っている。もっとも経済的に恵まれない子どもの平均点が、もっとも恵まれた子どもの平均点を40点も上回るとしているのだ。ありえない話である。

この種の突飛なタイトルならいくらでもあげることができるだろう。しかし、そんなことより、先にあげたタイトル例で、この研究がいかに「弱い」ものであるか証明するには十分だろう。最初の、宿題をするよりゲームで遊ぶほうがよい点が取れるという指摘は、驚くに値する。しかし、二番目の、週に2、3回学校を休んでも、月に1回ネットで宿題をすれば事が足りるときたところで、疑問がわき始める。しかし最後に、もっとも恵まれない子どものほうがもっとも恵まれた子どもよりよい成績があげられるとなったところで、頭がクラクラしてくるのである。

これらの結果は、どれも納得のいく説明ができない仮説だけに、よけい常軌を逸していると言わざるをえない。例外としてもちろん、企業寄りの論理で、コンピュータゲームはあらゆる種類の素晴らしい能力を発展させると、あの手この手で持ち上げるのはよくあることだ。しかし、それについてはこれから述べるように、そのような能力は存在しない。[※164〜※172]コンピュータゲームをして学んだことは、そのゲーム以外、ごくまれな構造的に近い活動にしか移行できないこともわかっている。言いかえると、オンラインのゲームは、個々の特性（戦略、戦争、アクション、スポーツ、ロールプレイングゲームなど）に関係なく、読書や数学、科学などの学校の成績全体をよくすると説明できるものが、何もないということだ。逆に次の章で示すように、学校の成績に悪影響を与えそうなさまざまな要因（睡眠障害、集中力、言語、宿題に費やす時間、など）に、コンピュータゲーム（すべてのタイプ）が悪く作用していることを、多くのメカニズムが説明している。

メディアの手口

もちろん一部の人は、ほかにも多くの研究がコンピュータゲームと学校の成績にプラスの関係があると強調していると、主張するだろう。それは、詳細を別にすれば本当だ。そしてこれらの研究のほぼ大部分は、同じデータベース（ＰＩＳＡ）を元にしている。一度はオーストラリアで、[※154] もう一回は22か国の平均で、[※173] 別の一回は26か国の平均で[※174]使われている。同じデータを元にすれば根本が同じだから（たとえば、使用に関しては、実際の時間ではなく頻度による回数を考慮）、ほぼ同じ結果になっても驚くことはない。

メディア側はこうだ。「コンピュータゲームをするとテストの成績があがる、とＯＥＣＤが報告[※176]」、「ゲームをすると十代の若者の数学、科学、読書、問題解決の成績がよくなることが発見された[※177]」などだ。素晴らしいことだが、しかしここでも、残念ながら、基本の土台がすべて欠けている。実際、この報告書は全体から見て、コンピュータゲームが学校の成績に及ぼす影響は好ましいものではなく、皆無であることを指摘している。たとえば、資料の文面によると、「コンピュータゲームの一人遊びを月1回からほぼ毎日している生徒は、毎日している生徒より、数学、読書、科学、問題解決で平均点が高い。彼らの成績はまた、毎日一度も、あるいは滅多にしない生徒よりも高い。対照的に、共同で行うオンラインゲームは、ゲームをする頻度に関係なく、成績が低くなる傾向にあるようだ[※175]」。別の言い方をすると、プラスと思われる「一人遊び」は、「ネットワークによる共同」ゲームのマイナスによって帳消しになるということだ。一部のメディアは、この違いに触れる努力さえせず、「ＯＥＣＤの研究によると、コンピュータゲームを『節度を持って』遊ぶことで、学校でよい成績をあげることができる。（……）。したがって、コンピュータゲームを禁止する必要はない[※178]」と、図々しく主張しているのである。

さて、ＰＩＳＡの報告書に戻ろう。興味深いのは、ＳＮＳによるゲームのマイナスの影響は、頻度に関係なく（平均で、頻度がかなり少ない生徒でも成績は悪い）[※174]観察されることだ。同じことは、一人で遊ぶゲームのプラスの影響でも言え、ゲームをする頻度に関係なく、遊ぶのが月に1回だけの生徒でも成績は高い。[※174]量的には、月1回の一人遊びのコンピュータゲームは、毎日20分間宿題をするときと同じ影響を成績に与え、一部のメディアは、「なぜ、宿題をする代わりにコンピュータゲームをするほうが成績はあがるのか？」[※179]といったような、魅力的なキャッチフレーズで読者を誘っている。効果的だが……、しかし正当化するのは容易ではない。とくにSNSでのゲームのマイナス面を考慮すればなおさらだ。この問題に関して、PISAの責任者の考えはこうだ。「オンラインゲームを共同でプレイすると、一貫して成績に悪い影響を与えるようだ。一つ説明できるのは、これらオンラインのゲーマーは、仲間がいるので往々にして夜遅くゲームしなければならず、時間の断片が取られてしまうからである[※179]」。しかし、SNSでのゲームは最小限の使用（月に1回）から害があることを、どのように説明できるのだろう？　そしてとくに、平均で、大口利用者より小口利用者のほうに悪い影響があるのはどう説明できるのだろう？[※174]　そして、いったんこの仮説は捨てるとして、同じゲームを月1回、週1回または毎日一人でするのと、SNS上で多数でするのと、影響が正反対なのはどう説明できるのだろう？　説明できないとしたら、これらすべてに何の意味もないのは明らかだ。

うさんくさいデータ

それとは別に、最近、PISAの新しい研究が、これまでの観察を再確認し、一般化したところである。[※180]入手可能な科学的文献のほぼ大半と矛盾して、この研究では、学校の成績に対する画面のよい影響を、コンピュータゲームに限らず、遊びのデジタル使用全体に広げて認めている。中学生がこれらの娯楽に夢中になるほど、成績があがる。素晴らしいではないか！　ところが、この研究はそれほどメディアの関心を引かなかった。なぜだろう？　説明できる理由はただ一つ、研究者たちが「欲張りすぎた」ことで、興味の対象をデジタルの遊びだけでなく、教育現場でのデジタル使用（有名なＩＣＴ教育＝デジタル教育）にまで手を広げたからである。そして少なくとも、その結果は芳しいものではなかったと言える。科学的に観察した大量のデータベースに合わせて明らかにされたのは、教育目的の「画面」使用は（家でも中学校でも）学校の成績を落とすということだった。中学生がデジタル教育を受けるほど、点数が下がるのだ。これは困ったことで、とくに学校でのデジタル教育が盛んに推奨されている現在（これについては次の項で触れよう）、少なからず混乱を呼びそうだ。もちろん、研究者たちは学問的な解釈を試み（残念ながら説得力はなし）、この異常事態を正当化しようとしている。「画面」を楽しみで使うと成績が上昇し、教育で使うと下がる！　という異常。非常に不思議なことに、研究者たちは唯一本当にうなずくことのできる解釈を言い落している。それは、使用されたデータが単に信用できないということだ。つまり残念ながら、統計の処理の仕方は有効でも、入り口の変数に手垢がついていれば、得られたデータもうさんくさいことになるのである。

それでも、このＰＩＳＡの研究全体を退けるのも不公平だろう。実際、分析された要素すべてが同じ信用度のレベルにないのは確かである。[※181]変数の数が疑わしいのは、たとえば、次のような曖昧な質問に正確に答えるのは難しいだろうからだ。「典型的な平日に、あなたは学校でどのくらいの間、インターネットを使いますか？」、あるいは「典型的な平日に、あなたは学校の外でどのくらいの間、インターネットを使いますか？」[※182]。すでに強調したように、大まかな測定を元に、精密な量的分析をするのは簡単ではない。「あなたは学校の外で、どのくらいの頻度で以下にあげるデジタルの端末を使いますか？」、デジタル使用の活動としてあげられるのは、たとえば「メールを使う」、「ネットで必要な情報を得る」（イベントの場所、日にちなど）、それを以下で選択する。「一度も、ほとんどしない、月に１、２回、週に１、２回、ほとんど毎日、毎日」

という具合だ。

他方、ほかの質問はより正確に定義され、したがって得られるデータもある程度は信用できる。たとえば、次のような質問には中学校の校長も答えやすいだろう。「あなたの学校で、PISAに参加できる15歳の生徒は何人いますか?」、「これらの生徒が教育目的で使用できるコンピュータはおおよそ何台ありますか?」、「これらのコンピュータでインターネット/www.に接続できるのはおおよそ何台ですか?」などである。同様に、中学生は以下のような質問には簡単に答えられるそうだ。「あなたは家で以下の端末(デスクトップ型コンピュータ、ラップトップのポータブル型またはノートパソコン、ゲームのコンソール、ネットに接続できる携帯電話、ネットに接続できない携帯電話など)のどれかを使用できますか?」、あるいは「あなたの家は以下(勉強机がある、自分の部屋がある、インターネットにリンクできる、など)のどれですか?」。これら簡単な質問に焦点を合わせると、当初の異常性はすぐに消え去ってしまう。そうして観察できるのが、学校の成績は、家でデジタルツールが使えると下がり、同じツールをクラスで使うと目に見えるほどの変化はないことだ。この二つの結論は、正直、周囲の盛り上がりや、「デジタルネイティブ」の神話とはややかけ離れている。おそらくそれが理由で、大手メディアは議論を呼ぶこの研究を最終的に無視する選択をしたのだろう。あまりに不安をあおり、あまりに批判的で、あまりに悲観的だからである。そうだとしたら、なんと臆病なのだろう。想像しただけで素晴らしいタイトルがつけられるではないか! 「学校でのデジタルは、ゼロ点。落第だ!」、「画面は成績に悪い」、「教育の失敗、個人授業に大金をはたかず、コンソールを取り上げなさい」などなど。しかしこれらすべてをもっと詳細に、近くから見てみよう……。

「デジタル教育」への熱狂

「本はいずれ学校で時代遅れになるだろう（……）。我われの教育システムは今後十年で完全に変わるだろう」[※183]。現代にそのまま当てはまりそうな引用だが……じつはこれは1913年、有名な発明家トーマス・エジソンによって、映画の持つ教育的な可能性に驚嘆して発せられた言葉である。当時、このメディアは実際「我われの教育システムを改革するのが目的とされ」[※184]、映画のおかげでいずれは「人類の知識のあらゆる部門を教えるのが可能になる」[※183]と約束されていた。人々はこの夢が実現するのを待っていた。しかしその後の1930年代、今度はラジオの出現に対して同じ言葉があらわれた。「教室に世界を持ってきて、素晴らしい教師としてあらゆるものの役に立つ」[※185]と。

現代に近くなった1960年代、今度はテレビが激賛された。この素晴らしい発明のおかげで、当時は「我われにとって最高の教師が増える可能性がある、つまり、最高の教師を一人選び、生徒全員に最高の教育による恩恵を与えることができるのだ。（……）。テレビはすべての居間、個人の部屋、屋根裏部屋などを可能性のある教室にしてくれるだろう」[※186]と言われたものだった。この視点は、当時のアメリカ大統領リンドン・ジョンソンにも広く共有され、貧困救済対策を打ち出した（並行して実施されていたベトナム戦争は不成功）ことで有名な彼にとって、テレビは最先端の武器となった。彼は、1968年に南太平洋諸国を公式訪問した際の演説で、テレビのおかげで「サモアの子どもたちは昔に比べて2倍早く学び、そして学んだことを覚えているだろう。（……）。不幸なことに、世界には世界が必要とする教師の一握りしかいない。サモアはこの問題にテレビ教育を通して取り組んだ」[※187]と述べた。このときも、期待した程の結果にならなかったことを強調すべきだろうか？[※19]　しかしそんなことはどうでもいい。怪物はそう簡単には死なないものだ。

デジタルは教師の代わりになるか

　こうしてテレビは「教育のための情報と通信のテクノロジー」に取って代わられた。これが有名な「デジタル教育」で、これについてあるフランスの政治家は２０１１年、私たちにこう説明していた。「これこそ21世紀の教育問題に適応した答えのようにみえる。教育の失敗と闘い、機会の平等を促進させ、生徒に学校へ行って学ぶ喜びを再び与え、教師は『知識の演出家』としての役割を見出すことで、その職を再評価することになる（……）。というのも、我われは過去の教育を元にして明日の才能を築けないからである」[※189]。正直、この約束は雄大で、言葉も人の心を打つものだった……それに、教師を「演出家」の立場に連れ戻す、まさに欠点のないものだった。これについてはまたあとで触れよう。その前に、これら素晴らしいデジタル教育が、本当に輝かしい未来の教育を約束しているのかどうか、ここで再確認してみよう。

　最初に、曖昧さを避けるために、一つ小さなことを正確にしておこう。多くの人は、デジタル「を」学ぶことと、デジタル「によって」学ぶことを（なかには意識的に）混同しているようだ。たしかに後者は一部を前者に依存している、というのもデジタル「による」学習には、当然、情報ツールを最低限使いこなせることが必要だからである。しかし、その部分を別にすれば、この二つの問題を混同すると、人を惑わせることになるだろう。デジタル「を」学ぶことに関しては、問うべき問題はたくさんある。たとえば、デジタル「によって」学ぶのに必要な基本の知識（電源を入れ、起動させ、取得したツールを使うなど）を別にして、デジタルの何を学ばなければならないのだろう？　生徒全員が一連の標準的なＯＡ機器（ワードやエクセル、パワーポイントなど）の使い方を知っていなければならないのだろうか？　生徒全員がプログラミング言語のいくつか（パイソン、C言語など）を学ばなければならないだろうか？　生徒全員が、デジタルカメラや関連する後処理のソフト（アドビのフォトショップ、プレミアなど）を使いこなせないといけないのだろうか？　もしそうなら、これらの知識は何歳ぐらいに身につけるのがよく、その場合の優先度はより「伝統的な」知識（英語、数学、歴史、外国語など）と比べてどのくらいなのだろう？　これらの問いかけは当然でかつ、取り組む価値もあるだろう。

実践的な視点でいうと、デジタルの一部のツールで生徒が勉強をしやすくなるのは明らかだ。私も含めて、昔の時代の科学研究を知っている世代は、近年のデジタル革命がもたらした「技術的な」貢献を誰よりもよく知っている。しかし、論理的に定義すると、私たちの生活を便利にするツールやソフトは、事実上、脳から栄養の元になる基質の一部を奪っていることになる。私たちが認識的な活動の多くを器械に任せれば任せるほど、私たちの神経は構築して組織立て、接続する素材をますます見つけにくくなる。[※50・※190]したがって重要になるのは、子どもたちの認識を高める基本の要素を取り上げないこと、つまり、専門家と学習する者を分けること（前者にとって役に立つものが、後者には害になる可能性があるという意味で）である。たとえば、計算機が数の数え方をすでに知っている高3の生徒の時間を稼がせたからといって、同じ計算機が小学1年生の子どもが数を数え、十進法を覚え、繰り上げ引き算の原則を身につける助けになるだろうか？　同じく、ワードが研究者や秘書、作家、書記あるいはジャーナリストの生活を楽にした（大いに！）からといって、ワードプロセッサで文の書き方がうまくなるだろうか？　入手可能な研究を信じると、まったく逆である。これらは、コンピュータとキーボードで書き方を学ぶ子どもは、手と鉛筆と紙で学ぶ子どもに比べ、文字を覚えるのも認識するのも非常に遅いことを明確に示している。[※191〜※193]そういう子どもたちはまた、読み方を覚えるのにも苦労するのだが、[※194]これも当然なのは、書く力が発達することで読む力がつき、逆もまたしかりだからである。[※195〜※200]

結局のところ、いったんキーボードの習慣がつくと、これらの子どもはまた、昔ながらの筆記道具を使う子どもに比べ、授業の理解力や記憶力できわめて劣るそうだ。※201

しかし、それは問題の（ごく）一部でしかない。というのも、本当の問題は結局のところ、デジタル「を」学ぶことではなく、デジタル「によって」学ぶテーマについて問いかけることだからである。別の言い方をすると、デジタルではない知識を学ぶ場合（フランス語、数学、歴史、外国語など）、その一部あるいは全体をデジタルに委ねることは可能で、望ましく、有効かを問いかけることである。

ここでも明白にしておこう。問いかけるといっても、デジタルを根拠もなく悪役に仕立て上げるわけではない。一部のデジタルツールが、教育を目的とした枠組みの中で、資格のある教師によって使用されれば、教育の適切な媒体になりえるのは、誰もが認めることである。しかし、ここで理想とされるモデルは、現在の教育現場の実態とは正反対である。より正確に言うと、周囲が異様なほどテクノロジーに熱狂しているのである。テクノロジーの熱狂とは、「デジタル」を教育の最後の聖杯に昇格させ、タブレットやパソコン、電子黒板やインターネットの接続を強引にでも分配し、それを教育の最高の頂点とすることである。別の言葉でいうと、ここで問いかけ、異議を申し立てられているのは、幼稚園から大学まで、教育制度のデジタル化を叫ぶ政策の、理論的な基礎概念である。つまり、「教育はツール（デジタルの）に適応しなければならない」という、狂った考えである。

もちろん、何もないより、多少欠陥のあるプログラムでも使ったほうが生徒の覚えがいいことは、簡単に示すことができる。作りの悪いソフトやオンラインでの数学や英語、フランス語の講義でも、子どもは「何かを」学ぶものである。しかし、それで納得してもらうには、二つの条件を満たさなければならない。一つは、そこで取得したものの一般的な価値を証明できること。もう一つは、デジタルの投資が教育に余剰価値を与えたことが示されること。そしてまたその場合、二つの使用法を区別しなければならない。一つはデジタルによる独占で、デジタルが教師の代わりになるかどうか、デジタルと専任教師それぞれの影響を量的に比較するのが重要のように思われる。もう一つは組み合わせで、デジタルが「単に」教育のサポートとして使われるケースである。その場合重要なのは、得られた結果が、教師「一人」よりはっきりと上であると示すことだ。現在のところ、教育のデジタル化の支持者は、これらさまざまな必須条件を満たす、信頼できる裏づけを得るにはまだ至っていないようである[※82・※204〜※208]。そう考えると、教育システム全体のデジタル化は、科学的にも実験的にもまだ実証されておらず、結果として、生徒のために行われている（さらに言うと、教師はお飾り？）という主張には、ほころびがあるようなのだ。

ＰＩＳＡ責任者が認めたデジタル教育の欠陥

手はじめに、20年前から多くの先進国、発展途上国で行われている研究に目を向けてみよう。全体的には、莫大な投資にもかかわらず、結果は恐ろしいほど無惨である。よくて投資は無意味[※79・※209〜※218]、最悪は有害なことが示されている[※209・※217]。その意味では、ＯＥＣＤがＰＩＳＡ計画の枠組みで行った、いちばん最近の調査が興味深い[※218]。まずはその報告書から引用しよう。デジタル教育の影響について得られたデータについては、最初に囲み記事の形で要点がまとめられている。「教育で使用するために、コンピュータやネット接続、ソフトに膨大な投資がされたにもかかわらず、生徒のコンピュータ使用が増えれば、数学や読書の点数も高くなるという、確固たる証拠は少ない」。そして全体をざっと読んでわかるのは、「各国の一人あたりＧＤＰと、生徒の最初の学力を考慮した結果、学校へパソコンを導入する投資額が少なかった国のほうが、平均して、多く投資した国より早く上達していた。結果は読書、数学、科学すべて同じである」（図４）。この悲しい結果は、提供

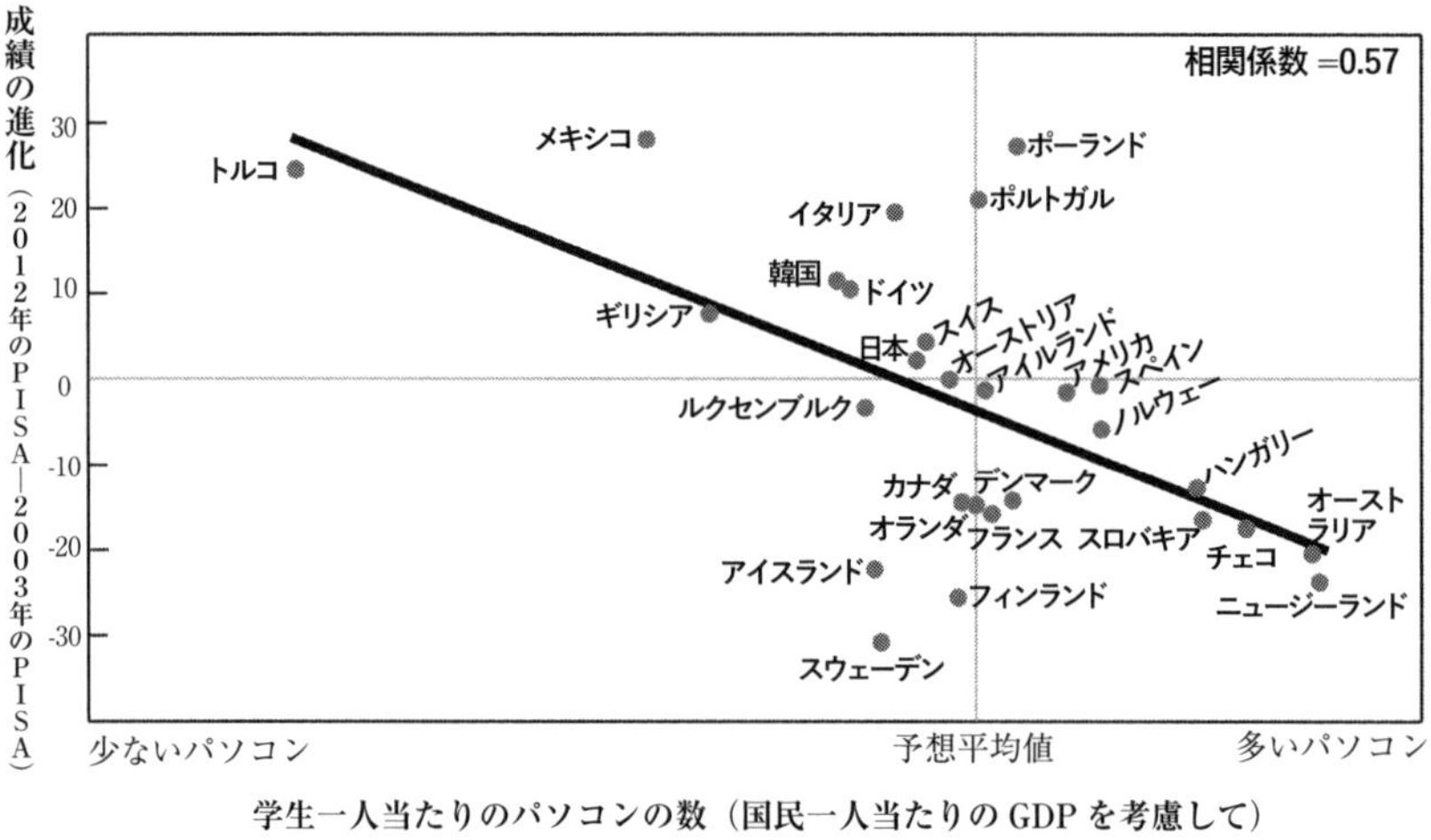

図４　学校の成績に対するデジタル投資の影響力

図があらわしているのは、OECD加盟国の数学の成績（傾向は読書や科学でも同じである）。この図で明らかなのは、もっとも投資している国の生徒の成績がもっとも低いことである※218。

されたデジタル資源が「実際は、学びに使われていなかった。しかし全体的に、クラスや学校でデジタル教育が実施されていても、生徒の成績との関係はマイナスのことが多かった」ことを示すものだ。こうしてたとえば、「生徒が学校で勉強のためにインターネットを使うことの多い国では、生徒の読書の成績は、平均して落ちている。同様に、数学の上達度も、生徒が数学の授業でコンピュータを広く使っている国では、低くなる傾向がある」。もちろん「学校にデジタル機器が配備されたことで、ほかの学びで恩恵を得たこともあるだろう。たとえば『デジタル』のスキルや、労働市場への移行、あるいは読書や数学、科学とは異なるスキルである。それでも、デジタル教育との関連性は弱く、デジタル読書やコンピュータをベースにした数学のテスト結果でさえ、紙を媒体にしたテスト結果より悪いことがある。つけ加えると、具体的なデジタル読書の能力さえ、学校の授業でネットによる拾い読みが盛んに行われている国のほうが高いことはない」。ほかにも、残念な結果が確認されている。「おそらく、この報告書で最も失望したのは」と語るのは、ＰＩＳＡ計画の責任者アンドレア・シュライヒャーで、彼はその序文にこう書いている。「新しいテクノロジーは、恵まれた生徒と恵まれない生徒の能力の格差を埋める橋渡しにはなっていないということだ。要するに、このデジタル世界で機会の平等を生みだすには、それぞれの生徒に読書や数学を理解するのに必要な基本の力を取得させるほうが確実で、ハイテクの端末やサービスを拡大して、助成金を出すよりよほど効果がある」。

結論をあげるとしたら、一つ。「テクノロジーは、素晴らしい資格のある教師を最大限生かすことはできるが、どんなに最先端のものでも、質の劣る教師一人の欠員をとりつくろうことは決してないだろう」[※219]。この文をこれ以上ないほど裏づけているのが、ほぼ同時期に、アメリカ教育省の支援のもと行われた二つの研究である。一つは、連邦議会の依頼で行われたもので、研究者が取り組んだのは、小学校での教育ソフト（読書、算数）の使用が生徒の成績に影響があるかどうかだった[※220]。結果は、教師全員がこれらのソフトの使い方を十分に養成されていたにもかかわらず、生徒へのプラスの影響はいっさい見いだせなかった（これはマイナスの影響を与えるとしたＰＩＳＡのデータよりはよい）。二つ目の研究では、科学的文献を元に、50時間をかけて養成された教師の役割が評価された[※221]。結果は、生徒に強くプラスになる影響が見てとれ、成績が軽く20％上昇した。これが意味するのは、「中程度」の生徒に何かしら教育ソフトをあてがっても、よくて平均のまま、最悪もっと成績が下がるところを、きちんと養成された資格のある教師をあてがうと、成績が目に見えてよくなり、クラスの上位3分の1になるということだ。この「教師」という要因はきわめて重要だ。実際、ペースやアプローチの仕方、方法は別にして、教師集団の質は、世界でも高性能な教育システムに共通する基本的特徴となるものである[※222〜※226]。この問題に取り組んだＰＩＳＡの最終報告書が、それをわかりやすく強調している。それによると「教師は、現在の学校でもっとも重要な資源である。（……）。よく言われていたこととは異なり、高性能な教育システムは、伝統的に教師を尊敬することで生まれていた特性を享受していない。教師たちもまた、時間をかけて導入された計画的な政策の結果として、教えるための質の高い力を築いてきたのに[※227]」……、ここでもう一度、事態を明確にするために再確認しよう、これら「高性能な教育システム」もまた、学校へデジタル備品や移行のための投資を抑えることなのである。[※218] ここで再び考えずにいられないのが、天才プログラマーでサンマイクロシステムの共同創業者、ビル・ジョイの言葉である。デジタルの教育的効果に関する議論の結論として、彼は「これらすべては、私に言わせれば、高校生には膨大な時間の無駄にみえる。もし私がアメリカの生徒と競い合うとしたら、相手としてはこの種のくだらないことに時間を使っている生徒を望む[※228]」と言ったのだ。やや乱暴ではあるが、しかし言い得て妙だ。

　これらの要素とコメントを照らし合わせれば、現在のデジタル化政策は見直しが叫ばれるはずだ。ところがそうではなく、実態はまったく逆である。行政側を支配している言い分はあいも変わらず、不毛な事実を直視せず、問題はデジタルではなく、それを請け負う側、つまり教師にあるとしている。これを体裁よく説明しているのが、欧州委員会の報告書だ。「デジタル教育に関連して、教師に適応性が欠如していることは、ヨーロッパ全体で広く認識され、報告されている問題である。多くの国は、教師の養成計画にデジタル教育を取り入れ、時代に合わせるよう努力しているが、しかし、やるべきことはまだたくさんある[※229]」。この仮説に対しては、前出のＰＩＳＡ計画の責任者アンドレア・シュライヒャーも近い言葉で言及している。この教育政策の専門家にとって、結果がそうかんばしくないのは、おそらく「私たちはまだ、新しいテクノロジーのよさを十分に引きだせる教育的なアプローチに至っていないのだろう。21世紀のテクノロジーを20世紀の教育法につけ足すだけでは、教育の効果は薄れるだけだろう[※218]」。しかし、ＰＩＳＡのデータを詳しく分析して明らかになったのはこのことではない。シュライヒャーはまた、別の仮定にも言及している。それは「深い考察と、概念的な理解力を築くために必要なのは、教師と生徒の密な相互関係である、そしてテクノロジーはときに、この価値ある人間の取り組みを外らすことがある」[※218]。この最後の考えは間違いなく考慮されてしかるべきだろう。

講義に関係する「画面」でも悪影響

この問題のとっかかりに、簡単なエピソードから。少し前、フランスのある有名大学の管理部門は、大学の情報インフラが渋滞していることに気づいて驚愕した。そのとき学生に通告されたメッセージを読んでみよう。「大学側で確認したところ、少し前からWi-Fiが飽和状態になっている。この流れを詳しく分析したところ、通過帯域が大量に外部のアプリに向けて使用されているのが判明した。フェイスブック、ネットフリックス、スナップチャット、ユーチューブ、インスタグラムなどで、大学の資材に向かっていたのはごく少数だった」[※230]。つまり、学生のために設置された教育目的のサポートが、ＳＮＳのプラットフォームやビデオサイトなどに応じて、おかしな流れを生みだしていたのだ[※231]。ところがこれは決して特別なことでも例外でもなく、普通のことなのである。ほかに比べて大学ではとくに、有害な使われ方が蔓延している。こうして、多くの研究が次々と明らかにしているのは、教室へのデジタル導入が、なによりも生徒の娯楽の元となり、結果として、学業を困難にする要因になったというものだ[※62・※232〜※247]。成績が下がるのは二つの動きが原因だ。純粋に学業のための使用が不発なことと、娯楽使用の有害性である[※241]。そして先のエピソードが示したように、後者の害は相当なものになる[※234・※248〜※254]。たとえばある研究では、学生が地理の講義中にコンピュータを使って何をしているかが調べられた[※253]。講義時間は2時間45分で、学生を積極的に参加させるために、途中に動きのある動画や図形、ビデオが投入されていた。結果、持ち運びできるコンピュータを所有していた学生は、講義時間のほぼ3分の2を講義ではなく、娯楽に使っていたのである。しかしほかの研究では、講義時間が短くなると、この「介入」も短くなることがわかった。たとえば、ヴァーモント大学（アメリカ）で行われた研究では、1時間15分の講義のうち、娯楽使用に盗まれた時間は42％だった。[※254]これが入手可能な研究での「下の」平均値に近いのだが、この数値がいかに天文学的かは、あえて強調しなくてもわかるだろう。

もちろん、研究者はこれら「現場」の結果だけに満足しなかった。観察したことの重大さと性質を正確にとらえるため、彼らは厳しく管理された正式な研究にも取り組んだ。地域的な違いは別にして、これらは同じ方法で行われた。講義の内容の理解力と記憶力を評価するのに、学生を二つのグループに分け、一つだけ娯楽のデジタルソースに接続できるようにしたのである。結果は有無を言わせないものだった。気晴らしのデジタル（SNS、メールなど）はすべて、理解力、記憶力ともに目に見えて下がる結果に結びついている。[※114・※255〜※266]たとえば最近の研究で、45分の講義を受けた学生に、そのあと40個の質問に答えさせるものがあった。[※262]参加者の半分はノートを取るためだけにコンピュータを使い、残りの半分は娯楽にも使っていた。最初のグループの学生は、正解の回答率が二つ目のグループより目に見えて高かった（プラス11％）。それより驚かされたのは、最初のグループの学生が、たまたま二番目のグループの学生の後ろの席で「画面」を「盗み見」しただけで、回答率がぐっと下がった（マイナス17％）ことだった。興味深いのは、その前に行われた研究で明らかになったことで、コンピュータを講義に関係のあるコンテンツに接続するだけで悪影響があることだった。[※255]この理由は簡単だ。もしあなたが受講中の話から注意を逸らしたら、その間の情報を失うことになり、最終的には説明された内容まで理解しにくくなるというわけだ。

もちろん、コンピュータに当てはまることはスマートフォンにも当てはまる。たとえば、既存の文献の代表的な研究で確証されているのは、講義中にSNSでやり取りをしていた学生は、この講義の理解力も記憶力も低かったことである。最後に行われたテストでの彼等の正解の回答率は60％だったのに対し、娯楽なしの管理された学生は80％だった。[※263] さらに、それ以前の研究で指摘されていたのは、受け取ったメッセージに返信しなくても妨害されることだった。[※258] そこにある携帯電話が鳴る（あるいはポケットで振動する）だけで十分なのである。それを実証するのに、実験的に二つの条件が比較された。一つ目では、ビデオに録画された講義がなんの妨害もなく流され、二つ目では、同じ講義中に二度、携帯電話の音が鳴った。紹介された要素の理解力と記憶力が、中断された瞬間に悪くなるのは当然だろう。最後に行われたテストの正解率は、電話音のあったグループはなかったグループに比べて30％近く低かった。しかしもっと驚くことがある！ 最近の研究で確証されたのは、講義中、学生に電話を机の上に置いておくよう頼んだだけで、注意力がそがれ、認識能力が妨害されるのがわかったのである。そしてこれは電話が完全に無反応で、音を出さない場合も同じだった。[※264]

これらすべては輝かしい「デジタルネイティブ」神話とまっこうから対立し、新しい世代は異なる脳の持ち主で、同時に認識処理がより速く、より適切という考えとも対立する。もっとも困るのは、いまやこの偽科学的なデマが巷にあふれ、私たちの子ども自身がそれを信じていることだ。こうして彼らの大半は、授業中、あるいは宿題をしながら、何の問題もなく音楽クリップを聞き、ドラマを視聴してネットを検索し、SNSで交流できると思っている。[※242・※243・※265・※266] 残念ながらまったくそうではないことを、いまわかってもらえたと思う……。

教育より経済のロジック

したがって要約すると、入手可能な研究が示しているのは、学校システムのデジタル化政策は、よくて不適切、最悪は教育的に有害だということだ。そこから、素朴な疑問がわいてくる。なぜ、ここまで熱狂しているのだろう？　なぜ、ここまで熱心に学校システムのデジタル化を、しかも幼稚園から大学までと望むのだろう？　なぜ、現実の要素は懐疑的なのに、礼賛者の演説がこれほど多いのだろう？　これらの問題については1996年、フランスの一人の経済学者によって発表された記事が、興味深い光を当てている。[※267]ＯＥＣＤの元幹部職員だった彼は、一部の開発途上国で実施されているさまざまな財政措置の政治的リスクを検討し、いくつかの「政治的に危険の少ない」アプローチを提案した。たとえば、「仮に公務員活動の支出を減らすとしたら、サービスの質は落としても、量は減らさないよう注意深く見守らなければならない。たとえば、学校や大学の公費は減らせるが、しかし生徒や学生の数を制限したら危険だろう。家族は子どもたちの登録を拒否されて激しく反応するだろうが、しかし教育の質が段階的に低下しても何も言わないだろう」。

現在の学校システムのデジタル化で起きているのが、まさにこれである。実際、初期の研究では、生徒の成績への影響は何も明らかにならなかったのだが、ここ最近のデータ、とくにＰＩＳＡ計画から発表されたものでは、強くマイナスの影響が明らかになっている。ところが奇妙なことに、デジタル化の過程は中止にならず、遅れることもなく、その反対である。そうなると、考えられる理由は一つしかない。経済のためである！　部分的にでも、デジタルを人の代わりにすることで、いずれは教師の人件費を減らす問題に着手することができる。もちろん、このやり方には大がかりな広告戦略が伴い、親と、もっと広く市民社会全体を狙って、デジタル化の素晴らしさを納得させなければならない。それに関しては、アメリカ大統領リンドン・ジョンソンは少なくとも正直（あるいはナイーヴ）だった。なぜなら、教育的なテレビが子どもたちに素晴らしい機会を与えるのは、「世界には必要とされる教師の数が足りない」のが唯一の理由であると認めていたからである。問題の中心はまさにそこにある。学校（大学を含む）のマス化のプロセスに押しつぶされる形で、先進国のほぼ大半は現在、教師にきちんと報酬を払うのに苦労し、結果として、大変な人材不足に陥っている。[※268〜※271] ここから抜け出すのに、かの「デジタル革命」以上によい解決法を見つけるのは難しい。実際、おかげで質の劣る教師を募集でき、前もって設置されたソフトツールの単なる「仲介者」あるいは「演出家」の身分にすることができる。そうして「教師」は人間の形をした一種の通過口となり、その活動はといえば、生徒に毎日のデジタルプログラムを指示し、我らが「デジタルネイティブ」を椅子に大人しく座らせて安心するだけなのである。そうして、我らが経済学者が先に指摘したように、親の反感を買うことなく人件費を減らすことができる。もちろん、そこではオンライン教育と対面式のミックス「ブレンド型学習」を行い、誠意を払っているのを見せることも忘れてはいけない。

しかしまた、人は現実を認め（とくにほかに選択肢がないとき）、混乱の責任を負うこともできる。それがアメリカの多くの州、アイダホ州[※272]やフロリダ州[※273]で行われていることである。たとえばフロリダでは、法律でクラスの生徒の人数が制限されたことから（高校では25人）、行政当局が必要な数の教員を募集できないことが明らかになり、教師のいないデジタルクラスが創設されることになった。この場合、生徒はコンピュータを前に一人で学習し、そばに人間の「ファシリテータ」（進行役[※273]）が一人いるだけ。その役割は制限されており、技術的問題を調整し、生徒が安心して勉強できるようにするだけである。教師に言わせれば「罪つくり」なアプローチだが、学校当局に言わせれば「必要」なアプローチだ。これによって生徒数に制限がなくなるのだから（30人、40人、50人でも）、これ以上興味深い方法はない。つまり、クラスのデジタル化によって、当局は質と量、二重に節約ができるのだ。こんないい話はないだろう。最後に、最近の研究で明らかになっているのは、先のフロリダ州とアイダホ州は、アメリカの州のなかで教員の報酬がもっとも低く、中等教育での資格取得者率がもっとも低く、子どもに出費する教育費も低いことも紹介しておこう。[※274]

効果があるのは上位5%だけ

これら経済的な考察は、多くのデジタルファンが肯定するものでもある。たとえば、教育問題の「専門家」とされるフランス人ジャーナリストは、最近の著作で「教育はとにかく労働力で成り立つ産業である。国の教育費の95%が給料に消えている！（……）。デジタルによる大きな貢献の一つは、とくに『ムーク』[Massive Open Online Course の略。インターネットを介しての講義] の形で、人材の支出を目に見える形で節約できることだ。そこで現在は毎年、数百人収容の階段教室で教える教師の給料を払わなければならないところ、明日は同じ値段で、これらの講義を無限大の学生に提供することができる。原材料のコストが落ちていく[※275]」。

この議論には、理論上は反論できないだろう。しかし、ほとんどの場合、この議論は成立しない。理由が経済だけでは社会の大きな賛同は得られないからである。またムークを商品として通用させるには、教育的な謳い文句でしっかり体裁を整える必要がありそうだ。たとえば先のジャーナリストは、これらバーチャルな講義で「教える学校から、人が学ぶ学校に[※276]」移行すると語っている。画面に映し出された講義は、「コピーしただけの昔のものより、明らかに魅力的な形になっている」。さらに、それらは「非常に充実した補足的な知識——ほかの講義へのリンク、参考の文書など——がついている。というのも、講義の各段階で、あなたがしっかり取得したかを確認するために、一連の練習問題が提供されるからであり——、小さな空白が生じないようにしているのは、合算すると、最終的には学習の妨げになるからだ。いまや学生たちの共同体は連結し、リアルタイムで助け合うことができ、中断もなく、これらが申し分のないチューター役（授業の助手）になっている[※275]」。まさに至れり尽くせりなのである。まさか「ムーク革命」以前の教師は、学習を目標にしていなかったのだろうか？　まさか生徒の理解力を評価せず、練習問題も提示せず、補足的な説明も何もしてこなかったのだろうか？　デジタルが到来する前は、生徒は誰とも喋らず、助け合いもしなかったのだろうか？　まさか、そんなことはないだろう。たしかに、ムークを可能性のある学習ツールだと認めるのは簡単だ。難しいのは、肉体がないという特性が、どうして生身の人間が存在するより刺激的で、訴える力があり、そして効果的なのかを理解することだ。言いかえると、ムークがピタゴラスの定理を似たような三角形の方法で説明し、理解させてくれることは、誰も疑わないだろう。[※277]問題は、あまねく一般的にそれができ、資格のある教師よりも熱心に、効果的に教えられるという考えだ。そこにどうしても違和感を抱いてしまうのは、実験に基づいた研究結果とどうも一致しないからだ。たとえば、アメリカのペンシルヴァニア大学でのムークによるミクロ経済の講義を例にとってみよう。登録した学生３万５８１９人に対し、最後の試験まで我慢強く受講したのはわずか８８６人（２・５％）、うち証明書を取得したのは７４０人（２・１％）だった。数字的には大失敗だが、しかしこれは特例ではない。この種のオンライン講義は人気で、ファンも多いとされているが、その放棄率はなんと90～95％[※279～※281]、要求の厳しい教師になるとそれ以上の99％になる。[※75]さらに、抜群の効果があると言われるこれらムークだが、２０１３年、アメリカはカリフォルニア州のサンノゼ大学が、わずか数か月の実験期間のあと、突然、ある教育プラットフォーム（ユダシティ）との協力関係を中止してしまった。理由は、驚くべき試験の失敗率で、講義によって49％から71％だった。[※76]それに関しては、このプラットフォームの共同創始者が『ニューヨーク・タイムズ』の記事でこう認めていた。「基本のムークは、学生のうちでも優秀な上位５％には素晴らしい効果があるが、しかし残りの95％にはあまり効果がない」[※282]。この確認は、広範囲で実験された、物理のムークの効果に関する研究とも一致する。研究者の言葉によると「ムークはきわめて特別な人口をターゲットにした薬のようだ。うまくいくときは非常にうまくいくが、しかしきわめて少数にしかうまくいかない。（……）。ムークは少数の、選ばれた人口のみに効果のある学習環境で、ある程度の年齢があり、しっかり勉強した学生で、物理学では優秀かつ、自己規制ができると同時に意欲もなければならない。これは非常に限られた集団で、普通の大学の新入生とは違う」[※283]。つまり、ムークは頑張っているが、しかし明らかに、期待された熱狂を生みだすにはほど遠いのである。そのうえもっと悪いことに、社会的な格差を危険なほど大きくし、恵まれた環境の生徒ほど成績が伸びていくように見える。たとえば、アメリカのハーヴァード大学とマサチューセッツ工科大学で提供された68講義を対象に行われた研究では、親がどちらかでも大学卒業の資格を持っている学生は、大学を卒業していない親を持つ学生より、最終的な証明書を取得するチャンスがほぼ2倍以上だった[※74]。この格差があらわすのは、社会的家族的環境によって、若者の学習意欲もまわりの支援も異なってくるということだろう。

これらすべてで明らかになるのは、ムークは大多数の学生にとって簡単な解決法ではなく、意欲もわかず、有効でもないということだ。それらを自分のものにするには、時間と努力と勉強と、前もってのしっかりした知識と、知的に（非常に）成熟していることが必要なのである。言いかえると、ムークでの学習は、資格のある教師に教わるよりよほど骨が折れるということだ。幸いにも、この事実はゆっくりとではあるがメディアにも浸透し、近年はフランスの権威ある新聞（『ル・モンド』）にもこんなタイトルがあらわれた。「ムークは期待はずれ[※284]」。これと共鳴するのが、それ以前に『ニューヨーク・タイムズ』紙のコラムを飾ったタイトル「バケの皮がはがれるムーク[※282]」だろう。どうやらバブルははじけたようである。

グーグルは教師になれるか

問題はムークだけではなく、インターネットの教育的な可能性についても問いかけたほうがいいだろう。多くの人にとって、事実は理解されているように見える。たとえばあるビジネススクールの校長が説明するように「上から目線の知識、典型的な教師による講義は消滅しつつあり、それよりウェブ上にいったほうがより多く、より速く学べる[※285]」、などといった主張は、はっきり言って超少数派である。

たしかに、ウェブ上には世界のあらゆる知識が（理論上は）収まっている。しかし同時に、残念ながら、あらゆる馬鹿げたことも含まれている。本来は真面目なサイトとされる大学関連や行政機関、メディア関連、百科事典的なもの（ウイキペディア）でさえ、信頼性や正直さ、完全からはほど遠いことが多く、それは多くの学術的研究で指摘されている[※286〜※291]。では、信頼できる資料と、ほかの怪しい文書、根拠に乏しい情報をどうより分ければいいのだろう？ 得られた知識はどう選択し、組織立て、上下関係をつけてまとめればいいのだろう？ この問題が重要なのは、検索のアルゴリズムは、反応するデータの有効性などまったく気にかけていないからだ。ある問い合わせに反応するとき、アルゴリズムは認識したコンテンツが事実として厳正かどうかなど確かめない。典型的なのは、いくつかのキーワードを探し、さまざまな技術的要素を分析し、ドメイン名の古さや、サイトの規模や検索の頻度、媒体への適応性、チャージにかかる時間、リンクの初出年月日などから反応する。つまるところ、返ってきた結果が少しずれ、正しくなくても驚くことはないのである。とくに、検索時に政治や新商品など、不可解な基準を加えるとそうなる[※292]。たとえば、コネチカット大学の哲学教授、マイケル・リンチがグーグルで、「恐竜に何が起きたか？」と問い合わせたところ、最初に送られたリンク先が天地創造説支持者のサイトだった[※296]。疑った私は、同じ問い合わせをフランス語でしてみた。ヒットしたのは四つだった。（1）天地創造説支持者のブログで、こう書かれていた「化石の証拠では進化理論は確認できない[※297]」。（2）やはり天地創造説支持者のサイトで、「地球とその化石層が数百万年前のものだと断言できるような証拠はどこにもない[※298]」と書かれていた。（3）カナダの電気通信企業の大手ノーテルが経営破綻したときの情報で、電気通信業界の「恐竜[※299]」というもの。（4）あるキリスト教新改宗者のホームページで、そこには「恐竜と聖書は一緒でいいが、恐竜と進化はそうではない[※300]」という説明があった。

つまり、資料の検索に関しては、グーグルやそれに近いものをあまり信用しないほうがいいということだ。実際、ある情報源が信頼できることを明確にするには、この情報源を細かく分析するだけでなく、ほかの入手可能な事実ともつき合わせなければならない。そのためには、評価する側は問題の議論全体を理解し、吟味しなければならない。これができる器械は、少なくとも現在はどこにも見当たらない。そして器械に言えることは、普通の人間にも言える。事実を理解し、批判的精神を持ち、データを分類して統合できるのは、学問的に抜きんでたものを身につけていなければできないということだ。[※301〜※303] つまりこれに関しては、「一般的な」能力は存在しないといっていいだろう。[※304] そのうえ、この種の全体的な能力を若者に身につけさせようとする試みは、現在の教育プログラムの枠組みでは、決定的に少ないことが明らかになっている。[※305・※306] これについては、読書に関して行われた研究が多くを語っている。[※307] アメリカの中学生が、野球の試合の一部を描いた文を見せられ、実験的に二つの要因が調べられた。野球についての知識（ある／なし）と、読書能力（高い／低い、標準的な心理検査を元に評価）である。これらの要素を組み合わせ、著者たちは参加者を四つのグループに分けた。（1）野球の知識があり、読書力もある。（2）野球の知識はあるが、読書は苦手。（3）野球に弱く、しかし読書力はある。（4）野球に弱く、読書も苦手。結果、明らかになったのは、読書力がなくても野球の知識があれば、読書力のあるスポーツ音痴より文をよく理解し、あとで事実の詳細を正確に思い出すことができた。いっぽうで、野球を知らない生徒では、読書力のあるなしでの違いはいっさい観察できなかった。

このように、内面化した知識がないと理解できないという明白な事実は、大きな部分で、若い世代が参考資料を探す目的でのインターネットを使いこなせないことを説明している。[※308〜※314] 実際、正確な学問的知識のない個人が、どうして以下のような主張を評価し、批判できるだろう？「喫煙は血液中のヘモグロビンの濃度をあげ、耐久力が向上する」、「ブラックチョコレートを食べると痩せるのは、空腹を抑える特性のおかげである」、「コンピュータのアクションゲームは脳を大きくし、あるいは教育の成功に役に立つ」。もっと一般的な検索で、不愉快で矛盾だらけのリンクが山のように出てきたら、どうやってうまく抜け出せるだろう？素直にいって不可能だ。そのうえ現在は、情報のコンテンツがきちんとした形で配列されていれば、専門家でなくてもよく理解できることが確認されている（この典型例が本であり、あるいは教師自身が実習の選択から調整、知識の構築まですべてを責任もって計画する講義である）。事態が複雑になるのは、データが網状の形で、無秩序に細分化してあらわれるときだ（インターネットで検索したとき、接続可能なデータの塊が分類もされずどっとあらわれる）[※315〜※320]。

したがって教育に関して重要なのは、知識をただ伝えることではなく、それが情報として理解できる形で身につけられるように紹介されているかどうかなのである。この尺度で見ると、迷宮のように複雑なウェブの構造はあまり適切ではないことがわかる。その点、資格のある教師は好ましいどころではない。というのも、「教師」の職務とはまさに、自分の分野の知識を、生徒にわかりやすいように整理し、調整することだからである。なぜなら、教師は自分のやるべきことを知っており、講義や練習、活動を組織的に組み立て、他人を導くことができるからである。

この枠組みで明らかにしなければいけないのは、知識はすべて同等ではないということだ。養成中の生徒と、資格のある教師の知識は、いかなる場合も比べられないものである。いっぽうは脈絡のない知識の断片が、一貫性もなく穴だらけの状態であり、他方の知識は、整理され、構成され、一貫性のある世界を構築している。それなのに、一部の「専門家」がまだこんなことを言っているのはなぜだろう。「あなた方（教師たち）は完全に理解したはずだ。生徒にデジタルの端末を与えたことで、あなた方の教え方に異議申し立ての声が高まった。あなた方は彼らがそれで何をしたかを理解したはずだ。彼らは読み、探求し、情報をつき合わせ、あなた方が上から目線で教える内容を批判し、そうしてあなた方の権威に異議を申し立て、あなた方を壇上から引き下ろした……」[※321]。まるで勉強が何の役にも立たなかったかのようだ。まるで、生徒にネットに接続できるものを与えれば、誰でも教師になれるようである。いつも同じこの言いがかりには、憤りを感じざるをえない。

結論

この章でおさえておきたい重要な点は二つある。

一つは、家庭での「画面」についてである。この分野では、いくつかの伝統破壊的な研究（不備が多い）を抜きにすれば、科学的文献の結論はこれ以上ないほど一貫しており、議論の余地がない。生徒がテレビを観るほど、コンピュータゲームやスマートフォン、ＳＮＳに夢中になるほど、成績は落ちていく。教育的によいと言われている家庭用のコンピュータでさえ、学校の成績にはまったくプラスの影響がない。だからといって、これらのツールにはよいところが何もないというのではない。ここで言いたいのはただ、あなたが子ども（または思春期の若者）にコンピュータを与えると、遊び目的の使用が、あっという間に教育目的の使用を飲み込んでしまうということである。

二つ目は学校での「画面」使用に関係する。そこでも科学的文献は容赦ない。国が「教育のための情報通信技術」（有名なデジタル教育）に投資すればするほど、生徒の成績は落ちる。並行して、生徒がこれらの技術に時間を費やすほど、ここでも点数が下がる。全体的に見て、これらのデータは、現在のデジタル化の動きが、教育よりは経済のロジックに沿っていることを示している。実際、公式の認識とは裏腹に、デジタル教材は、なによりも国家の教育費の膨らみを解消するため、多少なりとも部分的に、人を器械に置き換えているのである。この移行から展望できるのは、資格のある教師が将来的に絶滅危惧種のリストに入ることだ。実際、資格のある教師は人件費が高い（高すぎる？）。そのうえ、養成するのも大変で、経済競争の圧力を考えたら、募集するのも非常に厳しくなる。そこへデジタルが見事な解決法として登場するのである。もちろん、この解決法で教育の質が損なわれたら、親の怒りを買うことになり、そこは公言するのが難しい。したがって、親に快く変化を受け入れてもらうために、事態を教育的な言葉で飾り立てる。組織を破壊する力のあるデジタルを「教育革命」と銘打ち、もちろん、子どもたちの利益のために行われると謳う。また、教師の質の低下をカモフラージュし、その変化を美化し、きらきら輝くガイド、ファシリテータ、演出家、あるいは知識の受け渡し人になったと言わなければならない。この「革命」によって、社会の格差がますます拡大することも隠さなければならない。まだある。生徒がこれらのツールを主として娯楽に使っている現実もうまくカモフラージュしなければならない。つまり、変化を受け入れてもらうには、現実をうまく隠さなければならないのである。しかし、それにもかかわらず、居心地の悪さはそのまま残っている。アイダホ州の教師で、元海兵隊の士官だった女性が、その不安をうまく言いあらわしている。「私は国のために戦った。いま私は自分の子どものために戦っている。（……）。子どもたちに深く考えることを教えている。考えること。コンピュータにはそれができない」[※272]。そう、コンピュータは笑うことも、付き添って導き、慰め、励まし、刺激を与え、安心させ、感動させ、感情移入することもできない。しかしこれらこそ、伝えること、学びの意欲を抱かせるのにもっとも重要な要素なのである[※322]。「あなたがいなければ」と、アルベール・カミュは、ノーベル文学賞を受賞したあと、かつての恩師に手紙で書いた。「あなたが小さく貧しい子どもだった私に差し伸べてくれた、あの愛情に満ちた手、あなたの教え、そしてあなたという見本がなければ、何も起こらなかったでしょう。私は自分でこのような名誉ある世界をつくったわけではないけれど、しかし、これは少なくともあなたに、あなたがあなたであったことを伝える機会になる。あなたがつねに私のためにいたこと、そしてあなたの努力、あなたの仕事、あなたがそこに込めた寛大な心は、つねに小さな小学生だった私のなかに——年齢にかかわらず、あなたに感謝する生徒でい続けた、私のなかに——いまも生きている[※323]」。

これらの言葉を尺度にすれば、「デジタル革命」のコストがいかに法外かは容易に実感できるだろう。

発達——人間関係、言語、集中力

「画面」が教育の成功に重大な影響を与えているとしたら、その影響が単なる教育面を超えて広がっているのは明らかだろう。学校の成績は、私たちの発達の中枢に見えない形で加えられている、広範囲にわたる打撃の症状である。ここで攻撃されているのは、発達中の人間の本質部分といえるもので、言語から集中力、記憶、知能指数、社会性、そして感情の制御まで及んでいる。攻撃は音もたてず、ためらいも節度もなく、一握りの者の利益のため、その他のほとんど全員を犠牲にして行われている。

切断される人間関係

現在、新生児が「白紙状態」でないことは知られている。新生児は、生まれた瞬間から、小さいながらに社会的、認識的、そして言語の適性があることをまざまざと見せている。[※1〜※4] そのことに多くは感嘆するのだが、しかし、これらの初期の能力には、見えないところに未構築の森があるのは隠しようがない。実際、私たちの子どもの初期の知識は、驚くほど空白が多く、きわめて不備なままである。たとえるなら一種の最小の運転プログラムで、そこから将来に向けた活動が始まると言っていいだろう。ただし、ここで理解し強調しなければならないのは、この初期の未熟さは欠陥ではなく、その反対だということだ。それは私たちの適応能力に欠かせない土台、つまり、最新の分析では、スイスの心理学者ジャン・ピアジェ（1896―1980）（「知」を中心にして考察する発生的認識論を提案）が言う意味での、私たちの知性なのである。[※5] 純粋に生理学的な視点で見ると、未成熟ということは柔軟であることを意味する。もちろん、発達という奇跡が実際に行われるには、そのぶんコストがかかる。脳の構造の発達では、その大部分をまわりの世界に依存している。したがって、まわりの環境に欠陥があると、個人はできることの一部しか表現できない。この点については先の頁で、「敏感な時期」の概念を通して広く言及してきたことでもある。

　しかしながら新生児の初期の知識は、あらゆるものの寄せ集めではない。それらは人に向かって、系統立てて、その方向のみにこだわって集められている。受胎した瞬間から、子どもの神経網は社会的な相互関係のために配線される。こうして、最近の学術雑誌が説明しているように、「生まれたときから、新生児は社会的な刺激に優先的に向かうという傾向を示す。とくに、視覚的な刺激ではほかのものより顔を好み、音の刺激ではほかより声を好み、動きではほかより生物学的な動き（つまり生き物の動き）を好む」[※4]。この初期に身につけたものを、赤ん坊は周囲の誘い、とくに家族間の交流に応えて徐々にふくらませていく。相互関係が活気づくと（または妨げられると）、それが決定的要因となって、認識面から感情面、社会的な面も含めて、発達が全体的に形成されていく。[※6〜※12] このテーマについてはしかし、曖昧さを避けるために、三点について強調しなければならない。

　一つは、家族関係はこの時期とりわけ重要ではあるが、その重要性は幼児期だけには限られないことだ。それは、思春期を通じて、とくに教育の成功や感情の安定、リスクのある行動の予防で、重要な役でありつづける。

　二つ目に、刺激（または欠如）の度合いが、一見「大したことがなく」見えても、それが時間で併合されると、重大な影響を与えることがあるということだ。たとえば猿の赤ん坊の場合、生後4週間のあいだ、飼育係が毎日数分間顔で相互関係をつくるだけで、その飼育係は長期的に猿の仲間に溶け込むことができる。[※18]それは幼児でも同じで、親が毎晩、一時だけでも、絵や物語、本の時間を共有するだけで、言葉の発達や書き文字の取得、教育の成功につながっていく。[※19・※20]それを裏づけるのが、間接的ながら非常に面白いきょうだいの研究である。これは素朴な疑問から出発している。平均して、子どもの多い家庭では、長子が年下のきょうだいより知能指数も学校の成績も、給料や法的リスクでもうまく切り抜けているのはなぜだろう？[※21〜※24]最近の研究で証明されたのは、下のきょうだいが受ける「害」は、子どもの数が増えて、親（とくに母親）のやるべきことが徐々に飽和状態になるのを反映しているということだった。[※24]言いかえると、最初の子どもは、あとから生まれる弟や妹と比べて、親を「一人占め」できるので、豊かな相互関係に恵まれ、したがって発達の軌道もよくなるというわけだ。もちろん、これはどこの家族でもすべての長子がうまく切り抜けると言っているわけではない。ただ単に、人口的な尺度で見ると、長子の利益に沿って成功する傾向が見られ、この傾向はおもに幼児期の親から受けた最大限の刺激に結びつくということだ。

教育「ビデオ」に鈍感な脳

これが三つ目につながっていく。人間関係の魔法が働くために、一つの要因がきわめて重要なことがわかる。ほかの「もう一人」は肉体的にそこにいなければいけないということだ。私たちの脳にとって、「本当の」人間は「ビデオの」人間とはまったく別物なのである。イタリアの神経学者ピア・フランチェスコ・フェラーリは、自らは大きな失望を覚えながら、誰が見てもわかる証明の一つを提供した。この研究者は、霊長類の社会性発展の分野では世界でもっとも優れた専門家の一人である。彼が研究しているのは、とくに有名な「ミラーニューロン」〔他の個体の行動の模倣や共感と関連する神経細胞のこと〕の役割である。鏡を意味するミラーという名前は、個人が自らの行動や、第三者が特別な行動（たとえば怒った顔など）をするのを見て、同じように行動することからつけられたものだ。私たちは、この同時性によって、他人の行動に、私たち自身が感じたことから共鳴し、そうしながら、ミラーニューロンを社会的行動の中心に置くのである。[※25〜※27] この驚くべき細胞の知覚領域を研究するために、研究者は普通、身体の動きを観察することで生じる脳の活性を測定する。しかし、動物のあいだで行われた一つの研究で、フェラーリは時間稼ぎと、実験のパラメータをうまく管理するために、動きをビデオに代えることにした。[※28] 結果は最悪！ 実際、「ミラーニューロンは、自然の動きによるテストのときは、実験者による手の動きによい反応をしていたのだが、同じ動作を、前もって録画した『画面』で見せると、反応が弱いか、まったくないときもあった」。この「画面」に対する反応の欠如は、以来、人間にまで広く一般化した。これは子どもにも大人にも言えることである。[※29〜※33] このことで再確認できるのが、私たち人間も社会的動物で、私たちの脳は、ビデオに映された間接的な人間の画像より、目の前にいる本当の人間のほうに強く反応するということだ。この実験は誰でも自分でできると、私は思う。私の場合、もう何年も前になるが、オペラに招待されたことがあった。なんと素晴らしかったことか！ 数週間後、そのときと同じヴェルディの『ナブッコ』がテレビで放映されるのを確認した私は、観ることにした。なんという失望！ 退屈で死にそうだった。幸いにも、それからはこんな実験をしようとは思わなかった。それでも、私のオペラ熱が冷めることはないのだけれど。

つまり人間の脳は、年齢に関係なく、実際の人間の存在より、ビデオの映像に「鈍感」だということだ。これが理由で、とくに教育的な力では、骨と肉のある生身の人間のほうが器械より何倍もまさっているのである。このテーマに関しては現在、データにあまりに説得力があることから、研究者はこの現象に「ビデオ

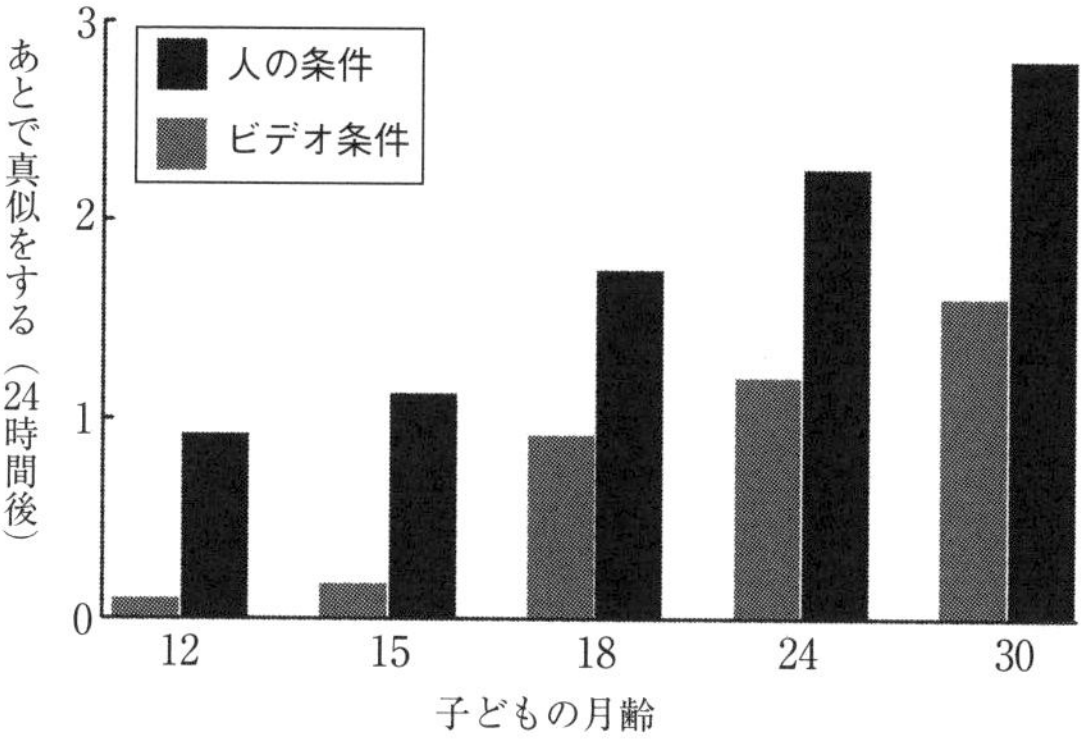

図５　「ビデオ欠損」現象

生後 12 か月から 30 か月の幼児が、大人が物を使うのを見る。実演はつねに三段階で行われる（たとえば、鈴の入った手袋を人形の手から外す→手袋を振って鈴を鳴らす→手袋を元に戻す）。実演はライヴ（大人が子どもの前で行う「人の条件」、黒の棒グラフ）とビデオ（子どもは大人が行動するのを「画面」で見る「ビデオ条件」、灰色の棒グラフ）で行われる。実演から 24 時間後、子どもに物が与えられる。各段階がうまく真似されると子どもに１点与えられる（したがって完全に真似できると３点になる）。結果は一様に「人の条件」のほうが高い。図は二つの同じ研究のデータを一緒にしたもの（生後 12 か月から 18 か月の子ども[※42]、生後 24 か月から 30 か月の子ども[※43]）。

欠損」という名称をつけることにした。私たちもこれについては前の章で十分に詳しく述べてきた。学校でのデジタル使用や、ムーク、教育目的とうたった多くのオーディオヴィジュアルやソフトの成果が、あまりに貧しいことに触れたところだ。そのうえ教育の分野では、実験に基づいた多くの研究が、子どもは同じことを人から直接教わるほうが、同じ人が録画したビデオからよりも、情報をよく学び、理解し、利用し、記憶することを明らかにしている[※34~※41]。たとえば、よく引用される研究で、生後12か月から18か月の幼児が、実験者が人形を操るのを見てから行った実験がある[※42]。この人形の右手の先には、マジックテープでミトンが固定され、そのなかには鈴が1個入っていた。実演はライヴまたはビデオで、三段階で行われた。（1）ミトンを外す。（2）鈴を鳴らす。（3）ミトンを元に戻す。ついで人形はそのあとすぐと、24時間後に子どもたちの前に置かれた。結果、参加した子どもたちがその前に見たことを真似して行う能力は、「ビデオ条件」のほうが低かった。同じ結果が、月齢の高い生後24か月から30か月の幼児でも報告されていた。[※43] 図5はこれらの観察である。

ほかの研究では、幼稚園児（3歳から6歳）を対象に、テレビの教育番組でよく見られるような、教育的な寸劇が使われた。[※44] 当然ながら、「ビデオ条件」はライヴでの実演より理解力も記憶のレベルも低かった。別の研究では、生後6か月から24か月の恵まれた家庭の幼児が選ばれ、スマートフォンでユーチューブのビデオが見せられた。[※45] 研究者たちがテストしたのは、さまざまな学習で、とくに同じ人物が異なるビデオにあらわれたときに認識できるかどうか（本当の人生では、2歳になる前に発達する素質）を確認した。それに合わせて行われたのは、ビデオの流れをコントロールできるタッチボタンを使ってのテストで、子どもたちが自分たちのしていることを本当に理解しているかを確認することだった。研究の結果は、「2歳までの子どもは、スマートフォンでユーチューブのクリップを見せると楽しんで、熱心に見てくれるが、しかしそのビデオからは何も学ばなかった」。そのうえ、「子どもたちはボタンの使い方がわからず、手あたり次第に押していた」。

親子の背後で「つけっぱなしのテレビ」

結局のところ確認できたのは、子どもの発達を促すには、「画面」より人間との交流、とくに家族関係に時間を当てたほうがいいということだ。最近の研究でも、「画面」全体の使用時間は、子どもの運動面や社会面、認識面にマイナスに働くことが明らかになっている。[※46] 研究者によると、「子どもの発達を強化するもっとも有効な方法の一つは、『画面』に邪魔されない、保護者との質の高い交流である」。残念ながら、それが現在の傾向でないことは、すでに述べた通りである。デジタルによる活動は、私たちの日常の大きな部分に押し寄せており、一日には限りがあることから、このデジタル熱狂に供された時間を「いくらか」取り上げなければならないだろう。その時間をまわすべき大切なことのなかにあるのが、宿題であり（これについてはすでに述べた）、睡眠、創造的な遊び、読書であり、そしてもちろん、家族との交流である。家族間のことに関しては、文献のデータはやはり一致している。親子が「画面」を見て過ごす時間が多いほど、相互の家族関係の広がりと豊かさは減っていくのである[※47〜※59]。

この確認の裏づけとして、よく引用されるのがテレビに関する研究だ（しかし結局は、ここで描かれる影響は使用される媒体やコンテンツに関係がなく、すべての「画面」に共通するものである）[※59]。この研究が対象としたのは0歳から12歳の子どもたちで、使用時間は平日と週末に分けて調査している。結果が示すのは、テレビに使われる時間が、すべての家庭で親子が交流する時間を切り取っていることだ。たとえば、平日に「画面」の前で1時間過ごすたびに、4歳の子どもは親との会話時間を45分間失い、それが生後18か月の赤ん坊になると52分間、思春期前の10歳の子どもでは23分になる。この数字をそれほどではないと思う人は、今度は合算して考えてみよう。すると、毎日60分のテレビによって盗まれた家族交流の時間は、最初の12年間で２５００時間にもなる。これは起きている時間にしてほぼ１８０日（6か月。この期間は夜の時間を平均で10時間として計算）、学校教育の3年分、フルタイムのサラリーマンの18か月分の雇用にあたる。さらにこのデータを、毎日1時間ではなく、2時間、3時間にして計算し直したら、とても見逃せる数字ではなくなるだろう。そしてこの破壊的事態に、さらに加えなければならないのが、背後で「画面」にさらされることによる家族関係の悪化である。言いかえると、親子が話し合っていても、テレビの影響があるということだ。このことを証明しているのが、次の研究である。

大部分の家庭では（調査によって35％から45％[※61〜※64]）、テレビはほとんどつねに、誰も見ていなくてもついている。このテレビの存在が家族関係に及ぼす影響を調べるために、アメリカのマサチューセッツ大学の研究者が、1時間のあいだ、自分の子どもたち（1歳から2、3歳）と遊んでいるさいちゅうの親（おもに母親）を観察した。[※56]実験中、部屋に置かれた1台のテレビは無作為につけられた。分析で明らかになったのは、介入による強い影響だった。テレビがつくと、親子が会話や遊びに使う時間が目に見えて減ったのだ。たとえば、テレビが消えていると、親が生後24か月の子どもと積極的に遊んだ時間は33%だった。これは、テレビがつくと半分に落ちた（17%）。この結果は、夕食を食べに行ったレストランの部屋でテレビがつけられ、食事中、番組から大音響が流れていた場合と同じである。テレビがついていると、たとえ「見たくなくても」、ほんの一瞬でも、見てしまうのが普通で、そうして決定的に、家族との会話の糸が途切れてしまうのである。実際、私たちの脳は、外部からの刺激（音や視覚）に反応するようにプログラミングされている。それが目立つもので、突然で予想外であればなおさらだ。[※65〜※70]もちろん、「抵抗」を選ぶこともできる。しかしこの場合、無視するよう努力することで認識能力は大きく違う方向に使われていき、結局はテレビを一瞥するのと同じ結果になるのである。

最近の研究でもこれらのデータが確認され、一般化されるようになった。[※49]これは携帯電話に関するもので、簡単な実験形式に基づいている。この実験は、一組の母子が、4回続けて4分間観察された。各回の最初に、実験者が毎回違う食べ物を持って行った。母と子はそこで、もしよかったら味見して、評価するよう誘われた。その食品は馴染みのものもあれば（カップケーキなど）、知らないものもあった（たとえば中近東のお菓子ハルヴァ）。実験中、4分の1の母親はごく普通に携帯電話を使っていた。そのせいで母子の交流は言葉であってもなくても少なくなる。この交流の貧困化がとりわけ強く感じられたのは、いわゆる「励まし」（言葉の例としては「少し食べてみたら?」、言葉ではない例として、母親が食べ物を子どもに近づけるか、一口食べさせるなど）があまり見られなかったことだ。いっぽう知らない食べ物では、携帯のない母親のところでは交流がとりわけ盛んに行われていた。たとえばハルヴァに関しては、携帯電話の存在で母親の励ましは72%下落、言葉による交流全体では33%の減少だった。これらのデータは、同じ研究グループがボストンで行った別の観察データとも一致している。そちらの観察では、スマートフォンの使用で親の関わりが減り、交流の仕方がより機械的になったことが示された。たとえば、「端末に夢中になっている保護者は、その間、子どもの行動には無関心なのに、突然大声で叱り、ロボットのように指示を繰り返し（子どもやその行動に関することを見ないで）、子どもが訴えたことには鈍感で、身体で反応していた（たとえばある女性の保護者は、タブレットに夢中になっている彼女の顔が上がるように繰り返し試していた息子の手を振り払った）」[※50]。これがまったく驚くことではないのは、親にしろ、子どもにしろ、スマートフォンに夢中になっていれば、他人にはぼんやりした注意しか向けられないからである[※47・※52]。

そのうえ、器械は使われていなくても妨害になり、ただそこにあるだけで注意を奪うには十分[※71]、（多くは私たちの無意識下で）会話の質を落とすことになる。当人にとってはその器械がなにより重要なのだ。おまけに、この気を散らす力は家庭内の揉め事の原因ともなり、家族の誰かがスマートフォンをいじっていることで喧嘩になることもある（親と子、親同士など）[※47・※50・※72〜※75]。家族から携帯電話以下にしか見られていないと感じるのは、誰だって嫌なことだ。それが原因で不穏な空気が蔓延すれば、家族関係に不満が生じ、攻撃的な行動に出たり、さらには鬱状態になって、人生にまで不満を感じるようになる[※51・※72〜※75]。同じ結果はテレビやゲームのコンソールでも報告されている[※76〜※78]。この考察を決して軽く見てはならないのは、家庭「環境」が子どもの社会的、感情的、認識の発達にきわめて重要なことが知られているからである[※79〜※81]。

言葉を奪う「画面」

言葉は私たち人間の礎である。私たちと動物を分ける最後の境界線である。言葉のおかげで私たちは考え、伝達し、重要な知識を守っている。そのうえ、言葉の発達と知的パフォーマンスは密接に結びついている。[※12]アメリカ、イェール大学の認知心理学教授ロバート・スタンバークが説明するように、「語彙（言語の全体的な発達状態を反映する）はおそらく、その人の知的レベル全体を示す最高で唯一の指標である」。[※82]ところで現在、多くの研究が証明しているのは、「遊びの画面」消費が言語の発達をいちじるしく妨害していることだ。[※83〜※91]最近、ある大がかりなメタ分析で確証されたのは、「画面を大量に使用する（使用の持続時間と背後にあるテレビ）ことと、言語スキルの低下は結びついている」ということだった。[※92]

影響は生まれてすぐに

当然ながら、「画面」の言語の発達に対する影響は早期に始まり、本書でこれまで述べてきた、6歳前の子どもは「画面」にさらさないほうがいいという考えとも一致する。たとえば、生後18か月の子どもを対象にした研究で明らかになったのは、携帯器機と過ごす時間が毎日30分増えると、言語が遅れる可能性がほぼ2・5倍になることだった。[※90]同様に、24か月から30か月の子どもでは、言語が不足するリスクはテレビを見る時間に比例して増えていた。[※88]こうして、小口消費者（一日1時間以下）、控え目な消費者（一日1から2時間）、中程度（一日2から3時間）、そして大口消費者（一日3時間以上）は、言語の取得が遅れる可能性が、それぞれ1・45倍、2・75倍、3・05倍に増えていた。ほかの研究でもこの結果は確認され、生後15か月から48か月の子どものテレビの消費時間が一日2時間を超えると、言語が不足するリスクが4倍になった。この4倍が6倍にはね上がるのは、これらの子どもたちが生後12か月前にテレビの楽しみを教えられていたケースである（見た時間数に関係なく）。[※89]これは別の研究で明らかになったのだが、年齢が上になって3・5歳から6・5歳の子どもになると、朝、学校や保育園に行く前（つまり家族の交流が深まる可能性がいちばん高い時間帯）に「画面」の前で過ごすと、言葉の遅れが3・5倍になった。[※91]これらの結果は大がかりな疫学［個人ではなく集団を対象として損害などを研究する学問。元々は伝染病が対象だった］の研究とも一致する。それによると8歳から11歳の子どもで、カナダ運動生理学会による使用基準の忠告（一日2時間）[※93]を超えた個人は、知的機能（言語、注意力、記憶力など）が全体的に低下していた。[※94]この結論もまた、テレビとコンピュータゲーム[※95]を対象にした、二つの縦断的研究［数か月、数年と長期にわたって同じ対象を分析する研究］[※96]による観察結果と通じるもので、それによると6歳から18歳の子どものあいだで、使用時間と言語性ＩＱ知能指数（知能指数には言語性、動作性と分けて算出するものもある）のあいだにマイナスの相互関係のあることが指摘されている。つまり、参加者の「画面」消費が増加するほど、言語性ＩＱは低下するということだ。ちなみに、ここで確認された関係は、その重大さから、子どもの頃に鉛（内分泌腺系を撹乱する物質として知られる）に汚染すると、成人後の言語性ＩＱが低くなるという研究結果[※98]に相通じることを頭に入れておこう。

いっぽうここ数年、研究者は行動の確認から一歩進み、その行動と神経との相関関係を確認する試みに取り組んできた。そこで得られた結果が示しているのは、「遊びの画面」にさらされると、脳で言語や読書、さらには認識機能全体を司る、神経系統の発達と系統立てが妨害されるということだ。[※95・※96・※99・※100]たとえば、最近の研究で明らかになったのは、子ども（3歳から5歳）は米国小児学会の勧告（使用時間、コンテンツなど）を無視すれば無視するほど、言語障害のリスクが高くなり、脳で言語や実行機能、読み書き能力を司る白質経路で、

ミクロ組織の異常性が高くなるということである。[※101]

これら神経生理学のデータは、当然といえば当然だろう。というのも、これまで繰り返し言われてきたことでもあるからだ。実際、一世紀以上前から行われてきた何百という研究が明らかにしているのは、人間でも動物でも、脳のネットワークが組織立てられるには、ほかからの働きかけが必要だということだ。したがって、なんであれ機能的な刺激が欠如すると、生物の成熟度も不足する。[※102〜※104] そしてここにこそ、「画面」の問題のすべてがあるのである。なぜなら、言葉による交流の回数も質も乱暴なやり方で貧しくしているからだ。[※49・※50・※56・※59・※89] 別の言い方をすると、家族の一人がデジタルの玩具で遊ぶ時間が増えるほど、言葉のやりとりは少なくなる。たとえば、頻繁に引用される研究で、研究者は2歳から4歳までの子どもにレコーダーを取りつけ、録音された内容を機械的に解明した。[※55] それによると、子どもたちは日中、平均して一時間に925個の単語を耳にしていた。そこにテレビがあると、この数は155個に減少、低下率はなんと85%だった。同様に、子どもたちが声を出した時間は22分にのぼったのだが、この時間はテレビ1時間ごとに全体で5分奪われた。ほぼ4分の1である。

「画面」タイムと発達テスト

これら早期の言葉のやりとりは、言語の発達だけでなく、もっと一般的に、知性の広がりにもきわめて重要である。[※12・※105〜※111] 最近、ある縦断的研究で明らかになったのは、幼児期（生後18か月から24か月）の言葉のやり取りの量によって、思春期（9歳から13歳）に測定される、IQと言語能力のばらつきがかなり大きくなる（27%から14%）ことだ。[※113] これらの結論は、幼児期の言語経験の重要さを最初に観察して発表したアメリカの心理学者、ベティ・ハートとトッド・リズリーの研究と完全に一致する。[※12・※113] そのうえ、これまた当然なのは、最近の脳機能イメージング研究の結果もこれらのデータすべてと一致している。それによると、幼児（4歳から6歳）で、言葉による働きかけ（とくに大人との対話形式で）が多いほど、言葉を司る神経網の内部での構造的な接続が強化されていた。※114

それでも疑う人のために、小学校入学前の子ども2400人を対象にした最新の縦断的研究※46の結果を紹介しよう。研究者たちによると、この研究の目的は「発達の遅れと『画面』の過剰使用、どちらが先か？」。そのため、参加者のデジタル消費時間と、標準的な発達テスト（『年齢とステージアンケート』第三版（ASQ-3）による）が、3回（24か月、36か月、60か月後）にわたって評価された。分析で明らかになったのは、24か月後の評価で「画面」使用が増えると、36か月後の発達テストの成績は低くなり、36か月後の評価で「画面」使用が増えると、60か月後の発達テストの結果が悪くなることだった。逆はなかった。つまり、「画面」の使用時間が増えるほうが発達の遅れに先行していた。言いかえると、「『画面』タイムが最初の要因のようである」ということだ。※46ちなみに、この研究がときに過小評価されることも念頭に入れておきたい。理由は、観察された因果効果［原因が結果に及ぼす影響の強さ］がそれほど大きくなかったことだ。※115・※116実際、使用された統計ツールでは、全体の因果関係の一部しかキャッチできなかった。それは個人内部の変化（つまり、期間中に同じ子どもで変化したこと）であって、規則的な違い（つまり、期間中に安定していたこと）の原因となる因果関係は数値化できなかったのだ。しかし、だからといってこの部分をまったく無視していいというのではない。たとえば、36か月から60か月のあいだに、マルクの「画面」消費時間は15分から40分に増え、ピエールは3時間15分から3時間40分に増えたと想像してみよう。「個人内部の」因果効果として数値化されるのはそれぞれ25分で、ピエールの3時間はカウントされない。しかし、小さな子どもを一日3時間も「遊びの画面」の前に置いておいたら、悪循環に火がつくのは明らかだろう。人が話しかけることは少なくなり、子どもも動かず、本も読まず、激しい音の攻撃にさらされ、睡眠も影響を受けるだろう。したがって、「安定していた」因果効果の結果が数値化されなかったからといって、この要因を消去してはいけないのである。ただし、物事をはっきりするために、この研究でも、「画面」の時間と発達の関係は、全体として決して無視できるものではなかったことを伝えておこう。一日1時間の「画面」で、発達テストの結果は（60か月後の平均は55点）20点下がるということだ。

語彙の獲得と「ビデオ欠損」

いっぽう、言語に関しても「ビデオ欠損」は大勢を占め[※36]、ここでもデジタルは人間の代わりにはなれないと言える。たとえば、音の識別能力に関する研究を例にあげよう。子どもが外国語を音で認識する能力は、生後6か月から12か月のあいだに急速に悪化することがわかっている[※9]。ここを出発点に、ワシントン大学の音声聴覚科学教授のパトリシア・クールとスタッフは、生後9か月のアメリカ人の赤ん坊に中国語を聞かせた。条件は二つ。一つは実物で（実験者が子どもの面前にいた）、もう一つは間接的に（同じ実験者の顔が、子どもの前にあるビデオに大写しで映る）である。結果、「実物」の条件では、赤ん坊の識別能力が保てたのに対し、「ビデオ」の条件では完全に空振りだった。

もちろん、この「ビデオ欠損」が関係するのは音だけではなく、語彙にはとくに当てはまる。したがって、「3歳前に子どものボキャブラリーを増やす」とうたう教育プログラムは、最悪でマイナスの影響、よくてそんなものは存在しないのである[※87・※117〜※120]。それを示す代表的な研究で、生後12か月から18か月の子どもが、言葉の発達によいとされ、商業的にも成功した39分のDVDを視聴させられた[※121]。そこでは、おなじみの物をあらわす簡単な単語（テーブル、振り子、木など）25個が、それぞれ何分かの間隔をおいて3回繰り返された。子どもたちがＤＶＤを見たのは、週に５回を４週間だから、単語が紹介されるのは全部で60回。この種の単語を「本物」の状況で、子ども（または犬でも！）[※122]に記憶させるのに必要な繰り返しを考えたら、常軌を逸する回数だ。[※110・※123]しかし結局、多くの親が考えていたこととは裏腹に、視聴の場に大人がいても、学習の効果はいっさい観察されなかった。著者の結論は、「ＤＶＤを見た子どもたちは、一か月を通して見ていたのに、見ないグループの子どもたちに比べて何一つ単語を学ばなかった。学びのレベルがもっとも高かったのは、ビデオのない条件で、親が子どもに教えようと思った単語を絞って、それを毎日の活動のなかで繰り返していたケースだった。もう一つの結果で重要だったのは、ＤＶＤが好きな親は、それを過大評価する傾向があり、どんなに子どもたちが多くを学んだかと力説したことである」。この結果はしかし、そのあと行われた、同じ実験形式ながら、しかし「的を絞った」研究で否定されている。[※124]このときのＤＶＤは20分間で、単語は３個だけ、それを９回繰り返して紹介する内容だった。子どもたちがＤＶＤを見たのは15日間で６回、平均して一つの単語に使われたのは40分間、54回繰り返された。生後17か月前は、この怒涛のような繰り返しは何の効果もなかった。しかしそれ以降の月齢では、研究者の言葉を借りると、子どもたちは「ＤＶＤにさらされて、くり返しの恩恵を受けた」。ところがここで報告されたのは平均値だけで、何人の子どもが何個の単語を覚えたのかはわからなかった。しかし、そんなことはどうでもいい。というのも、ここで驚かされるのは、わずか３個の単語を取得するのに、拘束された時間がなんとも膨大だったことだ。本当の人生では、語彙の学習に関してはこれほど無理に押しつけられることはなく、いくつかの出会いがあるだけで十分、ときに一人でいいこともある。[※110・※123]いつの日か、デジタルが人に代わる時代になったら、子どもたちが習得する語彙の量が７５０個から１０００個に達するには、もはや（現在のように）30か月では足りず、10年はかかるだろう。[※12・※110]

それに対してもちろん、乳幼児では失敗しても、4歳で成功することもあると反論することができるだろう。それは間違いではない。そのうえ、文献のメタ分析や学術雑誌では、オーディオヴィジュアルの教育プログラムである程度の言語が取得できることが、かなり明快に確認されている。[※92・※117] しかし、データを細かく分析した報告では、これらのプログラムで学習できるのは基本の語彙のコンテンツで、対象が幼稚園児に集中していることが強調されている。[※117] 事態が悪化するのは、この就学前の時期を過ぎ、もっと複雑な能力が考慮されるときで、[※117] 文法などがそれに当てはまる。[※125] この限界は、実験の枠組みで、思春期の若者に外国語を学ばせるために字幕付きの映画を見せるときにも感じられるものだ。[※126] ところで、これら複雑な能力こそまさに言語の中心で、発達の敏感な「窓」が受ける影響にもっとも支配されるものである。語彙は年齢に関係なく取得できるが、文の構成はそうではない！　そのことをわかりやすく証明する最近の研究がある。[※127] ここで研究者たちが興味を示したのは、名詞ではなく「動詞」。詩人のシャルル・ボードレールが「文章にはずみを与える、動きの天使」と言った品詞である。[※128] この研究で二つの重要な結果が報告された。一つは、3歳前の子どもは、人が介入すると簡単に覚えられる単純な動詞（たとえば揺り動かす、左右に揺れるなど）も、教育ビデオではなにも学べないことが明らかになったこと。もう一つは、3歳から4歳では、ビデオで提示された動詞の意味は覚えることができたのだが、しかしそれを一般化できず、新しい人物や状況には当てはめられなかったことだ。これも、人が介入すると簡単にできたことだった。別の言葉で言えば、子どもたちは何か学んだように見えても、「画面」からではそれほどきちんと、深くは学ばなかったということだ。ここでも「ビデオ欠損」の現象が確認できたことになり、次のように要約できるだろう。言葉の学習では、子どもに何も与えないより、いわゆる「教育的」アプリをあてがったほうがいいが、しかし最適なのは、やはりいまも（そしてずっと昔から）、子どもに直接話しかけ、物の名前をあげ、物語を語り（あるいは読み聞かせ）、言葉で働きかけることなのである。

結局のところ、いわゆる「教育的」プログラムで幼児の言葉を豊かにすることができないのには、少なくとも三つの理由がある。一つはすでに述べたように、私たちの脳はビデオの刺激には生身の人間ほどに注意を向けないということだ。注意力は、記憶力に大いに貢献する。[※129] したがって、パパやママは、どんな教育的なビデオのコンテンツより有効な教師と言えるのである。二つ目は、ビデオがコップを示しているのに、見ているはずの子どもが自分の足を見ていたら、学習が行われるわけがないということだ。「画面」は親と違って、物の名前を言う前に、子どもの視線がどこを向いているかなど確認しない。もし「画面」で「コップ」という単語が発音されたとき、子どもの視線がテーブルの上に止まったハエや、コップを持つ人形のほうに向いていたら、学びが困難になっても少しも驚くことはない。それに加えて、子どもが語彙を覚える過程では、その名前が発音されるときに注意を向けさせようとするより、すでにその物に注意が固定されているほうが効果的だということだ。[※130] 最後に、とにかくなにより、初期の言語の学習には人とのやりとりが絶対的に必要だということだ。[※131・※132] 理由の一つは、積極的に繰り返し発音させることができること。繰り返しは記憶のプロセスに大いに貢献する。[※130] もう一つは、そのことでのみ、コミュニケーションとしての言葉を体現できること。[※130] 親と違って、ビデオは子どもが何かを話したり、示したりしても決して反応しない。子どもが理解していないことを身体で示すメッセージにも適応しない。笑いもしないし、子どもが「リンゴ」と言えずに「ンゴ」と発音したときに、優しくやり直させることもしないのである。

つまり、言語に関して、オーディオヴィジュアルの教育的プログラムの効果が貧しいことは実験的に証明されているだけでなく、理論的にも予想できることなのだ。おそらく、現在のこの状態は長く続かないだろう。おそらく数年後か十年後には、人のように動くアプリが開発され、上記に述べた欠点を補ってくれるだろう。そうしておそらく人間の形をしたロボットが、いつか、私たちの代わりに子どもを教育し、眠っているのを監視し、仕草を見て笑い、おむつを替え、子どもたちに頼まれたものを持っていき、そして愛撫するのだろう。もう、パパもママも、ベビーシッターも教師も、友だちも家族もきょうだいも必要なくなるのだろう。わずらわしいことなどなくなる子どもたち、子孫たちは、子育てなどしなくていいのだろう。グーグルやそのアルゴリズムが全部を引き受けてくれるのだ。まさに「素晴らしきデジタル世界！」である。もちろん、そんな日はまだ遠い。現在のアプリは、米国小児科学会がいみじくも指摘するように、利点とリスクの両方が混在する原始状態のままだからである。[※133] しかし、いずれどうなるかは誰にもわからない。悪夢のような事態はすべてありうるのだから。

読書のコストパフォーマンス

それはそれとして、幼児期を過ぎると、言語としての広がりを確実にするために、言葉を覚える以上のものが必要になる。それは本である。[※19・※134] その前に、言語と一言で言っても、口語と筆記では大きな違いがあることを確認しておこう。そのためには、さまざまな口語と筆記の資料体から、それぞれの複雑さを比較した研究を一瞥するだけで十分だろう。[※19・※135・※136] 典型的なやり方として、これらの研究が根拠にしているのは、既存の単語すべてを使用頻度によって順序づける基準である。それによると、英語の冠詞では「the」が1番で、人称代名詞の「it」は10番、動詞の「知る」は１００番、「振動する」は５０００番、といった具合である。この順位表を元にすると、ある文書の「平均的な」複雑さが容易に測定され（たとえば、その文書の単語すべてを順番で整理し、中間値の順位を取る）、それを元に、数多くの同様の文書（小説、映画、子ども向けのアニメなど）の平均的な複雑さを測定することができる。そうして作業を終えた研究者たちが確認したのは、口語の資料体

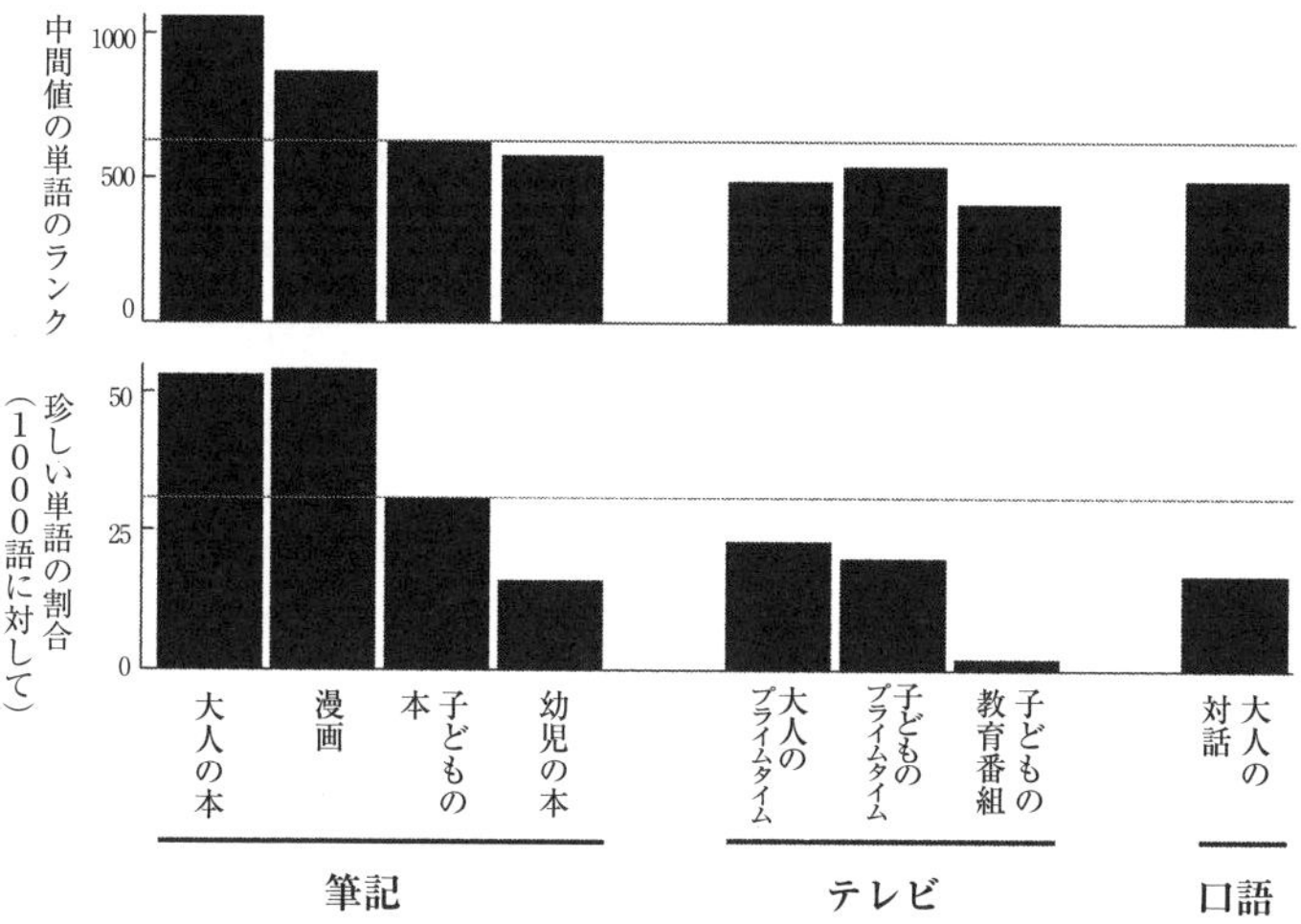

図6　筆記に集中する言語の豊かさ

さまざまな媒体の言語の複雑さは、二つの方法で測定できる。中間値の単語のランクを確認し、珍しい単語の割合（1000語に対して）を評価する。そうしてわかるのは、平均して、テレビ番組や大人の普通の会話には、子ども向けの本（破線）より単語が少ないことだ。いわゆるテレビの教育番組（「セサミ・ストリート」や「ミスター・ロジャース」シリーズ）の言語の貧困さは目に余るほどである※135・※136。

は、同等の筆記の資料体に比べて、内容がきわめて貧しいことだった。図6があらわしているように、平均して言語が複雑で、「珍しい」単語（ランクとして1万番よりあと）の頻出度が多いのは、むしろ子ども向けの本で、テレビ番組や大人の普通の会話より多いことがわかる。しかしだからといって、若者向けの文章が難解で専門的すぎる言葉で飾られているということではない。そうではなく、口語の世界は一般に、それほど豊かではない語彙や構文で表現されているということである。たとえば、「方程式」、「放棄する」、「さらす」、「正当な」といった単語は、それほど使いこなせないようには見えないのだが、筆記に比べて口語ではほとんど出会わないのである。[※136] 同様に、「地獄の」や「外国人嫌い」といった単語を知らないのは、フランスでは中3の40%、[※137] 文学部の学生の25%になる。

　ここで言いたいのは、生まれて最初の数年間に、言葉で基本の土台を築いたあとのこと。子どもが身につけた言語を豊かにし、それを最大限発達させてくれるのは本であり、唯一本しかないということだ。これに関しては一つの研究が興味深い。[※139] それが指摘するのは、小学校高学年の子どもにとって、本の「コストパフォーマンス」は最高だということだ。彼らが「楽しみのために」本を読んでいたのは、平均して一日10分、テレビに費やした時間の13分の1だった。それでも一年で、この貧相な10分間は60万個の単語になっていた。毎日1時間以上を読書で過ごす子どもはわずか2％だったが、その場合、一年では500万個の単語になっていた！　もう一度言おう、この子どもたちは大部分が、言葉によるコミュニケーションの貧困からまぬがれた。これらの数字と明らかに共鳴するのが、二人のアメリカ人研究者で、学者としてのキャリアをすべて読書の研究に捧げた、アン・カニングハムとキース・スタンオーヴィックの観察だ。「第一に、子どもたちには読書習慣を早くつけることの重要性をどんなに大げさに言っても足りない。（……）。第二に、私たちはすべての子どもたちに、達成度のレベルに関係なく、できるだけ多くの読む機会を提供しなければならない（……）。ここには暗に、達成度の低い学生の教師（そして親も！）を励ますメッセージも含まれている。私たちは学生の能力を変えることができず絶望することも多いが、しかしそこには少なくとも、習慣に順応するところが部分的にでもあり、それによって能力が発達していく、読書の！」[※136]。この最後の考察に賛同し、多くの研究が証明したのが、「楽しみのための」読書が学校の成績によい影響を与えることだった。[※140〜※145]「遊びの画面」のネガティヴな影響とはいかにも対照的な結果である。

問題は、「画面」の使用時間が増えるにつれ、子どもたちが読書のありがたみに触れる時間がなくなるということだ。ここには、二つのメカニズムがからんでいる。一つは、親と一緒に読む時間が減少すること。[※57]もう一つは、一人で読む時間が減ることだ。[※140・※144・※146〜※152] よく引用される研究が明らかにしているのが、幼稚園児に親が物語を読む時間は、子どもたちが一日2時間以上「画面」につきあうと、3分の1減少するということだ。[※57]

また、別の研究は、思春期の若者がコンピュータゲームを毎日1時間するごとに、一人で読書する時間が30％減ることを明らかにしている。[※153] これらが説明するのは、少なくとも部分的に、「遊びの画面」が文章の理解力の取得に悪影響を与えること、[※154〜※156] そしてその悪影響は、次に言語の発達を巻き添えにするということだ。そうなると悪循環にはまっていく。文章に接する機会が少なくなると、子どもは本を読むことが苦手になり、本を読むのが苦手になると、文章を避けるようになり、したがってますます本を読まなくなり……そうすると言語能力が期待されたレベルに発達せず、ますます年齢相応に求められることに向き合わなくなる、というわけだ。まさに先に述べた有名な「マタイ効果」の証明がここにあり、あえてその言葉を選べば、「金持ちだけが金持ちになる」のである。

　これらの考察を元に、最近行われた大規模な調査で確認されたのが、若い世代の読書への無関心である。[※157〜※159] 毎日「楽しみ」として本を読むと答えたのは、8歳から12歳のうち、わずか35％、13歳から18歳で22％だったのだ。[※160] 本（紙と電子書籍）に投資される時間は、それぞれ26分と20分だった。ということは、思春期の若者は読書の時間の22倍を「遊びの画面」で過ごしていることになる。思春期前では11倍だ。もちろん、そんなことは心配する必要がないと言う専門家は山のようにいる。なぜなら「若者が現在ほど〝読む〟ようになったことはかつてない（……）、しかしそれは本ではなく、インターネットで役立つ情報を検索しながら、だ」[※161]。デジタルの専門家に言わせると、「『若者は以前より本を読まなくなった』と言い切るのは、このネット時代にはまったく意味がない」[※162] そうだ。たしかに、若者は、オンラインでいかにもたっぷり読書をしていそうだが、じつは非常に控え目だ。思春期前では平均で一日1分、思春期では7分（コンピュータやタブレット、スマホでの記事、物語、詩、ブログを含む）である。[※160] これで熱狂と言えるのか？　ある新しい世代の文化活動を詳しく分析した社会学者の説明によれば、「若者の読書時間は短くなっており、ネット上での文章交換にからむことが多い、したがって社会性と密接に結びついている」[※164]そうだ。問題は、これらの読書活動には、昔の若者がすがった「よき書籍」ほどは、物事を構造化する力がないことだ。加えて、この視点に同意して行われた最近の二つの研究で、「伝統的な」書籍とデジタルのコンテンツには、人間形成に役立つことに関して明らかな上下関係のあることがわかった。前者は、語彙の取得や文書の理解能力の発達に強いプラスの影響力があるのに対し、後者はなしかマイナスで揺れていたのである。[※165・※166]この結果は三つの仮説で説明できるだろう。一つは、若者がネット上で交換し、調べて得るコンテンツは一般に、伝統的な書籍に比べて言語の豊かさがあまりに劣ることだ。二つ目は、ウェブ上では、情報のフォーマットにルールがないうえ、つねに気が散る誘惑（電子メールやテキスト、広告など）があることから、複雑な文書の資料を理解するのに必要な集中力が妨害されることである。三つ目は、私たちの脳にとって、「本」のフォーマットのほうが「画面」のフォーマットより理解も操作もしやすいということだ。[※167]たとえば多くの研究で明らかになっていたのは、与えられた文章は一般に、電子版より紙のほうが正確に理解され、これは読む側の年齢に関係ないということだ。[※168・※169]別の言葉で言うと、資料を読んで理解することに関しては、「デジタルネイティブ」でさえ「画面」より書籍のほうが楽だということだ。それなのに、大半が反対のことを断言している！[※170]これは言ってしまえば、私たちの主観的な感覚に構造的な障害があることの証拠だろう。

コンピュータゲームが学習障害を解消する？

当然のことながらメディアは伝統的な書籍のよさを否定し、「教育的」なコンテンツ以上に、遊びのデジタルには、目に見えないプラスの影響が隠れているとも言うだろう。そこでもコンピュータゲームは第一線にいる。とくに読書の学習と、学習障害の治療に役立つと言われているのだ。それだけではない！　たとえば、一見ほかとコンセンサスが一致している二つの科学的研究に、世界中のジャーナリストが意味をはき違えるほど過大評価して飛びつき、夢のようなタイトルをつけて報道したのである。「学習障害と闘うためのコンピュータゲーム」[※171]、「コンピュータゲームが学習障害の子どもたちに読む力をつける」[※172]、「コンピュータゲームの一日が一年の学習障害治療にまさる」[※173]、「コンピュータゲームで学習障害が治る可能性」[※174]などだ。目が回りそうなほど……絶望的に事実をねじ曲げている。実際、報告された研究には、このような勘違いを正当化できるものは何もない。それを確認することにしよう。

より最近の研究から始めよう[※175]。そこで確認されているのは、一部の学習障害にはオーディオヴィジュアルの情報を統合するのに特別な困難があるということだ。コンピュータゲームが登場するのは論文の最後で、研究者は、これらのツールが、確認された障害を解決する助けになるかもしれないと暗示的に提案しているだけだ。それが単純にウケを狙ったのだろう、大手日刊紙が「学習障害にはコンピュータのアクションゲームがおすすめ！」[※176]と派手なタイトルをつけ、あるジャーナリストが全国放送の1時間ものラジオ番組で、「最近、オックスフォード大学の研究で、コンピュータのアクションゲームによって脳が映像と音を結びつけるのに慣れていき、学習障害の治療にいいことがわかった」[※177]などと吹聴するのには、驚愕するばかりである。仮にこの種の思い込みが科学の普及に役立ったと認めるのなら、イギリスの小説家でノーベル文学賞を受賞したラドヤード・キップリング（1865–1936）は、ラクダのこぶができたのは怠け者だったからと書いた寓話でノーベル医学賞を受賞するべきだっただろう[※178]。

二つ目の研究で提示された問題はより巧妙なのだが、しかしやはり非常に重要である。イタリアのパドヴァ大学で行われたこの研究では、10歳の学習障害の子どもたちの初見での解読の速さが測定された[※179]。12時間のあいだ、2週間に分けて、同じ人数の二つのグループ（信じられないほど限られているが、参加者はわずか10

人）が、同じゲーム（レイマンシリーズの「ラビッツ・パーティ」）で異なるシーンを見せられた。「目標実験群」のグループはいわゆるアクションの速いシーン、「対照群」のグループはアクションのない遅いシーンだった。この実験後、解読能力が目に見えて向上したのは「目標実験群」だけで、彼らは単語をより速く、ミスもなく読んだ。その差は1分間で23音節、単語にして約10個だった。この差を理解するために知っておかなければならないのは、イタリアの10歳の学習障害の子どもは1分で約95音節（単語にしておおざっぱに45個）を読み[※180・※181]、そうでない子どもは２９０音節（単語にして約１４０個）を読むということだ。言いかえると、ゲームをしたあとでも、学習障害の子どもは恐ろしいほど平均以下だったということで、1分間で読んだ単語は45から55個、そうではない子どもの約35％だった。したがって、「コンピュータゲームは学習障害の子どもに読み方を教える」[※182]などというのは誇張もいいところと言える。加えて、解読と読書には大きな違いがある。学習障害の子どもが付随的な単語を速く解読したからといって、読んだ内容をよく理解できているとは言えず、やはり理解力は本を読むことでのみ決まるのである。この問題はもちろん、研究者たちも言及しているのだが、デジタルの追従者集団がそれを明快にしなかったのは残念だ。「学習障害の子どもが、解読力の欠陥から（これについては確実でもなんでもない！）理解力に問題があることに関して、読書力を高くする要因にアクションゲームのプラスの影響がある可能性については、今後の研究が評価してくれるだろう」と研究者も言っている。これは言いかえると、学習障害の子どもの小さなグループで、解読能力の向上は少し観察されたが、それが読書自体に影響があるかどうかは不明で、今後の検討に委ねるほうがいい、ということだ。この科学者としての慎重な姿勢と、先に述べたメディアの誇張した表現には、やはり開きがあるようだ。しかし現実との乖離がもっと激しいのは、それとは別の、あきれるほど不正確な断言だ。たとえば「速いペースのゲームをすると、学習障害の子どもの読書スピードが改善し、従来の治療を一年間密に受ける以上の効果がある」[※173]の類だ。というのも本当は、研究で触れられていたのは一年間の治療ではなく、研究者によると「一年間の自発的な読書習慣の開発（つまり治療のともなわない開発）[※179]」で、これもかなり意味が違うのである。しかしこんな些細なことより、もっと大きな問題を明確にしていこう。

　最悪なのは、これまで述べた記事が、多くの場合、誤解されたまま残っていることである。実際、メディアで使われた表現は一般化されやすい傾向があることから、読書の学習にアクションゲームがよい影響を与えるという話が、事実として子ども全体、ゲーム全体のこととして伝わっている。たとえば、一部のジャーナリストによると、「視覚的注意〔視覚に入る対象に注意すること〕に磨きをかけると読書能力が高まる」[※174]、あるいは「パドヴァ大学の研究はコンピュータゲームが幼児の脳に悪いという考えに冷や水をかけた」[※183]、さらには「コンピュータゲームは子どもを攻撃的にすると非難されているが、しかし少なくとも知られているのは、医学的にいいということだ（……）。研究者が学習障害の子どもたちに、『レイマンシリーズ』のようなコンピュータゲームを一日に80分のペースで9回プレイさせた。するとわずか12時間で、従来の治療を一年間受けたのと同じくらい読書が速くなった、しかも楽しみながらである。これは非常にいいニュースで、したがって、子どもたちにとっては宿題をやめてゲームをするにはもってこいの口実になる！[※177]」。

　これらの拡大解釈には、もちろん根拠がない。実際、すべてのコンピュータゲームは構成が同じではなく、「レイマンシリーズ」に当てはまることが「マインクラフト」や「フォートナイト」、「スーパー・マリオ」あるいは「グランド・セフト・オートシリーズ（ＧＴＡ）」といった人気ゲームに必ずしも当てはまるわけではない。そして仮に、言われているようなプラスの影響がこれらすべてのゲームにも通用するのを認めるとしても、学習障害ではない普通の子どもにも効果があると、どうして確認できるだろう？　そしてさらに、この点も受け入れるとして、最終的な利益／リスク比がプラスになると、どうしてわかるだろう？　とくにゲームをする時間が12時間を超え、慢性化したら？　多くの研究が確証しているのは、これについてはあとで触れるが、コンピュータのアクションゲームはプラスの効果だけではなく、それどころではない悪影響が、睡眠や依存、集中力あるいは教育の分野で見られることである。

つまり、ここで言及した科学的研究はたぶん面白いだろう。しかし方法論的な脆弱さや、疑問が残ることを考えると、それらがメディアに与える強烈な影響力やジャーナリストの消極的な姿勢について問いかけてもいいだろう。また、コンピュータゲームは色眼鏡で見られているところがあり、必要以上に絶賛されていることが気になる。それについてそろそろ述べることにしよう。

ゲームに「集中する」落とし穴

デジタルの分野で、暴力の問題は別として、宣伝用の文章でもっとも完ぺきなのは、いわゆる「アクション」ゲームが、注意力の向上に効果があるとされている点である。これは新しいことではない。発端は2003年、これらのゲームが視覚的注意によい影響を与えるという研究記事が一つ発表されたことだった。[※184]それがきっかけとなり、うんざりするほど多くの研究がこのことを確認するに至った。その結果、それに同意する根拠の乏しい主張がえんえんとメディアでたれ流された。いわく「一人称射撃ゲームは視覚的注意力を目に見えて改善させる[※185]」、「攻撃性を発達させると非難されたアクションゲームは、とくに注意力、視力、反応性の向上に非常に効果がある[※186]」、「さまざまな研究が、射撃ゲームをすることで、集中力と視力が一挙に、持続的によくなることを証明した[※187]」、「コンピュータゲームは精神的集中力を大幅に発達させる[※188]」などなど。熱狂が頂点に達したのは2013年、フランス科学アカデミーが、あっと驚く意見を表明したときだった。[※189]

影響はすごかった（そしていまも続く）。それはこう断言していた。「子どもと思春期の若者を対象にした一部のアクションゲームは、視覚的注意力と集中力を高め、そのおかげで即決力がつくようになる」。言いかえると、「ゲーマーは、ゲームで求められる戦略で学習意欲が刺激され、集中力や改革力、即決力、問題や仕事を集団で解決する力が高まる」ということだ。残念なのは、これらすべての裏づけとして、研究者が簡単な参照例しか提供していないことだ。しかもそれらは奇妙なことに、展開された主張の大半について何も言及していなかった。そしてフランス科学アカデミーまで加担したメディアの作り話は、根拠が乏しいまま、今もあちこちで見かけるのである。

ゲーマーはクリエイティブ？

コンピュータゲーム業界が作り手として革新的な素質を持ち合わせているのは明らかだが、この能力をユーザーにまで広げるのは詭弁である。現在のところ、このような拡大適用を有効とするような科学的要因は、萌芽的なものも含めて存在しない。また、「フォートナイト」や「スーパー・マリオ」、「コール・オブ・デューティー」「GTA」が、どのようにユーザーの創造性を高めるのかを説明できる理論的な仮説も存在しない。逆に、このような考えが本質的に馬鹿げていると断定できる理由なら存在する。実際、創造性や革新性の能力はほかの条件を抜きにしては存在しない。それらは学問の分野で取得した知識全体をつなげ、組織立ててこそ存在するものだ。言いかえると、ある一線を超えるには、まずそこに到達しなければならない。それゆえ、一部の人が信じていることとは逆に、改革者は決して無からは出てこない。なんであれ重要なものを作りだす前に、彼らは自分たちの分野の知識を奥深く身につけるために、膨大な時間を費やしている。[※191〜※193]スウェーデンの心理学者で、このテーマでは国際的に有名なアンダース・エリクソンが明快に説明するように「これらの改革者について私たちが知っていることの一つは、彼らはほとんど例外なく、新天地を切り開く前に、その分野で専門家になるために懸命に仕事をしてきたということだ。それは当然のこととして理にかなっている。結局のところ、もしあなたが先人たちの成しとげたことに詳しくなければ――そしてそれらを再生できなければ――、どうやって科学の価値ある新理論や、バイオリンで役に立つ新技術を考えだすことができるだろう?」[※194]。別の言い方をすれば、革新とは、コンピュータゲームが私たちに教えこむような、現実離れした能力が通用する世界ではないのである。革新とは、与えられた分野での、時間と仕事と汗の賜物なのだ。したがって、コンピュータのアクションゲームが「革新性」を育てると断言すること自体に、どうしても違和感を抱いてしまうのである。

ゲーマーは集団仕事に向いている?

これもまったく根拠のない言葉である。まず頭に入れておきたいのは、コンピュータゲームの多くは一人でプレイするということだ。次に、複数で何かに取り組んでも成果があがらないことも明確にしておかなければならない。また、多くの研究が明らかにしているのは、創造性とは、圧倒的に孤独の精神から生まれるということだ[※195]。一般的にいって、集団は可能性でも知性でも、各個性の合計より劣る傾向があることもわかっている。もしこれが疑問なら、集団で「ブレーンストーミング」[集団で自由にアイデアを出しあうこと]をしてみるといい。そこで得られる結果は、あなたが最初に一人ずつに考えるよう頼んでいたときよりぐっと面白くなくなるはずだ[※196〜※198]。

いっぽう、ここにも基本的な移行の問題がある。参加者がゲーム中の問題を解決するために話し合い、計画的に行動し、そうして巨大ゾンビを射殺し、戦車を破壊することなどは認めるとしよう。しかしこれらの

「知識」の、何をどうすれば現実の世界（ゲームの状況と近い場合以外で——たとえば、戦争中の都市部で保安作戦を行うなど）で役に立つのだろう？　ジョイスティックを操作して発達させた能力を、ゲームとは直接関係のない状況でも発揮できることを示す研究はどこにあるのだろう？　アクションゲームをすると、外科医のチームでうまく立ち回れるようになると示す研究はどこにあるのだろう？　「フォートナイト」とその仲間が、交響楽団やサッカーチーム、料理人チームで、演奏者や選手、料理人の共同作業の成果を最適化することを示す研究は、どこにあるのだろう？　もちろん、どこにもない。さらにここでも、集団で協力し仕事をする能力は、主としてまさに学問上の能力にかかっていることがわかっている。集団が力を発揮するためには、各個人が全体の流れに溶け込むことを知らなければならないのだ。しかしそのためには、各個人それぞれが自分の特別な部分を有効に実現し、グループとしての見せ方を解釈し、目標に向かって前進する状態を解読する能力がなければならない。このように特別な能力を、数人の仲間と一緒に遊ぶアクションゲームでどうやって取得できるのだろう？　つまり、アクションゲームで集団仕事の適性が向上すると断言するのは、よくて作り話、最悪は宣伝用のまやかしなのである。

ゲーマーは注意力が高い？

これは、やっと具体的なデータに基づいた断言である。進歩ではあるがしかし、言葉が正確に定義されておらず、コンセプトも操作されている。実際、ここで問題になっているのは、何らかの能力が、文章への注意力をより長く、より効果的に向けさせるといったことではない。また、決断能力全体が向上することでもない。ここで問題になっているのは、ただ、脳が受け取る視覚情報を処理する時間効率が少しよくなるという話である。言いかえると、ゲーマーは周囲の一部の視覚要因に対し、普通の子どもより少し速く反応でき

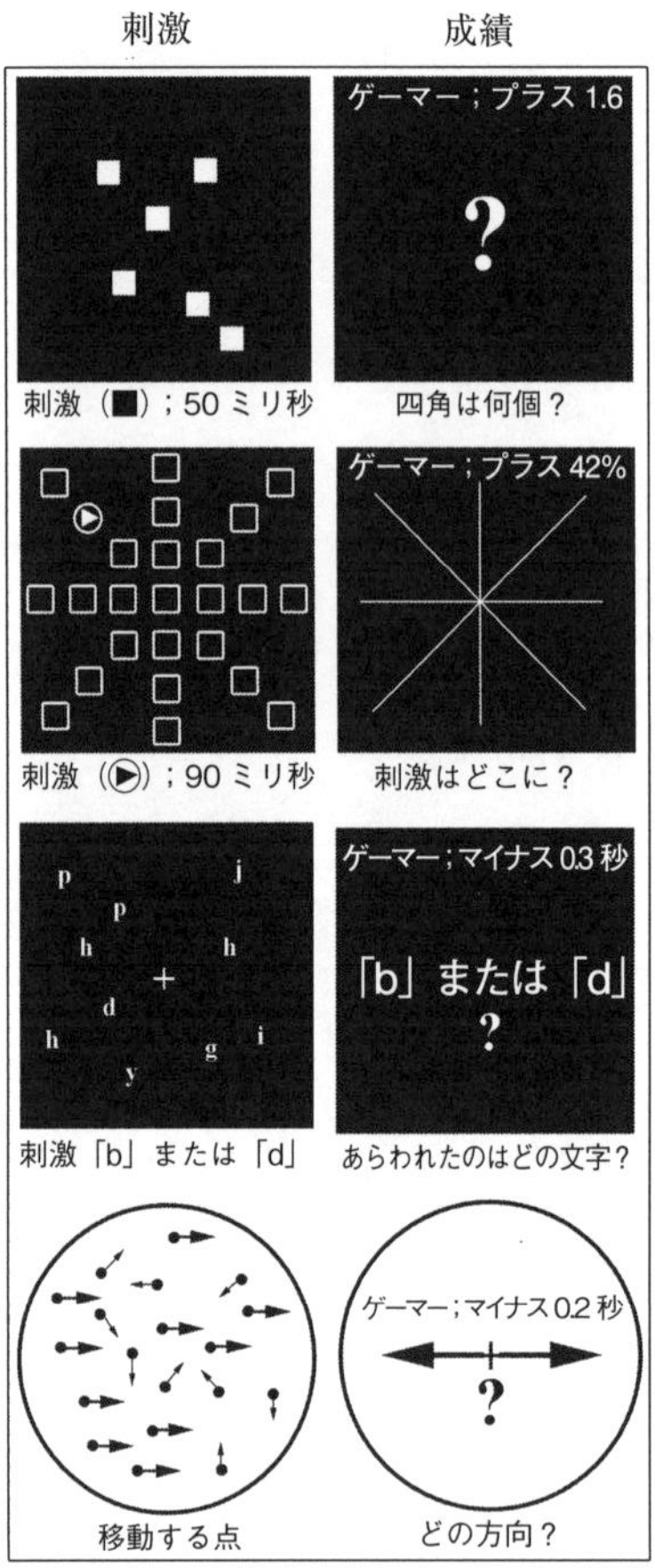

図7　コンピュータゲームと視覚的注意

参加者は「画面」を見つめる。

一段目；四角が一瞬あらわれる（1個から10個のあいだ、50ミリ秒＝0.001秒）。参加者はそれを何個見たかを言わなければならない。ゲーマーのほうが優れ、平均でミスなしで4.9個までだったのに対し、ゲームをしない子どもは3.3個だった※184。

二段目；「気を散らす要因」（四角）と「目印」（丸のなかの三角）が一瞬あらわれる（90ミリ秒）。参加者は8本の線のうちどの線上に目印があらわれたかを言わなければならない。平均の成功率はゲーマーのほうが上回った（81％対39％）※184。

三段目；「気を散らす」もの（bとd以外の文字）と「目印」の文字（bとd）があらわれる。参加者は文字を認知しなければならない。ゲーマーが普通の子どもより速かった（1.2秒対1.5秒）※200。

四段目；いくつかの点がある程度まとまった動きで突然「画面」にあらわれる。うち1から50％の点は同じ方向へ動き（右または左へ）、残りはアットランダムに移動する。参加者は移動しそうな方向を探知しなければならない。平均して、ゲーマーが答えたのは0.6秒で、ゲームをしない子どもは0.8秒だった※201。

どの実験でもゲーマーが優勢だったのは事実である。しかしその差はそれほど大きくなく、しかもこの優位性は、わずかな例外をのぞき、本当の生活の状況には移行できないと思われる。

るということだ。[※190・※199]たとえばゲームをしない仲間と比べると、ゲーマーは視覚要因の数をいちばん多く数えられ（図7、一段目）、視覚的注意をもっとも広く分散させることができ（図7、二段目）、視界に飛びこむ目印要因の存在（またはないこと）をより速く認知でき（図7、三段目）、混ざり合った点の集まりが移動する方向を、少し速く探知する能力がある（図7、四段目）。ちなみに、先に述べたフランス科学アカデミーの意見は、この最後の結果を元にしたものだが、そのことには触れずに、「確率的に一般化できる（ゲーム以外に）可能性のある能力」[※189]と書いていた。そこにこそ問題があると言えそうだ。

　これらの研究はそれなりに興味深い。問題は、結論が信じられないほど過大評価されていることだ。二つの点に注目したい。まず強調しなければならないのは、方法論的な制限と矛盾する観察があることで、得られた結果の強固さと普遍性には、どうしても疑問がわく。[※202〜※206]ちなみにここで抱く疑問は、最近の多くの研究によって解決されていないどころか、ほど遠いものがある。[※207〜※211]二つ目は、能力の移行問題（ゲームで取得した注意力が「本当の人生」の現実へ移行できるか？）にも明白に取り組むべきだったという点だ。アクションゲームをすると、視覚に入ってくるものを正確に、素早く処理する運動能力にプラスの影響を与えるのは、誰の目にも明らかだ。そんなことは簡単に断言できる。たとえばサッカーをするときもそうだろう。[※190]複雑なのは、それを証明することなのだが、入手可能な研究ではそれに見合ったものがまったくなく、逆によけい複雑になる。実際に現在、複雑な視覚運動能力に関して明確にわかっているのは、専門技術は注意力の基礎的な機能効率（アクションゲームで発達すると推定されている）とまったく関係がないということだ。あるハンドボールの研究を見てみよう。選手の能力のレベルと、標準的な視覚的注意力のテスト結果に、意味のある関係はまったく見いだせなかった。[※212]研究者の結論はこうだ。「スポーツの専門技術は、注意力の基本的な違いとは無関係で、専門技術によって基本の注意力に違いは見られず、注意力の基本的な違いで専門技術を予測することはできない」。野球でも同じ結果が得られている。プロのバッターは反応の速さでは驚くべきものがあるのだが、たとえば、視覚の刺激があらわれたら一刻を競ってボタンを押すテストをすると、普通の人より反応が遅いのである[※194・※213]。これもまったく驚くことはない。なぜならバッターは敵の行動の「その後」に反応するのではなく、それを予想して行動するからだ。つまり、ボールが投げられる前から打撃を組み立て始めるのである。そのため、早めに投手の投げ方に注意力の焦点を合わせ、どんなボールを投げるか探るのだ（肩の回転軸や、腕の動かし方など）。この種の才能は生まれつきのものではない。学習しながら、失敗や成功を繰り返し、とくに、それぞれの特殊な規律に合わせて構築される。このテーマに関して、入手可能な研究が明らかにしているのは、やるべき任務に応じて、視覚的探求の戦略は明らかに変化するということだ[※214〜※218]。ということは、テニス選手とサッカー、バスケット、スキー、野球選手、あるいはオートレーサーの脳が収集する情報は、基本的にまったく違うということだ。別の言い方をすれば、複雑な視覚運動のスキルはそれぞれ、機能的に特殊な注意力を構築し、動かしているということになる[※194・※218・※219]。

　したがって、複雑な視覚運動のスキルがアクションゲームから移行しないのは当然のことで、それなのにいまだにメディアの第一線で、ゲーマーが密度の高いプレーをして取得した素質について、「バーチャルだけではない、現実の状況でも大いに役に立つ、たとえば車の運転において[※220]」といった主張が展開されるのは、なんとも驚くばかりなのである。ここで最後の例としてあげられている車の運転について考えてみよう。研究では二つのことが明らかになっている。（1）アクションゲームをしても車の運転にプラスとなる影響はまったくない[※221・※222]。（2）逆に、これらのゲームの特徴として、激しく、熱狂的な内容が多いことから、ゲーマーが危険で軽はずみな行動を起こしやすくなり、無免許運転や事故、交通違反などで警察に調書を取られ、逮捕されることが多くなる。

明らかに、これら否定的な結果と、最近の雑誌に多く見られるタイトルは一致していない。いわく「マリオカートで遊ぶと、あなたは優秀な運転者になれることが科学的に証明された！」[※229〜※231]、「研究で確認、マリオカートは本当にあなたをよいドライバーにする！」[※232]、あるいは「マリオカートがあなたを優秀なドライバーにする」[※233]などだ。ところが、これらセンセーショナルな「トップ」記事の元になっているのは、車を運転する状況（現実または見せかけ）とはまったく関係のない研究なのである。[※234]これは実験に基づくもので、三回に分けて行われている。一回目の参加者は、初歩の運転ゲームで遊ばされる（非常に貧相な内容の「マリオカート」）。彼らの目の前にあるコンピュータ画面には道が走っている（参加者には、まるで自分たちが車の中にいるようにこの道が見える）。実験で求められるのは、小さなハンドルを使って、突然どこからか妨害があらわれても（突然に側面を押され、真っ直ぐ進む車の方向をそらせるなど）、それらに「巻き込まれる」ことなく、この道の中央を維持して進むことだ。このゲームでは視覚的な環境もできるかぎり貧相にできている。何の障害物もなく、車一台、歩行者一人、木一本、標識一個、カーブ一つ、交差点一つない。画面には1本の水平線（黒）と地面（茶色）、2本の赤い点線（道）のみ。結果は、アクションゲーム愛好者のほうが、ゲームをしない者より、二つの線のあいだを維持するのにやや少し成功した。言い方をかえると、車の運転の初歩的な新しいコンピュータゲームをさせると、アクションゲームを定期的に行っている者の方が、ゲームの初心者より成績がよいということだ。

二回目の実験では、参加者は最初のゲームに少し手を加えたバージョンのゲームをさせられた。今度はジョイスティックを使って、いつくるかわからない妨害（今度は垂直方向から）に見舞われるなか、黒い画面上を赤い小さなボールが移動する軌道を水平線状に維持することが求められた。ここでもまた、ジョイスティックを使いこなせるゲーマーのほうが、経験のない仲間よりもよい結果を残している。最後の三回目になってついに、ゲームをしない参加者だけで二つのグループが作られた。10時間のあいだ、いっぽうのグループは「マリオカート」で遊び、対してもう一つのグループは「ローラー・コースター・タイクーンⅢ」(戦略ゲーム)に没頭する。そうしてゲームを終えたあと、「マリオカート」のグループだけが、その先に行ったゲーム結果(黒い画面上で赤い小さなボールの軌道を水平線状に維持する)よりも進化していた。本当のことを言おう。じつはこの些細な結果をベースにして、我らがジャーナリストは読者に「コンピュータゲームのマリオカートでプレーすると、あなたを本当の世界のドライバーにしてくれる[※232]」、あるいは「マリオカートで数時間遊ぶと、思いもよらない利益を得る[※235]」などと説明したのである。そしていまや「優秀な運転手になるのに、もう何時間もかけて運転法規を読む必要はない[※230]」、「数時間のコンピュータゲームのトレーニングで、本当の世界の運転技術が向上する。運転手の訓練法として、将来的にもっとも費用対効果のいいものになるだろう[※233]」などと謳っている。

このような研究を元に、「マリオカート」で「優秀な運転手」になれると結論づけるのは、まさに超現実《シュールレア》主義《リスム》である。科学的にこの研究が役に立つのは唯一、アクションゲームを頻繁にすると、新しいゲームに挑んだときも少しうまくできることがわかったことぐらいである。しかしこの結果と、メディアが伝えた常軌を逸したメッセージとは、なんの関係もないと言わざるをえないだろう。なぜなら、先の項ですでに指摘したように、本当の運転状況を考えると、ゲーマーにあるとされた素晴らしい素質が消えるだけでなく、逆にマイナス要因(理由としては、おもにリスクをおかす傾向が強いことから)になってしまうのである。この長文のアクションゲーム礼賛論を書いた研究者は、実際に運転をするときの詳細を言い落としている。それは道路上の危険を見つけるには、それらがどこにあるかを知らなければいけない、つまり、いつ、どこを見るべきかを知らなければいけないという点だ! それでも疑う人のために、最近の研究で、「本当の」運転手と、その種のコンピュータゲームのユーザーの視覚的探求度を記録したものがある。それによる結果は、「現実に運転経験のないゲーマーは、運転の現実的な状況に対応できる視覚的探求のパターンを持ち合わせていない。（……）。コンピュータゲームでのバーチャルな運転は、道路の地形を適切に探求する能力の発展には役に立たない[※222]」というものだった。

つまり、コンピュータのアクションゲームで向上する可能性があるのは、注意力や一般的な決断力ではなく、一部の特別な視覚的注意力だということだ。問題は、これらプラスの影響が圧倒的に「部分的」にとどまっていることで、「本当の人生」には広がらないことだ。つまり、アクションゲームをして学べるのは主として……そのゲームと、それと同じ性質のゲームのことなのである。もちろん、現実の世界でゲームと同じことが求められれば、一部の能力はプラスに一般化できる。それがたとえば、外科用内視鏡の操作であり[※238・※239]、軍用ドローンの遠隔操作である[※240]。しかし、これら特殊な状況以外では、コンピュータゲームで得た独特の才能を現実に移行できると思うのはまったくの妄想である[※194・※241〜※247]。たとえば、最近の大規模なメタ分析によるところだ[※248]。「私たちは、コンピュータゲームと認識能力の強化に因果関係があるという証拠を発見できなかった。したがってコンピュータゲームの訓練も、取得したものを大きく異なる分野に移行するのが困難という一般論と同じである。（……）。私たちの結果は、専門技術の取得は、多くの部分、特殊な分野に関わっており、したがって移行は不可能という仮説を支持するものである。対して、コンピュータゲームや認識力の訓練により、取得したものを一般に大きく異なる分野へ移行できるとする理論は支持できない」。

注意と集中のメカニズム

これも作り話である。大手メディアでは繰り返し言われているのだが、しかしこの言葉を裏づける科学的文献はいっさい存在しない。根拠があるとしたら、先に述べた視覚的注意力に関するものを間違えて拡大適用しただけである。そしてこの傾向は、やはり先に述べたフランス科学アカデミーの間違った意見のように、[※189]よくあることなのだ。我らがジャーナリストは、乱暴に要約したものを記事にし、たとえば「これらのコンピュータゲームはあなたをよくする」とし、「バーチャルな武装闘争で別の長所が身につき、たとえば注意を管理する能力が向上する、つまり、一つの仕事に集中する能力である」[※249]と平気で書いていることが多いのだ。またテレビでも、「コンピュータゲーム、世界の新しい支配者」というタイトルの一般向けドキュメンタリー番組で、「ゲーマーの注意力、つまり集中力を測定する実験が行われている」[※250]と、堂々と報道されている。最近では、フランスの著名な認知神経科学者で、国立教育科学評議会委員長かつフランス科学アカデミーの会員でもあるスタニスラス・デハーネまでが国営ラジオで数百万人の聴取者に向け「コンピュータゲームを悪者扱いしてはいけない（……）。アクションゲームでも、『射撃ゲーム』は教育にプラスの影響がある、なぜなら子どもたちの集中力、注意力を向上させるからだ」[※251]と説明している。

問題は、「注意」または「集中」と一括りにして使われる言葉の裏に、統一を欠く機能的、神経生理学的現実が隠れていることだ。[※252〜※254]これらの言葉の本来の意味は、辞書によると、集中とは「もともと分散していたものを中心または一点に集める行為」であり、認識の分野に適応される一般的な定義では、「精神力を集め、ある一つのものだけにそそぐ」という意味になる。同じく、注意とは「ほかのものはすべて除き、ある一つのものに精神を集中させる」ことである。これらの定義は、注意を集中する脳のメカニズムをよくあらわしている。[※70・※252]実際、脳が「集中」すると、二つのことが起こる。最初は、その仕事に関連する重要な部位の活動が増加する。次に、不要な部位、とくに外部からの邪魔な音の流れを処理する部位の活動が低下する。この二番目のメカニズムのおかげで、私たちはうるさい情報を無視することができ、したがって最終的に、集中し続けていられるのである。
心配性な親に、アクションゲームが子どもたちの「注意力」または「集中力」を向上させると説明をするのは、この認識面での過剰な集中についてのプロセスで、知的機能や学校での成功には絶対的に重要なプロセスである[※256・※264]。その状態をわかりやすく言うと、すべての光を一点に集中し、ほかはすべて積極的に黒くするメカニズムとも言える。問題は、コンピュータゲームはまったく逆の動きを生みだすことである。集中する光の束を消し去り、部屋中を明るくする。それはこれらのゲームの特質によるもので、構造的に注意が外の世界に向けられるからである。そうしながら、注意をどんどんと散漫にさせているのだ。ゲームで力を発揮するには、ゲーマーはつねに視覚空間をくまなくカバーしなければならない。面前の舞台につぎつぎとあらわれる、すべての刺激や視覚的な状況を、どんな端にあるものでも、瞬時に見つける能力がなければならない。

余談だが、「画面」にあらわれる数字を素早く認識する能力では、チンパンジーのほうが普通の人間より優れているそうだ[※265]。その意味で、もし子どもたちにチンパンジーに備わっている注意力を与えたいのなら、コンピュータゲームは恰好の教育ツールと言えるだろう。アクションゲームに話を戻すと、ゲーム内での達成度を最良にするには、注意を外に向けて分散させる能力を発達させるしかなく、つまり、外の世界のどんな些細な動きにも細心の注意を払うことが必要になる。これは言ってみれば集中とはまったく正反対の注意である。外部からの信号を一個たりとも見逃さないようたっぷりと注意を注ぐことと、これらと同じ信号の妨害をできるだけ無視して集中することの、まったく違うタイプの注意を混ぜ合わせて一緒に論じること自体が不適切である。研究では、注意を分散させようとするプロセスが、集中力を大きく削ぐことが明らかになっているからなおさらだ。ものを素早く探知する視覚処理能力の訓練をすると、その裏側で、本人は周囲の雑音に気を散らせられたままになる傾向がある。[※266] 別の言い方をすると、まさに注意力分散が個々の機能に刻み込まれていくということだ。

実際、注意力分散がどんどん増幅し、ついには脳の構造の中心にまで入り込んでいくことで、コンピュータゲームは視覚的注意力にはプラスの影響があるが、それ以上に集中する注意力、つまり集中力に明らかに有害な影響があるのである。[※267~※275] これについては次の項で詳しく触れることにしよう。コンピュータゲームが視覚的注意力にプラスの影響を与えることを熱心に説く研究者でさえ、注意力に関する、現実での二つの乖離を認めている。たとえばその一人、フランスの認知神経学者ダフネ・バヴェリエは、信頼できる科学雑誌で次のように説明している。「もしその能力が、素早くあらわれた視覚の妨害物を、瞬時に効率よく取り除くことを意味するのなら（これは視覚的注意力）、この能力はアクションゲームをすることで強化されるのは明らかだ。しかしながらその能力が、たとえば教室での授業のように、ゆっくりと流れる情報に集中し続けることを意味するのなら、最近の研究で指摘しているのは、『画面』の使用時間、とくにコンピュータゲームの時間がマイナスの影響を与えることである[※276]」。それを受け、ほかの研究者も同じ記事で次のように説明している。「同じ注意力でも、アクションゲームで身につくもの（周辺にまで広範囲に注意力を向けること）には問題がある。これらはコンピュータを介した環境にとってはよい能力だが、学校ではハンディキャップになり、クラスで隣の席の子がソワソワしているのが気になって、授業に集中できなくなる」。この種の区別が忘れられていることが多いのは、本当に問題である。というのも、視覚的注意と、注意や集中力を混同すると、最終的に、科学的データが断定したこととは逆を言うことになるからである。

集中するとは何か

こうして、一見一つにみえる「注意力」の概念の裏に、統一性を欠く行動と神経生理学的な現実が隠れていることがわかった。一部の活動は、コンピュータのアクションゲームのように、外からの刺激や周囲の興奮に対して、注意を広く「分散させる」よう働きかけ、対してほかの活動、たとえば読書や資料の編集、数学の問題などでは、注意を内因性のものに「集中」し、周囲の雑音や不要な考えは受けにくくなる。本書ではこのあと、アクションゲームによって発達する種類の注意力に「外因性」または「視覚の」という形容詞を使って特徴づけることにする。同時に、読書など熟考するときに動員される注意力には、一般的な使用法にならい、「注意」または「集中」と普通に話すことにしよう。

衝撃的な証拠の数々

現在、入手可能な研究のほぼすべてが一致して明らかにしているのは、「遊びの画面」[※267〜※273・※275・※280]全体が集中力に深刻な悪影響を与えることである[※274・※278・※279]。別の言い方をすれば、これに関しては、コンピュータゲームもテレビもモ[※261・※271・※272・※279〜※285]バイルメディア[※286〜※289]も、みんな同じように有害だということだ。このテーマで行われたメタ分析で明快に確認されたのは、「遊びの画面」消費（コンピュータゲームやテレビ）と注意力欠陥障害には正の相関関係があることだった[※279]。測定された関係は、知能指数と成績の関係[※290・※291]、あるいは別の例ではタバコと肺ガンの関係[※292]に匹敵するほど強いものだった。ちなみにコンピュータゲームが個人に与える影響はテレビとまったく同じで、コンテンツが暴力的であってもなくても有害だった。

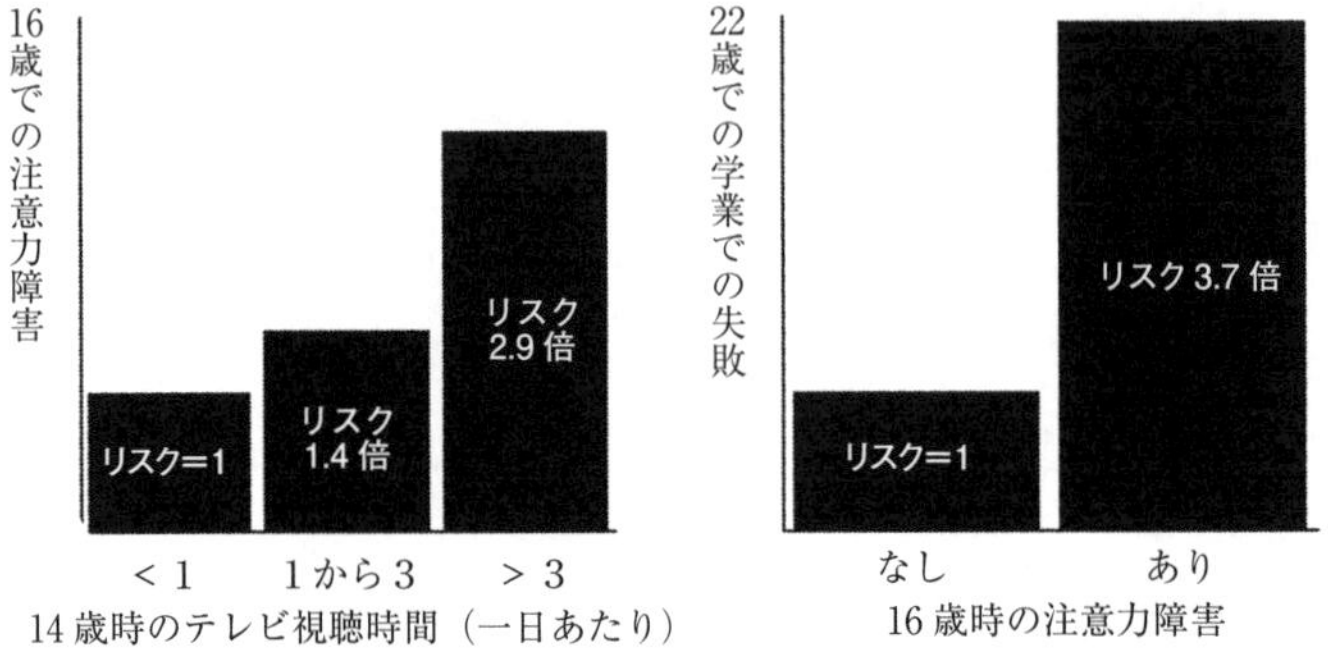

図8　注意力に及ぼす「画面」の影響

16歳で観察される注意力障害のリスクは、14歳のときにテレビの前で過ごした時間に比例して高まる（左の図）。同じように、22歳で確認される学業で失敗するリスクは、16歳のときに注意力障害のある若者で目に見えて高くなる[※261]。

その例として、たとえば長期にわたって行われた研究では、小学生の頃に毎日「画面」の前で1時間過ごすと、中学生になって注意力障害があらわれる可能性は50％であることが確証された。[※282]後続の研究でも同じ結果が報告され[※261]、それによると、14歳のときにテレビの前で毎日1時間から3時間過ごすと、16歳で注意力障害があらわれるリスクが1・4倍に、3時間以上になると、ほぼ3倍になった（図8）。補足的な結果で心配な数字は、16歳で注意力障害があると、22歳で学業に失敗するリスクが4倍になることだった。事実、多くの研究がすでに強調しているように、学校での成功には内因性の注意力がなにをおいても重要であることが確認されている。[※256〜※260・※262〜※264]別の研究では、二つの人口グループ、一つは子どもたち（6歳から12歳）、もう一つは若者（18歳から32歳）において、コンピュータゲームとテレビの影響が直接比較された。[※271]結果、明らかになったのは、二つの活動とも、注意力を同等程度に悪化させることで、年齢にはまったく関係がなかった。コンピュータゲームもテレビも、平均して、毎日の使用時間が2時間を超えると、注意力障害に苦しむ割合が2倍になっていた。興味深い分析は、最初の「画面」使用時間によって、そのあとに続く期間（13か月）、注意力障害が深刻化することを予測できることだった。

また他の研究で、12歳から20歳を対象に行われたモバイルメディアの使用でも、似たような結果が得られている。[※289]スマートフォンを所有していると、所有していない仲間に比べ、注意力不足を示す割合が3倍高くなった。ここでも遊びの使用（ゲーム、ビデオなど）がとりわけ有害だった。実際、一日1時間以上をこの種の活動に費やしている若者は、一日20分以下におさえている個人に比べ、注意力不足になる割合はほぼ2倍だった。いっぽう、5歳の子どもを対象にした気がかりな観察もあるが、これは最近の研究からみれば「理にかなっている」と言えるだろう。[※293]それは「画面」に使われた時間全体を考慮したものだ（テレビ、コンソール、モバイル媒体、など）。一日2時間以上をデジタルに消費している子どもは、30分以下の子どもに比べ、注意力障害があらわれる割合は6倍以上だったのだ。

懐疑派のみなさんには、ここで最新の研究を紹介しておく意味があるだろう。これは学術的なグループではなく、カナダのマイクロソフト社のマーケティング・サービス部門が発表したものだ。[※294]この研究は一般にも紹介されたのだが、人間の注意力が、不思議なことにこの15年間下がり続けているという説明から始まる。そして現在、人間の注意力は歴史的なほど低下し、なんと……金魚以下になったというのである。この注意力の劣化はデジタル技術の発達と直接結びついている。資料によると「デジタルの生活洋式が集中力を長く維持する能力に影響を与えている。日々の生活でデジタルを多く使うカナダ人（複数の「画面」ユーザー、SNSのファン、早くから新テクノロジーに適応している人など）は、必要な注意力が試される環境で集中するのに苦労している。（……）。彼らは新しいもの好きである」。広告会社への結論はこうだ。「消費者をただちに引っかけるには、はっきりとした簡潔なメッセージを使って、できるだけ早く伝わるようにすることだ（……）。違いを見せる。目立つ、規範に挑戦する」。普通の言葉に翻訳するとこうだ。「親愛なる広告パートナーの皆さま、広告戦略キャンペーンでは、金魚以下になった親愛なる消費者の注意力を超えないよう、広告は数秒以内におさめましょう。デジタルの刺激が爆発的に解き放たれている大海で、皆さまの伝えたいことが名もなく埋もれてしまうのが嫌なら、メッセージは鋭く、客の気を引きそうな、挑発的で、衝撃的で、元気なものを選びましょう。すべてはプログラム！」

分散する注意力

「画面」による集中力への悪影響には、多くの補足的なテコの力も影響している。それらは多少なりとも直接的に、時間的にも多かれ少なかれ長く作用している。たとえば睡眠を例にしてみよう。現在わかっているのは、昼間の注意力機能と夜の睡眠の有効性に強い関係があることだ。[※295〜※298]別の言い方をすると、脳が十分に眠らないと、日常の仕事に有効的に集中できないということだ。ところで、次の章で詳しく触れるが、現在明快に確証されているのが、デジタル使用が多いほど、睡眠の質と時間が損なわれるということだ。そしてこれこそが不注意の根源なのである。このテーマでは、私もよく小学校や中学校のクラスで「画面」の話をする機会がある。そのときに決まって驚かされるのは、多くの生徒がうとうとし、眠気と戦って必死に目を開け、顎が外れるほどのあくびをしていることだ。こういう子どもたちは、学ぼうとする意欲はあっても、生理的に知識のひとかけらも吸収できないはずだ。そのなかの多くは、毎朝の学校へくる前のコンピュータゲームや興奮するテレビ番組を引きずり、注意力が外に向かいっぱなしになっている。[※91]ところで現在、これらの活動が集中力を持続的に損なわせ、ついで、学校の成績も悪くなることが確証されている。[※299〜※302]よく引用される研究を紹介しよう。対象になったのは4歳から5歳の子どもたちで、展開の激しいアニメ（「スポンジ・ボブ」）を9分間見させられたあと、さまざまな認識テストが行われた。[※303]結果は、ほかの二つの「対照条件」（9分間の塗り絵、または遅いペースの教育的なアニメ鑑賞）のグループより、明らかに低かった。たとえば「衝動性」のテストでは、子どもたちの前に1個の鈴と2枚の皿が置かれた。一枚にはキャンディが2個、もう一枚には10個乗っていた。テストの指示はこうだ。「もし私（実験者）が戻るまで（5分30秒後）待っていたら、あなたは10個食べていい。もし待てなかったら、いつでも鈴を鳴らして、2個食べられる」。参加者が抵抗できたのは、「スポンジ・ボブ条件」の子どもでは平均が146秒だったのに対し、「対照条件」下では250秒だった（プラス71％）。ほかの「集中力」テストでは、実験者は子どもに、「私が頭をタッチしなさいと言ったら、あなたはつま先をタッチして、逆につま先をタッチしてと言ったら、頭をタッチして欲しい」と言った。これを10回テストしたあと、指示が変わり（肩と膝）、これも10回したあと指示が変わって終わる（頭と肩）。子どもはテストに成功すると2点、間違えても修正すると1点もらえた。参加者の合計点は平均で、「スポンジ・ボブ条件」の子どもたちは20点、対して「対照条件」の子どもたちは32点だった（プラス60％）。つまり、子どもたちに内省的な集中力を動員してほしい場合、外因性の注意力を興奮させるのはよくないというわけだ。同様に、似たような例をあげると、寝る前に濃厚なカフェインを摂取するのはよくないということだろう。

もちろん、これら部分的なものに加えた長期的な弊害として、私達の身近には、つねに気を散らせるよう条件づけるものがある。その代表が携帯のツールだろう。この分野では、使用法の研究でのばらつき（とくにアンケート調査）が極端なのは認めるとしても、問題の広がりの大きさには驚かざるをえない。スマートフォンの所有者は、大人でも思春期の若者でも、毎日平均して50回から150回、妨害を受けている。これは時間にして10分から30分に1回で、さらには7時間の睡眠時間を差し引くと、7分から20分ごとになる[※252・※294・※304・※305]。うち半分は、外部から侵入する突然の誘いで（メッセージ、SNS、呼び出しなど）[※306・※307]、残りの半分は、内部からの衝動的な動きによるものだ。こちらは先天的なもので、生物学的な進化の過程で、「好奇心」の強い個人が徐々に選択してきたものの反映、つまり、まわりから来る情報（時機的なもの、または危険なもの）をすぐに集めて分析することである。この好奇心はそれ自体、前述の、脳の報酬系システムによって維持されるものでもある。[※252・※308〜※310] 別の言い方をすると、私たちが必要以上に携帯機器を頻繁に調べるのは、一部は肝心な情報を見逃すことに対する恐怖（無意識）からで、もう一部は、確認作業を達成することで強い快感を抱き（そして依存）、ドーパミン［アドレナリンの前駆体］が少々分泌されるからである。この二重のメカニズムはいまや、「FoMO」（：Fear of Missing Out）という略語［ネットに四六時中接続していないと取り残されるという恐れ］で広く言及されるようになっている。[※311〜※313]

この考えをもとに、最近行われた研究で明らかになったのが、「携帯の呼び出し」に抵抗することの難しさだ。[※314] この研究では多様な学生（中学生から大学生まで）の勉強時間が25分間観察された。参加者は平均して、10分間しか勉強しなかった。見張り役の実験者がいたにもかかわらず、彼らは6分以上集中することができず、その前に携帯に飛びついていた。6分間なら、たぶんマイクロソフトの金魚よりはいいだろう。[※294] しかしこれで驚いてはいけない！　これに呼応する結果は、既に引用したほかの研究でも示されていた。それは携帯が手の届くところにあるだけで注意が奪われ、知的パフォーマンスが妨害されるというものだ。そしてこれは携帯が完全に無音でも同じだった。この観察に結びつけられるのが、周囲を「確認」したい欲求と闘う内面での激しい葛藤だろう。つまり、重要な情報を取り残していないことを確認せずにはいられない気持ちである。このプロセスは、突然、外部から警告が鳴ったとき（ビー音、ベル、振動など）も同じで、唯一の違いは刺激の性質だ（外因性対内因性）。いずれの場合も結果は同じ、認識機能が妨害され、集中力が乱れて、知的パフォーマンスが衰えるのである。[※315・※316]

ここで理解しなければいけないのは、妨害は執拗に続かなくても有害になるということだ。最近のある研究によると、「思考のつながりを脱線させる」には、ほぼ2、3秒の不注意だけで十分だそうである。[※317] おそらくその思考は驚くほど脆弱で、いったんぐらついたら、立て直すのが大変なのだろう。たとえば、誰かがあなたに学術雑誌の仕事を頼んだと想像しよう。あなたはあなたの議論を整理し、選択して仕分け、それらを構成し……そこへ突然、あなたの電話が振動し、警告音を発する。あなたが望もうがそうでなかろうが、あなたの注意力は即座に着信したばかりのメッセージに向かうだろう。それから多くの問いかけが続く。見るべきだろうか、我慢すべきか、返信すべきか、誰からだろう？　などだ。問題は、あなたがすぐに妨害を無視すると決めたとしても、それが瞬間的だったとはいえ、思考の糸を元通りにたぐり寄せるのは想像以上に大変で、至難の技だということだ。思考を元に戻して再構築し、構成に必要な要因を再び集めて、元の状態にしなければならない。そのために費やされる時間やエネルギーを考えると、認識面に多大な悪影響を与えるのは明らかだ。[※318〜※321] さらに、妨害による害が一様にひどくなるのは、授業中や講演、あるいは単なる会話中でもいい、どんどんともたらされる情報を元に思考をめぐらせているときだ。このような状況で注意力が中断されると、情報へのアクセスと、思考のプロセスと二重の切れ目を生じさせることになる。これでは面前のコンテンツがうまく理解できるわけがない。この点については先の章でも、学校でのデジタル教材が認識の発達に与える影響について広く議論したところである。それにつけ加えたいのが、実験に基づく多くのデータが明らかにしている、車を運転中のケースである。着信音や、注意力を奪う使用により、事故を起こすリスクが大幅に増えている。[※322・※323] アメリカの運輸省が行った大規模な研究の結果によると、たとえば「メッセージ」を送るだけで、事故が23倍に増えていた。[※324] それでもアメリカ人の親の50％は、子どもを乗せて運転中に携帯のメッセージを読み、30％は積極的にその交換をしているとは！[※325]

デジタル世代とマルチタスク

さて話は変わって、一度に多くの作業をする「マルチタスク」を取り上げることにしよう。たしかに巷の話では、現在の若者の脳は以前とは異なり、構造的に分解したデジタル空間に、より活発に、より速く、より適応しているそうだ。そして、何千年もの障壁を経て、新しい世代の神経組織はついに、同時に作業する（マルチタスク）ニルヴァーナ（涅槃、悟りの世界）の境地に達したという。話としては美しいが、しかし馬鹿げている。老いも若きも、現代人でも昔人でも、人間の脳は一度に二つのことを、正確さも生産性も失わずに行うことはまったく不可能だ。[※321・※326〜※328] 私たちの脳は情報処理機ではない。同時に多くの問題を処理しなければならないとなると、まさに曲芸である。[※329〜※332] 大ざっぱにいって、事態は次のように進む。（1）最初の仕事（文書を読むなど）を処理し、ついで次の仕事をしようと決める。（2）最初の仕事の処理を中断し、それまで取得した要因を一時的な記憶として保存する。（3）第二の仕事に取りかかる（たとえばスナップチャットでカミーユに返信する）。（4）（3）を、最初の仕事に戻ろうと決めるまでする。（5）二番目の仕事を中断し、関連する要因を一時的な記憶に収める。（6）ついで、最初の仕事に関連するデータを回収し（忘れたり損なわれたりしていないことを期待して）、中断した（と思った）ところから仕事を再開する。（7）以下同様。それぞれ次の段階に行くごとに時間を要し、そのつど間違いや省略、情報の紛失が起こりやすくなる。さらに、それぞれの仕事に対して関与する認識は部分的でしかなく、しかも切断されている。実際、曲芸のプロセスではその機能のためだけに脳資源の大きな部分を動員する。それゆえ目標とする一連の仕事は使用可能な神経の残りの部分で処理しなければならない。結局のところ、受信したテキストの内容もよく理解しないまま、カミーユにはいい加減に返信することになるのである。

しかしそれだけではない。マルチタスクでは、そのときの作業を記憶することにも悪影響を与える可能性がある。[※333〜※335]実際、そのときのコンテンツを覚えておくことと、そのコンテンツを処理するのに当てた注意力のレベルには密な関係がある。[※129]注意力のレベルとはエネルギー的なもので、動員された認知的努力［精神的資源を動員すること］の大きさである。ところでマルチタスクでは、注意力はそれぞれの仕事に深く入り込むというよりは、うわべをかすめるだけのことが多い。したがって、一度に多くのことをすると、記憶にも不利になると言わざるをえないのである。

同じメカニズムは、メモを取る作業で、コンピュータよりペンによる手書きのほうが何倍も優れていることでも説明できる。[※336・※337]このテーマで研究者が明らかにしたのは、キーボードを打つほうが手書きより早く、簡単ということだった。したがってその場合、キーボードは全体をスムーズにメモできるのに対し、手書きではどうしても細かな部分をはしょることになる。しかしそうしながら、全体をまとめ、書き直すときのことも考えながらやるので、記憶のプロセスとしては好都合になる。この記憶と認知的努力の関係は、実験で容易に証明できる。たとえば、同じ手書きによる情報でも、読みにくいメモのほうが記憶されやすいということが明らかになっている。[※338]同様に、語彙のリストの記憶では、目標の単語の文字がいくつか削除されていると（つまり解読が難しいので、そのぶん認知的努力を動員させる）記憶されやすいことが証明されている。[※339]

脳の中枢に刻まれる過剰な刺激

デジタルの世界に潜む気の散らせ方の力には相当なものがある。この誘惑の波に抵抗するのは難しく、またすでに見てきたように、デジタルツールの刺激の加重により、私たちの神経組織のもっとも内面で分断が進んでいるので、よけいに難しいと言えるだろう。私たちの子どもは若い。それは本当だが、しかし彼らの脳は先祖伝来のものである。情報を取得するために、そのたびに「報酬」を受け取るよう——ドーパミンが分泌される形で——遺伝的にプログラミングされている。[※252・※308〜※310]この事実を見事に自分たちのものにしているのが、インターネットの経済人たちである。[※340・※341]それについては少し前、フェイスブックの元最高経営責任者だったショーン・パーカーが、SNSが考案されたのは「人間の心理面の脆弱性を利用するため」だったことをはっきりと認めていた。[※342]彼に言わせると、これらネットワークを創設し、管理する側の動機は、「皆さんの時間と注意力をできるだけ多く消費してもらうにはどうしたらいいか？」[※342・※343]ということなのである。あなた方をつなぎとめておくために、「皆さんに少しのドーパミンを、できるだけ定期的に放出してもらわなければならない。それが、皆さんが写真や何かを発表したときに受け取る『いいね！』であり、コメントである……。その結果、皆さんはますます投稿するようになり、そうしてますますコメントや『いいね！』を受け取るようになる。これは数による評価が無限に繰り返される無限ループの形である」と言うのだ。[※343]これとほぼ一字一句同じことを語っているのが、やはりフェイスブックの元副社長で、ユーザースペースの拡大を担当していたチャマス・パリハピティヤである。[※344・※345]現在、罪を悔い改めた元管理職が「ものすごく後悔している」のは、「正常な社会組織を引き裂くツール」のために働いていたことだ。[※344]彼の結論は容赦ない。「私は彼ら（フェイスブックの雇用主）をコントロールできないが、自分の決断はコントロールできる。それは、このクソは使わないということだ。私の子どもたちの決断もコントロールできる。それはこのクソを使うことを許さないということだ」[※344]。もう一人、やはりフェイスブックを退社したアテナ・チャヴァリアもほぼ近いことを言っている。「私たちの電話には悪魔が住み、子どもたちを破壊させていると、私は確信しています」[※346]。この言葉は大げさだろうか？　最近の多くの研究を参照すると、そうとも言い切れない。それらが指摘しているのは、マルチタスク中は絶え間なくデジタル世界から誘いがあることから（とくにSNS）、認識面での不注意と衝動性が根づいてしまい、それが行動的な習慣の中心だけでなく、[※335・※347〜※353]もっと奥深く、脳機能にまで及んでいるということだ。[354]

これらの結果を元に、当然、逆の因果関係が存在するかどうかを考察してもいいだろう。参照した記事では、問題は次のように問いかけられている。「デジタルのマルチタスクを多くすることが認識と神経の変異を生じさせるのか、元々個人に備わっていた変異がマルチタスクを多くするように向かわせるのか？」[355]。答えはいまや知られており、右記で述べた変異の原因は、少なくとも一部は、マルチタスクであることがわかっている。これを最初に証明したのは、実験に基づいた研究で、その実験では、それまでデジタル機器を持っていなかった若者に、3か月間スマートフォンが与えられた。[356]（相対的に短いが）3か月後、注意力を必要とする算術テストで、参加者の成績ははっきりとわかるほど悪くなった。そのうえ、認識面での衝動性は、スマートフォンの使用時間に比例して大きくなっていたのである。

因果関係の二つ目の証明はより決定的で、残念ながらかなり深刻なのだが、最近行われた多くの動物実験の結論によるものだ。動物で実験を行う理由は簡単で、人間ではできないこともできるからだ。とくに、子どもたちがさらされるデジタル環境と同じ、外部からの刺激がある場所に入れ、誘発される発達障害を評価する実験だ。ただし、その前に注意しておかなければならないことが一点。ここでは、動物たちを豊かな環境に置かない。つまり複数の実験動物を大きなケージに入れ、遊べる玩具やボールなどを与えてのびのび活動させるのが豊かな環境による実験だとしたら、ここで行うのは、動物たちに、外部からの音や視覚、臭覚などの感覚的な刺激を繰り返し受けさせる実験である。簡単に言って、「豊かな環境」と「刺激だけを与える」という二つの実験形式には、どちらにも「刺激を与える」という動詞の意味がある。実際、この動詞には「誰かあるいは何かを、行動あるいは反応させる環境に置く」と同時に、「興奮や刺激的な行動に従わせる」という意味があり、[357]豊かな環境は前者、感覚的な刺激は後者になる。実験後をみると、この二つの方法による動物の社会的、感情的、認識的、そして脳の発達への影響には、もちろん大きな違いがある。豊かな状況ではきわめてプラスなのに対し、[※103・※104・※358]感覚的な刺激の条件では非常に害のあることが確認されている。[※359]ここで取り上げるのはこの二番目の実験だ。最初に実験を行ったのは、ワシントン大学のディミトリ・クリスタキ教授のグループで、使われたのはハツカネズミだった。[※360]動物たちが受けた刺激は、テレビの効果を再生したもので、毎日6時間、ネズミの子ども時代から思春期までに当たる42日間、続けて聞かされた。動物たちが聞いたのは若者向けのアニメの音楽だった（たとえば「ポケモン」や「爆丸」）。この音の流れは、強さが修正され（子どもたちがテレビを見ながら耳にする音量に合わせて）、音源によって色のついた光（緑、赤、青、黄）がセットで出るようになっていた。標準のハツカネズミの年齢での大人になると、刺激を受けたネズミには活動過多が見られ、ストレスは少なく、危険な行動に出る傾向もあった（たとえば、ケージの壁から離れて暗がりに行く、など）。また、学習や記憶ではっきりとした障害も確認された。後続の研究でも同じ実験形式が使用された。[※361]この研究で研究者たちが確認したのは、ストレスを生じることなく（これは血液中のストレスのホルモン、コルチコステロンを測定することで確認できる）、活動過多の症状があらわれたことだった。しかし、ここが重要なのだが、研究でもう一つ明らかになったのは、刺激を受けた動物たちが依存症になりやすいことだった。この弱さ自体、脳の報酬系システムが深部で変異していることと結びついている。人間でも、このシステムは依存症や注意欠陥多動性障害（ＡＤＨＤ）の発症に重要な役を演じており、それぞれの症状は結びついていることが多いのである。[※362〜※364]

これらの結果はしかし、オーディオヴィジュアルの刺激に特殊なものではなく、臭覚の操作でも同じような結果が得られている。[※365]たとえば最近の研究では、ネズミを二つのグループに分けて行われた。最初のグループ（実験グループ）には、5週間（大ざっぱにネズミの思春期に相当）にわたって、毎日1時間異なる匂いを連続して（それぞれ5分ごとに）嗅がせた。対して二番目のグループ（対照グループ）には一種類の匂いだけ（最初のグループのネズミに嗅がせた匂いを全部合わせたもの）を嗅がせた。大人の年齢になったとき、実験グループのネズミは、対照グループに比べ、重大な注意力障害を示した。

もちろん、先にも述べたように、これらの実験を人間で行うのは不可能である。それでも、かつて保育園や恵まれない家庭で行われた多くの研究が、ここで報告された動物実験の結果を確認していた。実際、これらの研究が明らかにしているのは、周囲の騒音の影響の大きさで、感覚的な刺激が認識面の発達[※366～※368]、とりわけ注意力[※369]に重大な悪影響を与えることである。

したがって、これらすべてのデータ全体から言えるのは、子ども時代と思春期に感覚的な刺激を過剰に受けることは、脳の発達にマイナスに働くということだ。過剰な映像や音、さまざまな誘いは、集中力の欠陥や学習障害、活動過多の症状や依存症を発症させるには絶好の条件なのである。これらの結論と、疫学的な観察を、ここ20年間のＡＤＨＤの診断（薬の処方とセット）が非常に増えていることに結びつけてみるのも興味深いだろう[※370～※372]。また、「遊びの画面」の消費が、先に述べた集中力への影響以上に、子どもや思春期の若者がＡＤＨＤになるリスクと結びついていることも、改めて思い起こすと興味深いだろう[※279・※293・※373・※374]。

結論

この章でおさえておかなければならないのは、「画面」は子どもの発達にもっとも重要な三つの柱を根底から覆すということである。

一つは、人間関係に関するものである。子どもがスマートフォンやテレビ、コンピュータ、タブレットあるいはゲームのコンソールに時間を使うほど、家庭内の人間関係は質、量ともに悪化していく。同じように、パパやママがデジタル機器に浸るほど、子どもと過ごす時間が少なくなる。この二重の動きは、もし「画面」の提供するものが子どもたちの脳に「栄養になる」のなら、何の問題もないだろう。しかし、そうではないのである。

二つ目は言語に関するものである。この分野では、「画面」は補足的な二つの軸で作用する。まず、早期の言葉のやり取りを質、量ともに貧弱にすることと、ついで、書く世界に入るのを妨害することである。もちろん3歳以降は、一部のいわゆる「教育的な」コンテンツが子どもに基本の語彙を教えることはできるだろう。しかし、「本当の生活」で教えられたものと比べると、視聴した内容の取得には時間がかかるうえ、細分化され、表面的である。別の言い方をすると、言葉の発達に関しては、子どもを罰として掃除道具入れに一人閉じ込めておくより、テレビを見せておいたほうが大人しく、言葉も学んでくれるとはいかないのである。[※375] なぜなら、もう一度言おう、子どもは自分の言葉を展開するのにビデオもアプリも必要としていない。欲しているのは、誰かに話しかけられ、言葉で誘われ、物の名前を言うように励まされ、答えをきちんと言えるように待ってくれること。そして誰かに物語を語ってもらい、一緒に読もうと誘われることなのである。

三つ目は集中に関するものである。人は集中しなければ、目的のために思考を動員することができない。若い世代は危険なほど気が散りやすいデジタル環境にどっぷりと浸っているが、コンピュータゲームも、テレビや携帯ツールと同じくらい弊害がある。そのうえ、これには媒体もコンテンツも関係がない。現実は、人間の脳はただ単に、このような外部からの密度の濃い誘惑を想定していなかっただけのことである。絶えず大量の感覚に支配され、脳は「苦しみ」、うまく構築できずにいる。おそらく数万年、数十万年後には事態は変わっているだろうが、しかしそれも、それまで人類が地球上から消滅しない場合の話である。私たちがそれまで立ち会うのは、認識が現実に破壊されていく過程である。

健康——もろい器械としての脳

ここ数年、科学界が主張しているのが、「（電子）メディアは重要な公衆衛生問題であることを認識すべきである」[※1]ということだ。遊びのデジタル消費と公衆衛生のリスクを結びつけた研究の数が想像を超えるほど多いことも言っておかなければならない。影響が及ぶ分野をリストにするときりがない。肥満、摂食障害（拒食症／過食症）、タバコ、アルコール依存症、麻薬中毒、避妊なしの性行為、座りがちな生活、などなど……。[※2〜※4]これらのデータから、迷うことなく断言できるのは、「画面」は現代における最悪の病気製造人（医師なら「病原性」として最悪と言うだろう）に入るということだ。ところで、このテーマはまだ記事や書籍などで広く知られていない。おそらく、いまこそ影から引き出し、それについて少しでも触れるべきときだろう。とはいえ、バラエティに富んだ、山のような研究すべてをここで網羅するのは不可能だ。本書では重要なものだけに絞り、健康に関する影響でしっかりと研究されている三つの問題に集中することにしよう。睡眠障害と座りがちな生活、そして「リスクのある」コンテンツ（セックス、暴力、タバコ中毒など）である。

「画面」と睡眠

「画面」のテーマでは、多くの書籍や報告が睡眠について触れている。しかし、多くの場合、言及してもまるで重要な問題ではなく、あたかも二次的な問題のような取り扱いだ。さらに、私の個人的な経験からいって、親自身もそういう見方をしているようだ。実際、多くの講演のあとでデジタルの質問を受けつけたときも、睡眠をテーマにした質問は一度もなかった。それは私が思うに、一般的に、人が眠るのは休むためだと信じられているからである。だから、十分に休めなくても大したことではなく、多少疲れるか、いつもよりあくびが多くなるだけで、そのうちよくなると思われているのだろう。

簡単な形か、短い文面で、資料で裏づけした正確な展開の対象になったことがない。[※5〜※9]

寝ている間も働く脳

しかし、人は休むために眠るのではない。人が眠るのは、脳が、私たちが活動しているときにできない仕事をするためである。この点を、似たような例で大まかに説明しよう。スーパーマーケットの大安売りの初日を想像してみよう。開店早々から、売り場は押し寄せた客に占領される。商品はなくなり、場所が移動し、なかには破損したり、ダメになったりするものもある。ゴミやクズが床に散らかり、大忙しの店員たちは、大急ぎできれいにする。空いた陳列棚に新しく商品を並べ、生ゴミを拾い、消費者に情報を伝え、レジ打ちなどに追われる。しかしいくら努力しても、状況は悪くなるいっぽう。そして夜になり、閉店の時間になる。客はいなくなり、静けさが戻る。従業員はやっと被害を受けたところの修理ができる。元通りにすべきところは戻し、床を掃除し、売り場にものを補給し、在庫品の表を作り、レジで入金を計算し、翌日の準備をする。私たちの脳組織はこのスーパーマーケットのイメージと少し似ている。昼間、「神経の従業員たち」はその場の熱狂を管理するのに忙しく、本質的な仕事にはほとんど手がつけられない状態だ。それから「閉店」の時間になり、眠りが頭をもたげてくる。脳はちょうどいい具合に任務の一部から解放され、重要な維持の仕事に集中することができる。身体は体力を回復し、思い出は選ばれて整理され、学習は強化され、成長が刺激され、感染や病気がやっつけられる。夜が終わると、組織は立て直され、新しい日の激務に備えて準備をする。幕が再び開き、眠気が消えていく。

ここで「閉店」時間が少し短かすぎるか、妨害がありすぎて、維持に必要な作業が完全に実行できない場合を想像してみよう。もしトラブルが少なければ、大きな問題にはならないだろう。しかし逆に、もしトラブルが慢性的なものになったら、重大な被害を引き起こす原因になるだろう。実際、組織が正しく維持されていないと、機能は悪化していく。その場合、**表1**が示しているように、個人全体の認識面、感情面、公衆衛生の中核部が影響を受けることがわかっている。結局のところ、このテーマに関する膨大な量の研究によってもたらされたメッセージは、次のように簡単に要約できるだろう。「よく／または十分に眠らない人間は（子ども、思春期、大人）正しく機能することができない」[※10～※12]。それを証明する、いくつかの代表的な研究がある。

すべてを支配する睡眠

まずは感情から、思春期の広範囲な人口（約1万6000人の若者）を対象にした研究を紹介しよう。これは、研究者によると、睡眠時間に対する親の守則の役割を分析したものである。その結果明らかになったのは、夜中を過ぎての就寝が許されていた（睡眠時間が短くなる）若者のあいだで、うつ病のリスク（プラス25％）や自殺を考えるリスク（プラス20％）がきわめて高いことだった[※13]。これらの結果は最近の多くの研究とも呼応し、睡眠不足が感情を司る脳回路の接続や反応性を妨害することが明らかになっている[※14～※16]。

健康に関しては、多くの研究が肥満を取り上げている[※17・※18]。たとえばある研究は、十分に眠らない（一日6時

表1　睡眠不足の影響

認識	↘　決断力、とくに複雑な仕事の枠組みで※25～27
	↘　注意力※28～34
	↘　記憶力※31・※35～37
	↘　脳の成熟と認識の発達※23・※38～43
	↘　創造力（複雑な問題の解決）※44
	↘　学校の成績※45～50
	↘　仕事での生産性※51・※52
感情	↗　感情の乱れ（鬱、自殺願望、不安など）※13～16・※53～59
	↗　衝動性、活動過多、行動障害※32・※34・※43・※49・※50・※60～63
	↗　攻撃性※48・※55・※64
健康	↗　肥満※17～19・※65～70
	↗　二型糖尿病※71・※72
	↗　心臓代謝障害のリスク（高血圧、糖尿病、脳梗塞など）※73～77
	↘　体内異物免疫反応※78～80
	↘　細胞の完全性（とくに細胞活動でDNAが傷害を受けたときの修正による）※81
	↗　死亡率※82・※83
	↗　車を運転中や仕事中の事故※84～86
	↗　認知症のリスク※87～92

睡眠不足が慢性的になると、私たちの認識面、感情面、公衆衛生面全体の機能が不調をきたすようになる（↘；減少の印と、↗；上昇の印が、持続的に妨害されるか不十分な睡眠の影響を示している。たとえば、↘で注意力の低下、↗で肥満のリスクの上昇など）。

間以下）期間が6年間で、標準体重の人が肥満になるリスクが3倍になることが明らかになっている。※19 この結果にもさほど驚かないのは、睡眠不足は（生化学、とくにホルモン系の乱調を誘発することから）空腹感を刺激し、※20 脳を肥満になりやすい快楽的な食品に向かわせ、※21 昼間のエネルギー消費を減らすと考えられているからである。※22

最後の認識面に関しては、最近のある研究がとりわけ興味深い。※23 研究者たちが、1200人近くの子どもたちを幼稚園から小学校の最後（2歳半から10歳）まで追跡した。その結果わかったのは、ほとんどの参加者の睡眠時間は相対的に安定しているということだった。ただし印象的だったのは、10歳のときに、睡眠時間の短いグループ（一晩8時間30分から9時間）は、対照グループ（一晩11時間）に比べ、言葉の遅れるリスクが2・7倍あったのに対し、中間の睡眠時間のグループ（一晩10時間）に対しては1・7倍「しか」なかったことだ。これらのデータに驚かないのは、睡眠が記憶や注意力、脳が成熟する過程に重要なことがわかっているからである（表1を参照）。

最後に、体調がいくら万全でも、睡眠不足で支障がでることを示す簡単な研究を紹介しよう。[※24] 研究者たちが興味を持ったのはアメリカのプロバスケットボールリーグ（有名なＮＢＡ）の選手たちで、２００９年から２０１６年の期間中、彼等にツイッターのアカウントを稼働させたままにしてもらった。１２０人の選手は身元が確認され、それぞれの選手から、二つの情報が集められた。（１）パフォーマンスの統計と、（２）試合前日の夜遅く（23時以降）のツイッターの発信の有無だ。これらの情報がつき合わされて、選手が試合前日に遅く寝る（これらはツイッターの活動状況の観察によって推理された）ことと、そのパフォーマンスへの影響が確認された。当然ながら、睡眠をとるように気をつけているバスケットボールの選手たちのほうがパフォーマンスもよかった。彼らは点も多くあげ（プラス12％）、バウンドの成功率も高かった（プラス12％）。

部屋にテレビで睡眠障害

これらの例をみてもわかるように、睡眠は私たちの感情、認識、健康全体の要となる石である。それがとくに言えるのは子ども時代と思春期で、身体と脳が活発に発達しているときである。とはいっても、目立つような変化だけが重要だとは思わないようにしたい。実際、すでに50年前から多くの研究が証明していたのが、表面上は大したことのない睡眠時間の変化が、個人の機能に重大な影響を及ぼす可能性があることだった。私たちの子どもの夜の睡眠時間を30分から60分間延ばす（あるいは短くする）ことで、個人の機能を目に見えてよくする（または悪くする）ことができるのである。[※93〜※98]
睡眠の価値については、現在、若い世代が毎日体験している、デジタルの大狂乱によって決まると言ってもいいだろう。この二つを比較することに根拠があるのは、広く証明されている二つの事実からも明らかだ。

一つは、子どもと思春期の大多数（年齢や国、適応される閾値によって30％から90％）が、勧告されている睡眠時間の最低を大きく下回っていることだ。[※11・※99〜※104] 二つ目は、20年前から大幅に増えているこの睡眠不足は[※100・※103・※105]、かなりの部分、増えるいっぽうのデジタル消費に関係していることである。[※104・※106〜※108] これにはテレビからコンピュータゲーム、スマートフォン、タブレット、そしてSNSに至るまで、すべての媒体と使用法が関わっている。[※103・※109〜※117] 同様に、睡眠で影響を受けるのは、質的（こま切れの夜、なかなか眠れない、レム睡眠行動障害など）、量的（持続時間）含めてすべての領域に及んでいる。

たとえば、6歳から19歳の個人12万5000人を対象にした、広範囲のメタ分析で最近証明されたのは、「ベッドタイムにデジタル機器を使うことと睡眠には、一貫して強い関係があり、睡眠不足（リスクが2・17倍）や質の低下（同1・46倍）、日中の過剰な睡魔（同2・72倍）」[※107] となってあらわれることだった。これに近い結果は別の研究でも得られ、それによると11歳から13歳の子どもで、寝る前にさまざまなデジタル機器を頻繁に使用すると、週に何度も、早く目覚めたあと眠れずに不完全な夜を過ごす子どもが増えていた。[※109] そのリスクはテレビで4・1倍、コンピュータゲームで2・7倍、携帯電話で2・9倍、SNSで3・5倍だった。さらに別の研究でも、一日4時間以上「画面」を使用する思春期の若者は、極端な睡眠不足（5時間以下）のリスクが3・6倍、中程度のリスク（5、6時間）が2・7倍、やや不十分になるリスク（6、7時間）が2・1倍になることがわかった。[※113] のちに行われた研究の観察で確認されたのは、「画面」の大口消費者（一日5時間以上）の半数以上は、睡眠時間が7時間以下ということだった。この割合は、小口消費者（一日1時間以下）では3分の1しかいなかった。[※103] いっぽう別のいくつかの研究では、子どもたちの個人空間をデジタルの侵入から守ることの必要性が強調された。[※118〜※122] なぜなら、たとえば部屋にテレビのある子どものあいだで（5歳から11歳）、睡眠障害のリスクがほぼ3倍になっていたことが観察されたのだ。[※116]

研究者たちは学業年齢の人口以外の、赤ん坊や幼児のケースにも取り組んだ。そうして確証されたのが、生後6か月から36か月の元気な乳幼児が、毎日タブレットをいじって1時間過ごすだけで、夜の睡眠時間が30分減少することだった。[※111]この結果は、2歳から5歳の幼児を対象にした別の研究と相通じるところがあり、それによると一日2時間以上を携帯の画面で過ごしている子どもは、それほどではない子ども（一日1時間以下）に比べ、睡眠不足になるリスクがほぼ2倍になり、このリスクは0歳から1歳になると軽く4倍になることもわかった。[※115]ここでも、部屋に「画面」があることの影響がとくに問題になっていた。[※123]たとえば、3歳で部屋にテレビがある子どもは、ない子どもと比べると、睡眠障害や悪夢、夜の恐怖（夜中に泣き叫ぶなど）、目覚めの疲れなどにおそわれるリスクが2・5倍近くになった。[※117]

　ほかにも多くの例があり、「遊びの画面」が子どもや思春期の若者の睡眠に重大な悪影響を与えることが周知の事実になっている。因果関係で言っても、この二つを結びつけるのになんの不思議もない。論拠の土台となっているのは、四つの大きなテコの力である。一つは、「画面」は就寝時間を遅らせるということだ。そうしてとくに学校のある平日は、睡眠時間が短くなってしまう。これに関しては、授業が始まる時間を遅くすると、睡眠時間にもよい影響があり、したがって学校の成績にもよいことが明らかになっている。[※11・※124・※125]二つ目は、「画面」は眠りにつくまでの潜伏時間（つまり、ベッドに入ってから本当に眠るまでの時間）を長くすることである。ここでの問題は、デジタルの端末が眠りのホルモン「メラトニン」（光度に左右され、ある程度暗くならないと分泌されない）の分泌を妨害するところにある。[※126～※128]三つ目は、「画面」（とくに携帯のツール）は私たちの夜を分断することである。そうして睡眠の時間も質も損なわれることになる。最近の研究が明らかにしているのは、若者の50％近くは、少なくとも夜に1回は、何か着信（SNS、Eメール）があると返信し、スマホで調べもの（時間の確認以外で）をしていることである。[※129]ほかの研究では、思春期のほぼ20％が、夜は週に数回、スマートフォンで起こされると答えていた。[※130] 睡眠がこのように分断されると、当然、ユーザーの認識面、感情面に重大な悪影響を与えることになる。[※131〜※135] 四つ目は、一部のコンテンツ、とくに興奮させてストレスや不安を引き起こすものは、眠りにつくのを遅らせ、睡眠の質を落とすことである。これについては、幼児（5から6歳）の睡眠に対するテレビの影響が研究されている。[※136] 幼児向けではない番組を定期的に見させられていた子どもたちは、そうではない子どもたちに比べ、強い睡眠障害（なかなか眠れない、夜中に起きるなど）をあらわすリスクが3倍もあった。この場合、子どもが「画面」に対して積極的であるか（自分で見ている）、消極的であるか（ほかのことをしながら、近くのテレビを見る）はまったく関係がなかった。ほかの研究では、[※137] 13歳の中学生が言葉による学習をさせられ（単語や名前、数を覚える）、その直後に記憶テストが行われた。次に、それから約60分後、参加者は三つの実験条件の一つに割り当てられた。（1）コンピュータのアクションゲームを1時間（ゲームの条件）、（2）興奮度の高い映画鑑賞を1時間（映画の条件）、（3）ゲームやテレビ以外の自由な活動を1時間（対照条件）のいずれかだ。それから2、3時間後、参加者は眠りにつき、夜のあいだ、睡眠中の脳波が記録された。翌日、記憶のレベルが再び測定された。結果が示したのは、（1）言葉による記憶は、「対照条件」に比べ「ゲームの条件」のほうが断然劣っていた。（2）同様のマイナス傾向は「映画の条件」でも見られたが、しかし「対照条件」と比べた統計的な閾値はそれほどでもなかった――しかし、「映画の条件」と「ゲームの条件」を統計的に区別することも不可能だった（図9）。（3）睡眠は二つの実験条件で妨害されていた。「映画の条件」のデータでは、睡眠効率の低下が目立った（ベッドで過ごした時間全体に対する睡眠時間の割合は90・7％）。対して「対照条件」ではこれが94・8％だった。同じ低下は「ゲームの条件」でも見られたが、しかしもっと重要な二つの被害が補足して加わっていた。まず、眠りにつくまでの時間が大きく増加していることである（「対照条件」に比べて22分増加）。次に、深い眠りに入る

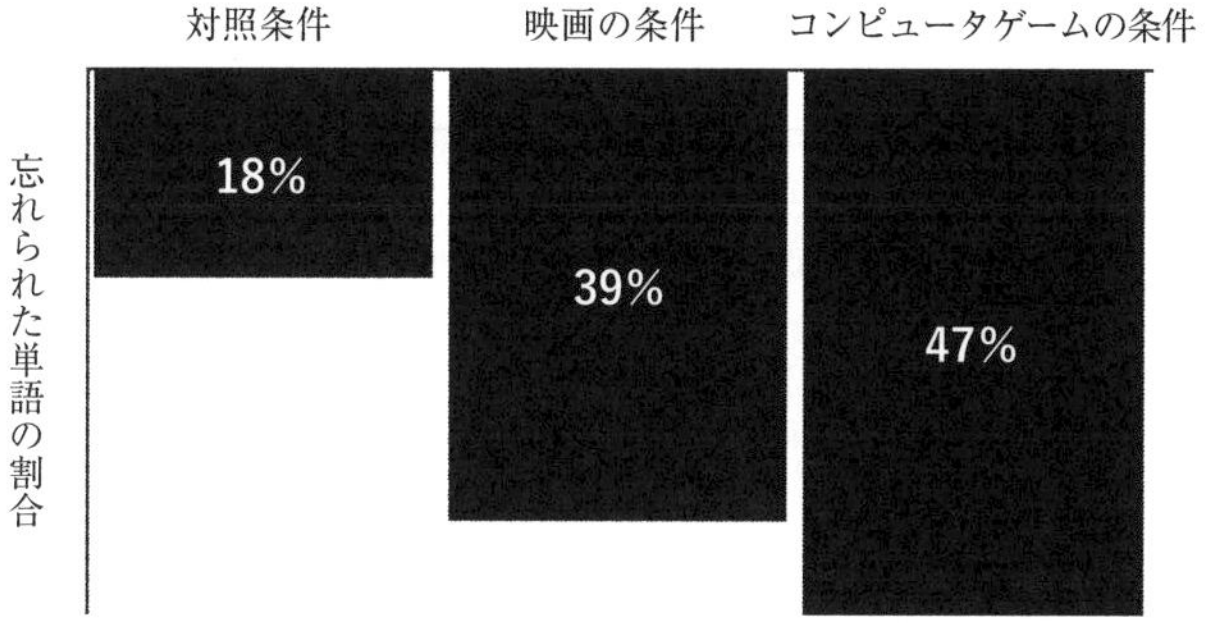

図９　記憶に対するコンピュータゲームとアクション映画の影響
午後の遅い時間に、13 歳の中学生が単語のリストを学習する。そのあと、彼らは１時間、興奮させられる活動（コンピュータゲームまたはテレビ映画）をするか、それ以外の好きなことをする（対照グループ）。翌日、記憶のレベルが測定される（パーセントは忘れた単語の割合）※137。

のが大変に難しかったことである（とくに記憶のプロセスに影響[※138・※139]）。深い眠りは「対照条件」では34％を占めていたのに対し、「ゲームの条件」ではわずか29％だった。これらのデータから、研究者たちは記憶のプロセスの低下に対して二つの仮説を提案した。一つは、先に延ばされる睡眠に関係し、もう一つは直近の精神的に過度な興奮と関係する（実際、精神的に強く緊張すると、ある種の神経伝達物質が大量に放出され、記憶のプロセスに介入して脳の機能を変化させる）。この二つの仮説から、記憶にはコンピュータゲームがもっとも悪影響を与えると説明できるだろう。映画の鑑賞者よりゲーマーのほうが興奮度は高く（したがって神経伝達物質の放出量が多い）、そのぶん睡眠にも悪い影響を与えるはずだからである。ちなみに最近の研究では、二つの仮説のうち睡眠説のほうに軍配があがっているようである[※140]。

こうして、子どもが宿題を終えてから1時間後、眠りにつく2時間前に、コンピュータのアクションゲームを60分間すると、翌日目覚めたとき、記憶の約30％は削除されている！　この欠損を数年間積み上げたらどうなるか？　しかもゲームをする時間が1時間を超え、夜寝る時間にまで入り込んだら？　あなたは欧州委員会がある報告書で結論づけたように「コンピュータゲームを許可する、ただし宿題のあと」[※141]と言えるだろうか？　そして、先のフランス科学アカデミー報告書の共著者の意見、「夜、テレビを観て2時間過ごす思春期の若者は、コンピュータゲームで遊ぶ若者より、翌日の授業で覚えがいいだろう。テレビは学習教材になるものだ」[※142]に賛成できるだろうか？　私には信じられない！

もちろん、子どもがはたから見ても異常なほど夜遅く寝て、悪夢や夜中の目覚めを繰り返し、学校でうたた寝し、イライラが激しくなったら、眠りの世界で何かおかしいことが起きていると他人の目にもわかり、子ども自分で感じることができる。事態が複雑になるのは、被害の程度があまりひどくないときだ。たとえば、普通に早く寝る子どもが、眠りにつくのに少し時間がかかるようになっても、あるいはいつもは礼儀正しい思春期の若者がほんの少しぼんやりしても、または睡眠時間は変わらないがほんの少し熟睡できなくなっても、本人やまわりの人には問題が目に止まりにくい。この無理解が重大な結果をもたらすことになる。睡眠に対するテレビのマイナス面を否定する親が多くなり（90％）、逆にそれを、子どもたちを寝かしつけるための習慣にしているのである[※116]（77％）。子どもの部屋にテレビを置いている親の3分の1は、テレビは子どもを寝かしつけるのに最高とまで断言している。[※143]データを見れば、この種の信者がいかに多いかがわかる。たしかに、夜テレビの前にいると、誰であれ最後は疲れてしまう。だから、テレビが眠らせてくれると考えたくなるのはわかる。しかし現実はまったく違う。夜のデジタル画面が眠気を呼び起こすわけではなく、疲れすぎてそれに負けてしまうだけなのである。言いかえると、「画面」は私たちが眠りにつく時間を遅らせただけなのに、それを人は「画面」が時間をかけて私たちを眠らせてくれたと信じている。それを証明する研究があるので紹介しよう。これは思春期の若者を対象に、眠るときにごく普通に行われている四つの活動で「眠くさせる力」を測定したものだ。四つとは、テレビ、コンピュータゲーム、音楽、本である。[※144]結果、睡眠補助としてデジタルメディア（テレビ、コンピュータゲームまたは音楽）を使用していた参加者は寝るのが遅くなり、睡眠時間も目立って少なかった（約30分）。対して本では逆の影響が観察され、眠りにつく時間も早まり、睡眠時間にもプラスの影響が見られた（約20分）。

結局のところ、これらのデータが明らかにしているのは、私たちが先祖代々受け継いできた生理機能は、現代のデジタルの指令にはまったく適応しないということだ。身体の組織はインスタグラムやフェイスブック、ネットフリックスやアクションゲームがなくても過ごせるが、最適な睡眠なしでは生きていけない。あるいは少なくとも、睡眠に重大な影響があってはいけない。生命維持にこれほど重要な機能である睡眠を、これほどくだらない娯楽に妨害されるとは愚の骨頂である。しかし犠牲者を非難することはできない。それは私たちに刻み込まれているからだ。デジタル活動は、私たちの脳の報酬系システムの弱みにうまくつけこみ、システムとして機能している。快楽を感じやすいという視点では、私たちの子どもの脳は昔の実験室のネズミとまったく変わらない。実験に使われたネズミたちは、報酬系システムの鍵となる一部の細胞に、機械的にタイミングよく電気で刺激を受けると、基本的な欲求（食事、繁殖など）を犠牲にすることができた。[※145]子どもや思春期の若者にとって、この生理的な仕組みと闘うのは本当に簡単なことではない。とくに、金儲け主義者の集団が、恥も外聞もなく、生物学的な弱みを商品の強みにする鍵をすべて、産業界に売り込んでいる時代である。

仮にこのデジタルの狂乱が子どもたちを幸せにするのなら、私たちは仕方がないと諦めることもできるだろう。しかしそうではない！　とくにここ数年、若者世代で、デジタル消費（影響が出るのは一般に一日2、3時間以上）と精神的な苦しみ（鬱病、不安症、不満足感、自殺など）に深い関係があることを示す研究がどんどん発表されている。[※146〜※165]「画面」の睡眠に対する影響は、この問題を説明するうえでの基本になるはずである。

「悪影響」への印象操作

「遊びの画面」が睡眠に悪影響を与えることはいまや科学界全体のコンセンサスで、問題を否定するのはほとんど不可能になっている。「画面」の悪影響を証明する研究がまだ出ていなかった十年ほど前は、「テレビの前で眠ることを非難する人がいるが、もしそれが本当に悪ければ、おのずとわかる」[※166]と主張する人はいたが、いまはもう誰もいない。いや、反対論者はもっと巧妙になっている。表立って反対するのではなく、影響を小さく見せるのである。そのいい例が、ある発達心理学者のつい最近の言葉である。ある一般向けテレビで「画面」の影響をテーマにした番組で、彼は最初に「画面」が睡眠に与える悪影響を認めることから話し始め、こう主張した。「これはおそらく、データが一致しているという点では唯一のテーマである」。一見、彼にとっては苦しい告白だが、詳細を話しだしたところで、すぐにトーンが落ちる。「思春期の若者のあいだでの睡眠時間の違いは、絶対値で8分、それも平均8時間30分に対してである。確かに影響はある、それはそうだが、はたして公衆衛生の政策として、このことを本当に問題にすべきなのだろうか？　あなたなら8分間をどう思うだろう？」。答えはすでに質問に含まれていると思うのだが、それはそれとして、8分は8時間30分の1・6％、事実として少ない。しかし問題は、これらの数字がまったく当てにならないことである。睡眠時間に関しては、最近の研究は確かに、中学生の平日の睡眠時間の平均は約8時間30分と明確にしている[※168]。しかしこれは全体的な数字で、その裏には大きな格差が隠されている。実際は中学1年生［日本の小6］の9時間から、中学4年生［日本の中3］の7時間25分までと開きがあるのだ。この数字と相通じるのが、フランスの「睡眠と警戒のための国立研究所」[※169]が発表した調査のデータで、それによると15歳から24歳の若者の睡眠時間は平均で7時間17分になっている。この数値自体、17か国の80個近くの研究を元にした国際的なメタ分析で確認されている。そこで打ちだされた平均の睡眠時間は、12歳から14歳で8時間03分、15

歳から18歳で7時間24分だった。[※170] ちなみにこれらの時間は、最適と勧告されている睡眠時間の幅を大きく外れている（それぞれ9～11時間と、8～10時間[※171]）ことを紹介しておこう。さて、「画面」が睡眠に与える影響に関して、先の発達心理学者が言及した元の研究[※172]で触れていたのは、影響が「8分」というのは、「毎日1時間の『画面』に対して8分間」で、これは大きな違いである。そのうえ、この数値は既存のデータを代表するものではまったくない。1950年代以降、アメリカの心理学者エレナー・マッコビー（1917-2018）が注目していたのは、テレビを購入した家庭で子どもの就寝時間が30分ずれたことだった。[※173] より近年の2007年、日本の研究チームが明らかにしたのは、学生たちが実験的に毎日のテレビ視聴時間を最大で30分減らすと、睡眠時間が7時間04分から8時間13分に延びたことだった。[※174] 最後に、ノルウェーでの大がかりな研究が明らかにしたのは、毎日4時間以上をコンピュータゲームで遊ぶ思春期の若者は、30分かそれ以下の若者に比べ、40分近くの睡眠不足を訴えたことだ。[※113] これがSNSのユーザーになると、睡眠不足は1時間を超えていた。イギリスで行われた11歳から13歳の中学生を対象にした研究では、平日の就寝前に携帯電話を頻繁に使用すると、睡眠時間が45分間削除されることが明らかになった。[※109] これはコンピュータゲームだとほぼ30分、SNSでは50分を超えた。加えて、すでに述べたように、「画面」による睡眠への悪影響は時間だけではないことを明らかにしておくべきだろう。質もまた重要で、見るもののコンテンツ（興奮や不安、暴力的なものなど）と同時に、夜の頻繁な使用にも注意すべきなのを忘れてはいけない。つまり、最初に触れた我らが専門家の問いに対してハッキリと言えるのは、睡眠に対する「画面」の影響は小さくはなく、この問題には明快な公衆衛生の政策が必要だということである！

座りすぎている現代人

睡眠以外に、あまり知られていないデジタルの害をあげるとすれば、その筆頭にくるのが座りすぎだろう。言っておかなければならないのは、これは些細な問題だからあまり知られていないのではなく、肥満の分野から解放されるのに時間がかかったのだ（肥満についてはあとで述べることにする）。

通常、座りすぎることは動かない時間が長いことから、否定的に定義されている。この枠組みでいくと、「座りすぎ」とは長いあいだ座ったままか、横になったまま（睡眠は別）でいることだ。一見普通なことから、問題を正確にしておくことが重要になる。実際、座りすぎといっても、人は座りすぎと同時に活動的にもなれる。たとえば郵便配達人は、日中は仕事でたっぷりと歩き、毎晩、ソファーに座ってテレビの連続番組に見入ることもある。同じく、ある高校生は定期的にサッカーをして走り回りながら、コンピュータゲームをするときは何時間も座りっぱなしでハンドレバーを操ることもある。この乖離を説明するため、研究者たちは最近「アクティヴ・カウチポテト」〔運動もするが座っている時間が長すぎる人〕という概念を提案した。[※175] この表現には二つのメッセージがある。一つは、身体を動かすことの影響（プラス）と、座りすぎの悪影響（マイナス）は別々に研究しなければいけないということだ。二つ目は、身体を動かすことがどんなに多くても、座りすぎの害を防ぐことは（いずれにしろ完全には）できないということだ。ただし本書では、問題の一般的な視点（職場、学校、交通機関など）については紹介しないことを明確にしておこう。私たちが座りすぎについて興味があるのは、遊びのデジタル画面に関連するものだけである。

座りすぎと死亡リスク

前置きとしておそらく、人間の身体組織は長いあいだ座り続けるようにはつくられていないことを思い起こすことが重要だろう。座りすぎは私たちの器官を痛めるのである。最悪の場合、早死にさせることもある。[※176]この悲しい現実は、きわめて一般的な、ある行動――テレビを見ること――の研究に基づいている。この分野での最初の研究の一つは、[※177]幅広い年齢の大人（25歳以上を9000人近く）を7年間追跡して行われた。その結果明らかになったのは、「画面」の前で毎日余分に1時間過ごすごとに、死亡のリスク（すべての死因をあわせて）が11％上昇することだった。心血管疾患だけではそれが18％だった。ほかの研究では、若い大人の大集団（約1万3500人、平均年齢37歳）が8年間追跡された。[※178]結果は、毎日のオーディオヴィジュアル消費が1時間以下から3時間以上になると、死亡リスクが2倍になった。より最近の研究では（参加者4500人、35歳以上）、遊びのデジタル使用全体でのデータが集められた。[※179]すると毎日「画面」で過ごす時間が2時間以下から4時間以上になると、死亡リスクが1・5倍になり、心血管疾患になるリスク（致命的ではないものも含め）に限ると2倍になった。

いっぽう最近は、多くの研究チームが基準を緩めてデータを作り直した。その結果アメリカでは、毎日のテレビ視聴時間を2時間以下にすると、平均寿命がほぼ1年半伸びたことがわかった。[※180]それに匹敵する結果がオーストラリアのチームから報告されたのだが、表現は真逆。[※181]研究者たちが示したのは、テレビの前に座りすぎると、その国の住民の平均寿命が2年短くなるということだった。表現は異なるものの、ここで言いたいのは「平均で、25歳以降、毎日のテレビ視聴時間1時間で、視聴者の命が21・8分減少することが予想される」。別の言い方をすると、広告も含め、テレビドラマの「マッドメン」や「ドクター・ハウス」、「ゲーム・オブ・スローンズ」を見るたびに、あなたの人生はほぼ22分間奪われるということだ。さらに、最近のメタ分析では、これらのデータから二型糖尿病のリスクも裏づけされている。[※182] また、ほかの研究では、確認がやや不十分ながらも、画面の見過ぎと座りすぎと感情の乱れ（鬱病、不安症、自殺など）には関係があることも報告されている。[※183〜※186] いっぽう高齢者になると、認識力の低下や神経変性疾患（アルツハイマー病など）になるリスクとの関係も観察されている。[※187]

現時点では、残念ながら、これらすべての観察を説明できるメカニズムはまだわかっていない。いちばん期待が持てそうなのが生化学による追跡だ。それによると、座る姿勢によって筋肉層に重大な代謝障害が生じ、それが長期的に積み重って危険になると推測されている。大ざっぱに説明すると、座りすぎにより脂質の代謝を司る酵素（リポタンパク質またはリパーゼ）の活動が減少し、血液中を循環する脂肪酸が回収されにくくなる。その結果、組織中（肝臓、心臓）や血管中で回収されなかった脂肪が集積して、心血管疾患のリスクが高まるということだ。[※175・※188〜※190]

思春期の体力がシニアレベルに

つまり、これらのデータから言えるのは、デジタル消費による座りすぎは、それ自体が公衆衛生上の重大なリスク要因であり、感情障害や神経変性疾患の（潜在的な）原因になるということだ。別の言い方をすれば、健康にいいからとスポーツをたくさんしても、毎日何時間もネットフリックスで動画を見たりゲームをしていれば、健康に害があるということだ。とはいえ、この説明は一般向けではないかもしれない。というのも実際、「アクティヴ・カウチポテト」は多数派ではないからだ。運動もよくするデジタル派は、じつはごく少数派である。これは時間を方程式にしてみると簡単に理解できる。「遊びの画面」に毎日4、5、6時間、いや7時間も使って、そのうえで運動に十分な時間を確保するなど至難の業である。さらに、多くの研究が、子どもや思春期、大人のあいだで「画面」と運動の時間は反比例することを証明している[※191〜※199]。ここ40年のあいだ、私たちの子どもの心血管容量が段階的に下がっているのが確認できることからも、この関係が間接的に透けて見える[※200〜※202]。それをうまく要約しているのが、フランス心臓病連盟の最新の公式発表だ。「１９７１年（テレビが普及し始めた年代に近い）、子どもは８００メートルを３分で走ったが、２０１３年には同じ距離を４分かけて走っている[※203]」。

もちろん、「画面」だけが原因ではない。運動不足を助長するものとして、都市化が進んでいることも大きな原因になっているのは明らかだ[※204・※205]。しかし、だからといって「デジタル革命」をこの責任から無罪放免というわけにはいかないだろう。しかも多くの研究が、画面消費と身体能力、とくに忍耐力低下に有害な関係があることを確認している[※155・※206〜※210]。たとえば、大人数の幼児を対象に（約１５００人の6歳児）行われた最近の研究で明らかになったのは、心血管系システムの発達を妨害するには、一日1時間の「画面」で十分ということだった[※211]。この分野では、長期的な縦断的研究がまだ存在しないにもかかわらず、観察される異常性が後年の疾病リスクの増加と関係していることについて、指数が一致している[※212〜※215]。たとえばここ30年間、大人の若年層で脳梗塞の数が目立って増えていることからも、この影響を一部説明できるだろう[※216・※217]。

運動によるよい効果は心血管系だけに限らない。運動は睡眠と同じように、個人の機能全体、肥満から鬱病のリスク、記憶、注意力、脳の発達まで、深くプラスに作用する[※218〜※223]。これらよい効果はしかし、「コスト」がかかる。子どもと思春期の若者に対して、毎日の緩急合わせた運動時間として相対的に一致している必要な運動時間は60分とされている[※224〜※226]。しかしこれはあくまでも最低ラインで、ひたすらこれ以上になることが求められている。ところで、入手できる研究すべてが指摘するのが、世界では国に関係なく、我らが「デジタルネイティヴ」はこの最低の目印に達成するのに大変な苦労をしていることだ[※227]。たとえばフランスでは、子ども（11歳以下）のわずか20％、思春期（11歳から17歳）の30％がこのラインを超えているだけである。[※228] 対してアメリカでは、6から11歳の43％、12から15歳の8％、16から19歳ではなんとわずか5％である。[※229] そして最近の研究では、現在、思春期の18歳の体力が、シニアの60歳とほぼ同じレベルであることが明らかになった。[※230] したがって、米国小児科学会の報告書の言葉を借りるなら、この「不活動の大流行[※231]」が、子どもにも思春期の若者にも、発達に甚大な影響を与えていることが簡単に理解できるだろう。もちろん、「画面」の時間を制限するだけで問題全体が解決しないのは当然だが、制限をすることで、被害を大きく減らすことができるのも明らかである。

神経生理学と「画面」

ここまで紹介してきた要因では、「遊びの画面」による悪影響は多くの部分で特定されていない、つまり、ツールやプログラムには関係がないことがわかっている。だからと言って、コンテンツの問題が重要でないということではもちろんない。それをこれから紹介していくことにしよう。そのためには神経生理学のメカニズムを識別することが重要で、それによって私たちの世界観がどうつくられ、そうしながら、私たちの行動がどう強制されているかがわかるだろう。それも無意識のうちが多いのである。

記憶——飼いならされた脳

アントワーヌ・ド・サン＝テグジュペリの有名な本『星の王子さま』に、孤独なキツネと寂しげな星の王子さまが出会う場面がある。[※232]「そばにきて、ぼくと遊んでくれないかな」と王子さまが提案する。「きみとは遊べない」とキツネが答え、「ぼくは飼いならされていないから」と言う。「ああ！　それは失礼」と王子さまが言い、それから好奇心にかられ、「『飼いならす』ってどういう意味？」と聞く。「それはすっかり忘れられていることだが」とキツネは答え、「『関係をつくりあげる……』という意味だ」。

まわりの世界を飼いならすために関係をつくりあげ、それに意味を与える……まさにこれが私たちの記憶がしていることである。というのも、人が考えがちなこととは違って、記憶は単なる記録の銀行ではない。まさに組織力のある知性、つまり、私たちが取得した異なる知識をそれぞれ接続させる能力のある知性なのである。[※233〜※235]そのプロセスは想像以上！　これらの知識がいったん接続されると、「同時に活性化」するという強い傾向がある。こういうことだ。もしあなたが記憶を司る神経網の、ある特別な接合部を刺激したら、そのネットワーク全体が振動しだし、思考や行動のために働こうとする。たとえば、「医者」という言葉がすぐに思い浮かぶのは、「看護師」という言葉を聞いたあとで、「パン」のあとではないことからも、この伝達の傾向を説明できる。[※236・※237]同じように、人は「眠る」という動詞を聞いていなくても、それに近い意味の「ベッド」や「休息」、「夢」あるいは「あくび」という言葉を聞いただけで、聞いた気になる。[※238・※239]

問題は、私たちの記憶は物事を関係づけることにおいて、残念ながらそう慎重ではないということだ。ここで注意すべきはとくに「時間的隣接性」による結びつきである。この場合のプロセスはかなり単純で、次のように要約できる。仮に二つの要因が同時に、しかも頻繁にあらわれた場合、その二つは、最後には記憶のネットワークで接続する。[※240・※241]たとえばワインを例にしよう。この分野では「経験」から、質の高いものは値段も高く、ボトルの値段が高いほど美味しいということを私たちは学んでいる。そのことで、値段の概念と喜びは、徐々に私たちの神経の迷宮のなかで結びつき、お互いに作用し合うまでになっている。それを見事に証明しているのが、カリフォルニア工科大学の研究者たちによって行われた研究である。[※242]そこでは、三つの結果が報告された。（1）同じワインでも、値段が高いほど評価がよかった。（2）この評価は、大脳皮質でも喜びの感情と結びつく特別な部位（内側眼窩前頭皮質）［意思決定のプロセスに対する感度を調節する部位］が活発化することに基づいていた。（3）味覚の情報を処理する脳の部位の反応は、ワインの値段に関係なく同じだった。別の言い方をすると、「このワインは高い」という考えが、一方では喜びの感情を司る神経を結集し、他方では実際の味覚に探知できるような影響を与えなかった。つまり、わかりやすく言うとこうなる。ワインの値段が財布に痛い場合、脳は味が同じでもそちらのほうが美味しいと評価する！

興味深いのは、同じ傾向は、一部の有名な食品ブランドでも観察されたことだ。その例としてよく引用されるのが、コカコーラとペプシコーラの味をそれぞれ評価する研究だ。最初の「目隠し」テストでは、健康な参加者が2個の同じコップに入った二種類の炭酸飲料を比べた。※243 大多数がペプシに軍配をあげた（55％）。二回目の「目隠し」テストでは、参加者は一回目と同じことをしたのだが、2点が違っていた。（1）コップの一つが明らかにコカコーラとわかるものだった。（2）2つのコップ共にコカコーラが入っていた（しかし参加者はそれを知らなかった）。すると好みの味がまったく逆になった。参加者の60％がコカコーラのマークのついたコップの味のほうがマークのないコップの味より美味しいと評価したのである。

次に、同じ研究が脳の前頭前野腹内側部（脳の前と下の部位で、ここには先のワインで言及した内側眼窩前頭皮質も含まれる）に障害を持つ患者で行われた。結果、確認されたのは、最初の目隠しテストでは大多数がペプシを好み（63％）、しかし二回目の目隠しテストではロゴの効果がまったく見られなかった。言いかえると、「コカコーラ／美味しい」の組み合わせは、広告戦略に莫大なお金を投資したメーカー側によって作られたもので、脳に障害を持つ患者に打ち砕かれてしまったのだ。この観察は多くの神経画像による研究でも確認されており、コカコーラが全体的に好まれるのは味覚で優れているからではなく、広告の力によるものなのだ。脳の内部の記憶網の中枢で、このマークとさまざまなプラスの感情が人為的に接続されたおかげだということだ。[※244・※245]

この種の傾向はもちろん、コカコーラに限ったことではなく、大人だけに見られることでもない。もっと若い世代の脳にも影響を及ぼし、ナイキやアップル、マクドナルドといった巨大ブランドの消費にも関わっている。現在よく知られているある研究では、4歳の子どもたちを対象に、同じ食べ物をどこのメーカーかわからないパッケージと、マクドナルドのロゴのあるものに入れて出し、味比べを行った。[※246]すると、フライドポテトでは参加者の77%がマクドナルドがいちばん美味しいと答え、ラベルのないほうに傾いたのは13%、違いを感じなかったのは10%だった。ナゲットでは、この割合はそれぞれ59%、18%、23%だった。年齢的な理由で神経生理学的な研究は行われていないにしても、年齢の低い子どもにも、神経網のなかでマクドナルドのマークとプラスの感情が結びついていることがはっきりしたことになる。まさに広告の大キャンペーンのおかげである。

行動——無意識が与える影響

当然ながら、「時間的隣接性」が結びつける力は、広告戦略が操作する分野をはるかに超えている。メカニズムは普遍的だ。たとえば、私たちがジェンダーや身体障害者、年齢、民族の起源、性的傾向などに関して抱く社会的ステレオタイプを構築するのも、かなりの部分がこの力である。[※247]もちろん、これらのステレオタイプは暗黙のうちのものが多い。私たちの無意識下の中心でとぐろを巻いているのである。[※248・※249]しかしそれが、私たちの行動を「自発的」あるいは「見識ある」と見せかけて、危険な方向にもっていくこともある。[※250～※253]それをもっともよくあらわすのが、ジェンダーで思い描くイメージだ。これは私たちの無意識下で働くことが多いのだが、私たちが他人に向ける視線だけでなく、自分たち自身のイメージにも深い影響を与えることがある。二つの研究がそれを見事に示している。最初の研究では、参加者は「ある科学的な研究を行うためのスタッフを雇う」必要があった。[※254]このときの人選で観察されたのは、男性を好む強い傾向だった。入手できる候補者の情報が性別だけのとき（写真から判断）、参加者（男性、女性に関係なく）が選んだスタッフは、男性が女性のなんと2倍だった。これに客観的な能力の情報が加えられると、女性を排除する傾向は減少したが、しかし消えることはなかった。興味深いのは、この選択が恣意的なもので、参加者のなかにあったジェンダーに対する暗黙のステレオタイプ（「女性は数学に弱い」といった類）を直接反映していたということだ。ちなみに、参加者にジェンダーに対するステレオタイプが存在することは、項目を結びつける標準的なテストで確認されていた。

二つ目の研究はもっと衝撃的だ。それによると、人はときに、根拠もなく自分自身の特性の犠牲になることが明らかになっている。[※255]アメリカのある有名大学に通うアジア系の学生が、三つのグループに分けられ、それぞれ特別な記憶ネットワークを活性化させるために巧みに考案された（プライミング効果と言い、先行する刺激の処理が後の刺激の処理を促進または抑制する効果のある）質問に答えた。（1）「中立」版（たとえば大学の電話サービスを使っているかどうか、ケーブルテレビとの契約を検討しているかどうか、など）。（2）「ジェンダー」版、「私は女の子、女の子は数学に弱い」というステレオタイプを活性化させる質問（たとえば、彼らのフロアは男女共用かそれとも単独の性か、ルームメイトはいるか、など）。（3）「民族」版、「私はアジア系、アジア系は数学に強い」というステレオタイプを活性化させる質問（たとえば、家で話すのは何語か、家族はアメリカに住みはじめて何世代目か、など）。そのあと三つのグループに同じ数学のテストを受けさせた。結果は、参加者が無意識のうちに受けたテストの影響を見事にあらわすものだった。問題をうまく処理した学生の割合は、「中立」版で49%、「女の子」版で43%、「アジア系」版で54%だった。つまり、参加者の記憶網のなかで「隣接性」によってつくられた関係「女の子／数学に弱い」や「アジア系／数学に強い」が、認識のパフォーマンスと見事に結びついたのである。

この結果にさほど驚かないのは、現在、社会的なステレオタイプ以外でも、同じような観察が多く報告されているからだ。たとえば、ある実験で老いを連想させる単語（シルバー、シワ、オールドなど）で文を構成していた学生たちは、そのあと実験室を出てエレベーターに乗るまでいつもより時間をかける。[※256]同じように、近くに置かれたコンピュータ画面（一般的に参加者からは意識されていない）からちらちら見えるのが、アルベルト・ジャコメッティの針のような人間の彫刻像と、痩せる話や体重、食事療法の情報だったとき、参加者は目の前に置かれたチョコレートを4分の1少なく食べる。[※257]同様に、人から握手をするよう頼まれた学生は、その前にサブリミナル効果（ほんの一瞬ながら読んだ意識にさせる効果）によって「力」や「たくましい」といった単語にさらされると、グッと圧力をかけて握りしめるようになる。[※258]これらのデータから浮き彫りになるのもまた、私たちの考えや行動の方向を無意識のうちに変えてしまう、見事なまでの「記憶の同時活性化」の力である。

誤解を避けるために、ここで問題にしているのは「物事を学習する」話ではないことを明確にしておこう。[※259]つまり、能力を構築する（バイオリンを弾くなど）、あるいは知識を記憶する（たとえば詩など）といった話ではなく、すでに構築されたイメージ同士を結びつけるということだ。必要とされる努力は最低限でよく、とくに注意力は必要としないのである。

つまり要約すると、私たちの記憶は単なる貯蔵器官ではなく、関係をつくりあげる器械だということだ。そのためにとくに利用されるのが「時間的隣接性」のルールである。ところでこのルールづくりは自動的に行われることから、ときに洞察力に欠けることがあり、有害な人為的接続を形成しがちなところがある。この接続はいったん形成されたら、私たちの知覚や表現、決断、行動の方向を強く変えていくのである。

「文化」の名で死を売る商人

ここで紹介した人間の記憶の弱点は、「視聴者の脳を利用できる時間」（元TF1の会長、パトリック・ル・レイの言葉として有名）を広告主に提供する世界中のオーディオヴィジュアルの商人、およびニューロマーケティング商法［消費者の脳に心地よい商品を開発して売り込む商法］の信奉者たちに、莫大な金になる前途洋々の未来を開いている。これらの人々には「心」というものがまったくない。私たちの子どもがデジタルを使用しているのをいいことに、躊躇うことなく、自分たちの利益のために、現代の世界の三大殺し屋に栄養を与えているのだ。つまり、タバコとアルコール依存症、そして肥満である。

タバコ

まず、問題の重大さを理解してもらうために、全体的なポイントをいくつかあげよう。タバコは年に700万人以上を殺し[※261]、うち50万人近くがアメリカで[※262]、フランスは8万人である[※263]。全体数では、パラグアイ[※264]またはアリゾナ州[※265]の人口が、一年ごとに地球から消えていることになる。集団としてみると、喫煙による疾患の世界的な経済コストは年間1兆2500億ユーログらい[※266]、一人当たりにすると165ユーロである。フランスのような先進国で、社会保障が万全な国では、タバコによるコストは毎年、一人当たり1800ユーロにまでなる[※267]。それでも国が文句を言わないのは、税金を吸い上げてポケットに入れているからである。ちなみ

にフランスでは、タバコで発生する医療費の40％をタバコ税がカバーしている。[※267]

もちろん、ここで問題にしているのはモラルではない。喫煙者を告発し、罪悪感を抱かせる意図はまったくない。重要なのはただ、タバコを吸わない子どもがある日、フィリップ・モリスやその他のタバコ産業の懐に落ちていくメカニズムを理解することである。WHO世界保健機関がいみじくも説明しているように「ユーザーの半数近くを殺す商品を売るには、広告戦略に素晴らしく精通していなければならない。タバコ製造業者は世界最高の市場売買人の一人である[※268]」のだ。言っておかなければならないのは、我らがタバコ産業は狡猾さと裏工作、悪巧みにかけては60年以上のキャリアを持っているということだ。その宣伝の巧みさにかけては、慎重なWHOも冷静さを失い、「タバコ産業の干渉」というタイトルの資料の核心部分で、つぎのように告発している。「膨大な金を持つ業界は、それを良心の呵責もなく、想像しうるかぎりもっとも不正に使っている[※269]」。リストにされた戦略のなかから、目につくものをあげると「科学で証明されたことの信頼性を傷つける」、「世論を操作して社会的に信用されているように見せかける」、「訴訟あるいは訴訟の脅しで政府を威嚇する」、「政治的、法的手続きを回避するよう操作する」などである。

それでも業界の立場は安泰ではないことを認めておこう。理由は三つある。一つ目は、多くの国で調整に追われ、何をしても完ぺきとはいかないなか、規制がますます厳しくなっていることだ。[※270]二つ目は、死因に加担していると考えられていることから、顧客を急激に失っていること。[※271]三つ目は、新規の喫煙者を募集するにも、その突破口が時代的に非常に限られていること。この点に関しては現在、喫煙者になるリスクが未成年に異常なほど高く、大人はそれほどでもないことがわかっている。たとえば喫煙者の98％は、吸い始めたのが26歳前、うち90％は18歳前である。[※272]そしてWHOがこの点でも強調するように、「子どもが初めてタバコを吸う年齢が低いほど、その後は定期的に吸うようになり、止める機会も減っていく[※268]」。

つまり、タバコ業界にとって、子どもや思春期の若者集団を幅広く顧客にすることは悲願でもあるのだ。そこへ思いがけず助っ人として介入してきたのがオーディオヴィジュアル産業というわけだ。創造の自由と芸術の重要性を旗印に、業界は我らが子どもたちに、日々タバコのステレオタイプをこれでもかと浴びせかけた。映画やテレビ番組で、タバコや葉巻はさまざまなものの便利で素晴らしいシンボルになったのだ。男らしさ（「ロッキー」のシルヴェスター・スタローン）、快楽（「氷の微笑」のシャロン・ストーン）、思春期の反抗（「理由なき反抗」のジェームス・ディーン）、先見の明のある科学者（「アバター」のシガニー・ウィーヴァー）、権力とセックス（「マッドメン」のジョン・ハム）、自由（エリック・ローソンなど、その他多くのマルボロの広告のカウボーイ……いずれもタバコの吸いすぎで亡くなっている）[※273・※274]などだ。なんという創意工夫！　最悪なのは、フランスをはじめアメリカ、ドイツ、イタリアなど多くの国で、これらの作品の多くが公的援助をたっぷり受けていたことである。[※275・※276]

すべては１９６０-70年代、映画やテレビとともに始まった。[※277・※278]タバコ業界にとって、これら「新しいテクノロジー」はタバコの普及と消費を促す大キャンペーンにはもってこいの武器だった。目的は単純だった。死を忘れさせ、タバコにできるだけプラスの効力を結びつけることだ。こうしてたとえばシルヴェスター・スタローンは、製作予定の５本の映画（「ランボー」と「ロッキー4」を含む）でタバコを吸うという契約で、50万ドルを受け取った初期の俳優の一人である。「タバコを病気や死ではなく、力や強さとリンクさせる」[※278]最初の一歩である。

現在、その問題は解決したと考えるのは間違いだろう。実際、50年前から続くこの非常識な言行は本当のところ何も変わっておらず、集団的に意識を高める動きも見えてこない。もっと悪いことに、この問題に言及するだけで[※279]、馬鹿げたコメントにさらされることになる。いわく「人はなんだって死ぬものさ」、「私が理

表２　映画でのタバコシーンの割合

等級		2002 年	2010 年	2014 年	2018 年
R 指定	%	79%	72%	59%	70%
	話の回数	47	35	54	42
13 歳以上	%	77%	43%	39%	38%
	話の回数	23	25	42	54
一般向け	%	29%	11%	5%	13%
	話の回数	8	7	9	6

対象となったのはすべて北米市場の映画で、上映後、少なくとも１週間は興行成績でトップ10になったもの。パーセントは俳優が喫煙するシーンのある映画。「話の回数」は俳優が喫煙するシーンの数。

解できないのは、熱狂的な映画ファンなのにタバコを吸わないことだ」など。[※280] はっきり言おう、人が病気になって死ぬのがわかっているのに、そのための予防措置を控えろということか？　喫煙より飛行機から飛び降りるほうが危険だからと言って、タバコの病的弊害と闘うのを諦めろということなのか？　これら馬鹿げた難癖はすべてうさん臭く、耐えがたいほど空虚である。少し前、アメリカのあるジャーナリストがこの問題を見事に総括していた。「私がときどきしてみたくなるゲームがある。そのゲームの名前は『人間が信じられなくなるまで、インターネットのコメントを何個読まなければならないか？』。ほとんどの場合、答えは1個だ[※281]」。

それでもまだ疑う人のために、現実の問題を紹介しよう。最近の研究で、２００２年から２０１８年まで北米市場（アメリカとカナダ）で上映された、興行成績の高かった映画（上映後、少なくとも1週間、収入でトップ10に入っていたもの）２４２９本が選別された[※282]。これらは当時の入場者数の95％を占めている。分析してわかったのは、これらの映画にタバコが「浸透」していた割合は、全体で60％近いということだ。しかし作品の等級により、大きなばらつきがあることもはっきりした。２０１８年度を見てみると、「制限」指定（R指定、17歳以下の同伴なしは禁止）の映画の70％に俳優が喫煙するシーンがあり、一作品につき平均で42話だった。「13歳以上」指定（PG指定、13歳以下の子どもには不適切な内容が一部含まれているので注意）の映画では、この数字は38％と54話だった。いっぽう、「一般向け」指定（G指定、全員に開放）の映画になると、13%と6話だった。表2を見るとわかるように、長編映画の喫煙シーンの割合は、データでは2002年から2010年までは全体に減少傾向に向かい、それから安定している。対して、作品ごとの喫煙シーンの回数に目を向けると、これがむしろ上昇しており、とくに思春期の若者を対象にした映画（「13歳以上」）でそれが顕著である。言い方をかえると、2002年以降、喫煙シーンのある映画は減っているのだが、タバコが登場する映画では喫煙シーンが増えているのである。これに近い結果はテレビでも報告されており、タバコのシーンが番組に占める割合は、「7歳までの子どもに推奨するテレビ番組」、「親の指導の元で推奨されるテレビ番組」、「14歳以下には不適切なテレビ番組」、「成人向けで17歳以下には不適切なテレビ番組」の順に、それぞれ0%、43%、25%、64%となっている。

これら数字のトリック以上に心しておかなければいけないのは、喫煙シーンは北米の作品、とくに「R指定」や「13歳以上」の映画ではいまなお大量に見られるということだ。しかもそれ以上に困るのは、これらの作品がどんどん輸出され、アメリカで使用されている等級システムが、全体的に、ほかのヨーロッパの国より厳しく[※275]——ヨーロッパでは、アメリカで「R指定」または「13歳以上」の映画が「一般向け」で上映されることが非常に多いのである。ここで念頭に置いておきたいのは、アメリカの製作者はここではどちらかというと優等生で、ただし、成績はまだまだということだろう。しかし、ドイツやイタリア、アルゼンチン、アイスランド、メキシコ、フランスなどはそれより悪いこともつけ加えておこう。[※275・285] ちなみにフランスの映画に関しては、ある研究で5年間（2005-2010年）の入場者数が多かった180本のフランス映画を分析している。[※286] 結果、作品の80%に喫煙シーンがあり、平均の時間は映画1本につき2分半だった。

もちろん、この喫煙問題は映画だけのことと思ってはいけない。最近の研究が取り組んだのは、ケーブルテレビや「ストリーミング」のサイトを介して配信される人気シリーズだ[※287]。その結果、研究者たちが観察したのは、ほとんどのケースで、タバコのシーンがまかり通っていたことで、とくに目立った作品は「ストレンジャー・シングス　未知の世界」、「ウォーキング・デッド」〔ゾンビによる世界の終末〕、「オレンジ・イズ・ニューブラック」〔女子刑務所が舞台〕、「ハウス・オブ・カード　野望の階段」〔政治ドラマ〕などで、これらはかつて大人気を博した「マッドメン」の後継者と言ってもいいだろう。

いっぽう、ここ20年、喫煙のうねりが新しいデジタル媒体全体[※288〜※299]——ＳＮＳ[※293〜※297]からコンピュータゲーム[※298〜※303]、ユーチューブの宿泊サイト[※304〜※309]にまで——押し寄せているのも明白な事実である。たとえば２０１３年から２０１７年にかけて、インターネットのさまざまなプラットフォームでもっとも視聴数の多かったヒップホップ系の音楽クリップの半数近くに、タバコの喫煙シーンがあった[※310]。同じく思春期の若者にもっとも利用されているコンピュータゲームでも42％に喫煙シーンがあり[※311]、それでもこの場合、テレビと同じで、作品の等級によるばらつきが大きかった。たとえば、「成人」指定〔17歳以上〕の作品では75％、「思春期」指定〔13歳以上〕では30％、「子ども」指定〔10歳以上〕では22％といった具合である。しかし、これらのラベルが本当はあまり守られていないことも心しておこう。じつに8〜11歳の22％、12〜14歳の41％、15〜18歳の56％が「成人」指定のゲームで遊んでいるのである[※312]。さらに、これらの数字は性別を混同しているので大幅に緩和されている。もし男子だけにしたら、8歳から18歳では50％以上がタバコのシーンにさらされていることになる。

この心配な現実をもっともよくあらわしているのが、コンピュータゲームのＧＴＡグランド・セフト・オートシリーズである。世界的に大ヒットしているこの作品はまた[※313・※314]、暴力と同じくらいポルノやタバコへの誘惑[※301]にあふれている。しかし、8歳から18歳までの男子の70％がこのゲームで遊んだことがあると言い、その内訳は8歳から10歳の38％、11歳から14歳の74％、15歳から18歳の85％である[※315]。この点を私なりに言い直させてもらうと、小学校4、5年生の10人に4人が、バーチャルな化身を通して、超暴力的な、ときに不条理このうえない行動を演じているのである。たとえば、信じがたい拷問、ベトナム戦争やアルジェリア戦争の最悪時と言っていいシーン、最低のポルノ映画も顔負けの、言葉に窮する性行為、などである。

つまり簡単に言うと、子どもと思春期の若者のデジタル世界は、タバコのイメージでいっぱいなようなのだ。テレビにしろ、コンピュータゲーム、SNS、ストリーミングにしろ、この押し寄せる波から逃れているスペースはどこにもない。当然だが、もしタバコの健康への影響が正直に紹介されていたら、何も問題はないだろう。しかし残念ながらそうではない。タバコを吸う喜びを見せびらかす俳優、歌手、ラッパー、インフルエンサー、インスタグラマー、ゲームの登場人物は、誰一人病気のガンを患ってはおらず、脳梗塞による失語症にも半身不随にもなっていない。年齢による白内障や筋肉の衰えにも悩まず、誰一人勃起障害はなく、胎児が奇形で生まれることもなく、免疫システムも万全だ。喫煙者は信じられないほど好意的に紹介されている。[※4・※297・※301~※303・※316~※319]しかもこれらの人々は、圧倒的に綺麗で知性があり、社会的な支配者で、クールで楽しく、反抗的で、男は男らしく、女性はセクシーだ。そしてそこにもちろん介入するのが、私たちの記憶のウィークポイントである。実際、判断が一時的に一致したおかげで、タバコの見方が神経網のなかであらゆるプラスの特性と接続し、そして結局、「喫煙」の接合部が一つのイメージ（誰かがタバコを吸っている）、あるいは一つの機会（吸おうとする）にそそられて刺激されると、行動とイメージが結びついた神経網全体が、決断のプロセスを無視して動きだすのである（クールでセクシーに、反抗的に、男らしくなど）。

思春期の若者が、喫煙のプラスイメージに繰り返しさらされたらどうなるか？　タバコに手を染める機会が増えるのは当然で、このことは現在、世界的な公衆衛生機関から発表される、さまざまなレポートで指摘されている。[※275・※320~※322]その一つ、アメリカ国立ガン研究所の論文ではこう要約されている。「長期的な横断研究と、実験に基づいた研究で得られた証拠の全体的な重みと、社会的影響力の視点からの理論的妥当性を組み合わせると、映画の喫煙描写と若者の喫煙開始に因果関係があることが示されている」[※323]。この表明は、多くの国で、さまざまな実験形式を元に厳しく行われた、数十件の研究に基づいている[※3・※4・※275・※288]。この豊富な実験結果が全体的に明らかにしているのは、思春期の若者が喫煙シーンに繰り返しさらされると、さらされない仲間に比べ、タバコを吸い始める機会が2、3倍になるということだ[※324~※332]。たとえば、よく引用される研究の一つに、10歳から14歳の子ども１８００人を8年間追跡したものがある[※333]。この研究では最初に、参加者全員が、幅広い映画のリストのなかから、それまで観たものを確認するよう頼まれた。研究者たちはそれによって、各参加者がどの程度タバコにさらされていたかを評価できた。結果、明らかになったのは、10歳から14歳の子どもでもっともタバコに浸透していた4分の1は、あまり浸透していなかった4分の1に比べ、8年後に常習的な喫煙者になるリスクが2倍になっていた。この観察でわかったことがもう一つ。喫煙者の35%は、早期に映画の喫煙シーンに浸ったことで、タバコの誘惑に負けていた。

ほかの同じような研究では、平均年齢12歳の思春期の若者が５０００人近く、24か月間追跡された[※334]。結果、二つのことがわかった。（1）思春期向け（13歳以上）の映画から喫煙シーンを削除したら、タバコを始める若者の数が18%減少した。（2）この削除に加え、年齢制限の記載（R指定）を厳密に守るようにしたら、喫煙を開始する数がさらに減少して全体で26%になった。ほかの研究では、１０００人の子どもたちが20年以上追跡された[※335]。結果、明らかになったのは、大人の喫煙者（26歳）の17%は、喫煙のきっかけと思われたのが、5歳から15歳のあいだに一日2時間以上テレビを観ていたことだった（つまり、このことがタバコのイメージを全体的に高めた）。これらのパーセンテージを大したことがないと思う人は、別の計算をしてみると面白い。喫煙者の数が20%減少（上記の研究から想定したほぼ平均）したと考えてみよう。数にすると、現在の世界の年間の死者を150万人減らすことになり、これはフィラデルフィアの人口に相当する。アメリカの場合、保健福祉省が発表した数字を元にすると、[※320]現在18歳以下の子ども100万人がタバコを吸わなくなり、タバコが原因の病気になって早死にすることもなくなるのである。

しかし、デジタル世界で山のように制作されるタバコの映像の被害者は、非喫煙者だけではない。喫煙者もまた、深刻な影響を受けているのだ。これはすでに話した「プライミング」効果〔事前に受けた刺激がその後の判断や行動に影響を与えること〕によるものだ。思い起こしてみよう、言わんとすることは簡単だ。脳がタバコにからむ刺激（タバコ、ライター、喫煙者など）を受けると、吸いたいという欲求を活性化させ、結果として、行動に移行するリスクがきわめて高くなる。このプロセスで二つの影響がある。（1）喫煙が日常的に増え、依存のプロセスをたどることになり、[※336]したがって喫煙の初心者、とくに思春期の若者がその後もタバコを吸い続けるリスクがある。（2）禁煙しようと努力している気持ちが揺らぎ、辛くなる。この点に関しては、テレビを観て過ごす時間が長い喫煙者はタバコをたくさん吸うことも観察されていた。[※337]同じく、「画面」でのタバコの刺激は喫煙者の視線をより頻繁に、より長く引きつけ、[※338]その場で吸いたい衝動を引き起こすことも明らかにされている。[※339・※340]この現象はかなり強烈で、生理学的にもっとも基本的な観点でも（皮膚温、大量の発汗など）検出できる。[※341]結局のところ、これらすべての要因が、欲望を満たす行動に導くとしても、驚くことはない。たとえばある代表的な研究では、20歳代の若い喫煙者100人が二つのグループに分かれ、8分のビデオクリップでタバコに関係する映像の入ったもの（実験グループ）と、入っていないもの（対照グループ）を観た。すると上映後の30分間、タバコを吸った回数は実験グループのメンバーが4倍多かった。[※342]最近の神経画像の研究では、脳に明らかに影響を与えることが画像でも確認されている。[※343]その研究では、やはり20歳代の喫煙者と非喫煙者の二つのグループが、タバコの刺激のシーンのある映画を観せられた。するとそれらの刺激は、喫煙者の脳のある部分を、非喫煙者に比べて2倍活性化した。それは（1）吸いたい欲望を発生させる部分と、（2）手の動作を計画する部分である。つまり、参加者の脳が喫煙の欲求を強く示し、動きのシミュレーションを行ったのである（または代わりにタバコに手で火をつける準備など）。

つまり、要約すると、デジタル世界のいたるところに喫煙の映像があると、タバコ産業にとっては利点が三つあるということだ。（1）新しい喫煙者を募集しやすくなる。（2）タバコを止めることを難しくさせる。（3）広告を削除しても、創造の自由を隠れ蓑にすれば、法的規制をくぐり抜けることができ、最終的には、法的な責任を追及されることなく、法の精神を破ることができる。

アルコール

上記で詳しく述べた連鎖反応は、タバコに限らずアルコールの分野にも広く当てはまる。これからそれを証明していくつもりだが、しかしタバコの項よりは簡略化しよう。実際、メカニズムはほぼ同じなので、退屈な説明を繰り返すよりそのほうがいいだろう。したがってここでは、おもにアルコール摂取にいたる因果関係に焦点を合わせることにしよう。

アルコールが原因で亡くなるのは年に300万人[※344]と言われているが、タバコと同じように、避けられる死因のトップグループに属している。未成年に関しては、科学界の考察は一致しており、アルコール消費で唯一安全なのは、一滴も飲まないことである[※345・※346]。世界のほぼ全部の国で、一貫して実施されているのは、法的な年齢以下へのアルコール販売を厳しく禁止することだ。フランスでは18歳、アメリカでは21歳[※347]、日本は20歳である。これらの「慎重さ」に理由が必要だとしたら、発達中の脳がきわめて弱い点をあげることができるだろう。思春期（ましてやその前）の飲酒は、脳が成熟するのを妨害し[※346・※348・※349]、長期的には依存症のリスクを高める

からである。[※346・※350]

ところで、アルコール消費量は多くの国、とくに先進国では減少しているようにみえるのだが、じつは若者のあいだでは高いままである。[※344] たとえばフランスでは、16歳の高校生の4分の1は定期的に飲酒し、少なくとも月に1回は酔っている。11歳の男の子の60%はすでに飲酒経験があった。[※351] これには「画面」も大いに関わっている。実際、デジタル空間にはいたるところに飲酒の映像があり、それも過剰なほど好意的に描かれている。[※309・※332・※352〜※364] たとえばある研究で明らかになったのは、テレビにおける非常識なほどの飲酒シーンの多さで、番組に占める割合は、「7歳までの子どもに推奨するテレビ番組」、「親の指導の元で推奨されるテレビ番組」、「14歳以下には不適切なテレビ番組」、「成人向けで17歳以下には不適切なテレビ番組」の順に、それぞれ3%、75%、73%、79%だった。[※283] この集中攻撃が、私たちの記憶網の特性でもある結合のウィークポイントを絶えず衝いてくるのである。そしてプラスのイメージに押し流され、記憶網は徐々にアルコールに羨ましいほどの特徴を結びつけていく。クール、お祭り気分、リラックス、反抗心などだ。これらの接合によって早期の飲酒が促され、いったんそれが定着すると、どんどん過剰になっていく（慢性化または飲み過ぎ）というわけだ。[※365〜※371]

たとえばある研究では、平均年齢13歳で、アルコールを摂取したことがないドイツ人の若者のほぼ3000人が追跡された。[※372] 1年後、アルコールに関連するコンテンツの映画（媒体に関係なく）を観ていた4分の1は、あまり観ていない参加者4分の1に比べ、親に気づかれずに飲酒するリスクが2倍、危険なほどに飲み過ぎになるリスクが2・2倍だった。

よいニュースは、タバコと同じように、親が気をつけると報われるということだ。ある研究で、飲酒したことのないアメリカの中学生2400人が、平均で18か月間追跡された。[※373] ここでは、アルコールに初めて手をつける可能性が、親がR指定の映画を子どもが見るのを受け入れる傾向によって評価された。そして、この教育的意義は、飲酒のリスクと深く結びついていることがわかった。期間中に子どもたちが飲酒に走るリスクは、「R指定は絶対ダメ」を基準にすると、「まれに」「ときどき」「いつも」がそれぞれ５・1倍、５・６倍、そして７・３倍だった。これらの結果は、そのあと１０００人以上の11歳から17歳のイギリスの若者を対象にした研究でも確認された。[※332] 飲酒シーンの多いコンピュータゲームを使った子どもたちは（大部分が「大人」向けで——たとえば「グランド・セフト・オートシリーズ５」、「マックス・ペイン３」、「スリーピング・ドッグス」など）、使わなかった仲間に比べて飲酒のリスクが３倍だった。

また、タバコと同じように、「画面」で誰かが飲酒しているのを見ると、すぐに飲みたくなることもつけ加えておこう。[※374〜※376] 言いかえると、脳がアルコールの刺激に直面すると、飲むという考えを活性化させ、結果として行動にうつすリスクが高まるということだ。同じ現象は炭酸飲料でも確認されている。[※377]

つまり要約すると、デジタル世界のいたるところに飲酒の映像があると、アルコール業界にとっては利点が二つあるということだ。（1）飲酒を始める年齢を実質的に下げる。（2）慢性的な消費量をうまい具合にふくらませる。

肥満

タバコとアルコールのあとは体重の問題に取り組もう。ここでも要点に焦点を合わせ、おもに太りすぎあるいは肥満にいたる因果関係を明快にすることに取り組むことにしよう。

世界を見渡すと、太りすぎの大人は20億人、子どもは３億５０００万人もいる。[※378] それによって毎年、約４００万人が殺されている。[※379] 問題の原因はいろいろあるとしても、現在はデジタルの習慣が、とくに子どもと思春期の若者たちに重大な影響を与えていることは、誰も反論しないだろう[※3・※4・※380〜※383]。きっかけとなるものは多くあり、睡眠と運動不足についてはすでに述べた。それに比べると、大型ロードローラー並みの破壊力を持つ広告の影響については、法的な規制を避けるためか、はっきりとは確認されていない[※384〜※386]。しかしここ15年、子どもと思春期の若者の肥満に対して、科学的文献や権威ある行政機関の出版物はすべて、食品の広告戦略が攻撃的かつどこででも見かける（テレビ、SNS、動画共有サービスなど）ことから、その悪影響を指摘してきた[※4・※387〜※396]。発表される研究は同じ結論を繰り返している。「多くの証拠が指摘しているのは、肥満の流行は、少なくともかなりの程度、アメリカ型食生活が支配する広告戦略が増加した結果である」[※387]。別の言い方をすると、「科学的文献が証明しているのは、子ども向けの食品の広告戦略は（a）大量で、（b）多方面に拡張しており（プロダクトプレイスメント［映画のなどの小道具として目立たせる］、コンピュータゲーム、インターネット、携帯電話など）、（c）ほとんどが栄養的に貧しくカロリーの高い食品のメッセージで構成され、（d）悪影響があり、（e）ますます世界的になって、各国が一国で規制するのが難しくなっている」[※397]ということだ。さらに発表されたばかりの学術雑誌を引用すると、現在「一連のしっかりした証拠があるのは、食品の広告戦略にさらされる子どもたちへの悪影響で、彼等は不健康な食べ物を好み、結果として健康に害を与えているということだ。現在の研究が提供する有益な洞察、説得力のある証拠の数々は、子ども向けの食品の広告戦略の制限を支持している」[※395]。

こうして、いくつか例をあげると、肥満になるリスクは、食品広告の多い民間テレビを観ている子どものほうが、広告のない公共テレビを観ている子どもより多かったことが確認されていた[※398]。同じく、この種の広告を禁止にすることをシミュレーションしたモデルによると、子どもの肥満が15から30％減少したことが計算されている[※399・※400]。これらの結論を元に、国際的な比較が先進国10か国（アメリカ、オーストラリア、フランス、ドイツ、スウェーデンなど）で行われ、子どもの肥満率は若者向けテレビ番組の食品広告の頻度とほぼ比例して増加することが確認された[※401]。

結局のところ、ここにも驚きはない。これらのデータもやはり、タバコやアルコールですでに述べたところに行きつく。ただ一つ違うのは、食品広告はいっさい制限されていない点だ。広告主は自由自在に私たちの子どものフレッシュな脳に働きかけ、その商品やロゴを刷り込めるのである。そうしていったん記憶の構造が感染したら、味覚の好み全体が悪影響を受け、広く販促されているハイカロリーな食品に向かっていくのである。このテーマで多くの研究が明らかにしているのは、子どもたちが加工食品や肥満を誘発する食品（スナック、ファストフード、炭酸飲料など）を要求して消費する傾向は、広告戦略の圧力が強いほど増えるということだ[※400・※402～※407]。ハイカロリーな食品摂取でエネルギーの過剰状態が続いたら、子どもたちの体型が変わってしまうのは当然だろう[※408・※409]。たとえばある研究が分析したのは、3歳で毎日1時間のテレビ視聴時間が体重に与える影響と、10歳になってあらわれる運動量と食事行動だった[※191]。結果はこうだ。「ジャンクフード」が多くなり（炭酸飲料、スナックなど。プラス10％）、果物と野菜が減り（マイナス16％）、週末の運動量も減少（マイナス13％）、そしてもちろん、ボディマス指数（体重と身長から算出して肥満度をあらわす指数）は高くなった（プラス5％）。この観察が不安を呼ぶのは、同じ傾向が子ども時代を過ぎてからも広がっていることが確認されたからである。実際、幼少期に取得した味覚の好みは一生続くことが多い[※410～※413]。それで説明できるのが、一部だが——とくに遺伝的な傾向は別にして——、子ども時代の肥満体質がいつまでも本人を悩ませるということだ。

これらすべてに加えて、当然ながら、これまで述べた「プライミング」効果の問題がある。というのも、「画面」で誰かが食べているのを見るとすぐに私たちも食べたくなるからだ[※390・※416]。言いかえると、脳は食品の刺激を受けると、食べるという考えが活性化し、結果としてつまみ食いをするリスクが高まるということだ[※17・※18]。

つまり、これらの要因全体が示しているのは、テレビはもちろん、デジタルの媒体全体に浸透している食品関連の広告戦略は、子どもと思春期の若者の肥満リスクを大きく引き上げるということである。

「基準」を製造するマスメディア

結局のところ、これまでの要素は、マスメディアのコンテンツには私たちの社会的なイメージを定型化する全能力があったことの反映でしかない。ユーチューブやドラマ、映画や音楽クリップ、コンピュータゲームなどは、まさに基準を製造する器械、つまり、暗に示されることの多い社会的ルールや行動、見かけ、期待を作っているのである。

中流階級の情報源

この点を初めて理論づけしたのが、現在はボストン大学の教授をつとめる社会学者ジュリエット・ショアである。1998年に発表されてベストセラーになった著書『消費するアメリカ人』〔岩波書店、2011年〕で彼女は、問題を直視しようとしないアメリカ人の消費主義に「画面」がはたす役割を見事に分析している。[※417]多くの資料を駆使した力作はしかし、簡単に要約できる。以前まで、私たちが自分と比べたのは近所の人たちであり、家族、友人だった。それがいま比較しているのは、テレビの「オルター・エゴ」、私たちの別人格というわけだ。中流階級にとって、この変化は信じられないほど社会的に後退した感覚を与えることになる。なぜならテレビの世界が提供した「本当の世界」は歪んだイメージだったからだ。マンハッタンに広大なロフトを所有し、郊外には大きな家、車は大型で（夫婦に一台ずつ）、シックなファッションとレストラン、などだ。結局のところ、ショアが言うには「80年代と90年代の物語は、何百万人ものアメリカ人が、より多くを所有しつつも、より貧しく感じてその期間を終えた」[※417]のだ。そして彼女自身の調査に基づき、こう明言する。「一人用のテレビが増え、男性も女性もテレビを観る時間が増えている。テレビとそれに費やす時間の関係で説明できるのが、テレビで見ることが普通と思う感覚をふくらませること（……）。テレビを観た結果、私たちの欲望のレベルが上がり、次々と人々に何かを買わせ――視聴していなければ欲しいと思わなかったものまでたくさん買うことになる。テレコムの資料で（当時存在したアメリカの電気通信企業で、1994年11月から1995年5月にかけて行われた調査が元になっている。従業員8万人以上）私が発見したのは、1週間でテレビ視聴の時間が1時間増えるごとに、年間で一人につき208ドル（現在の時価にして約360ドル）の支出が増えたことである」。テレビを毎日3、4時間視聴するとしたら、増える支出の総額は4368ドルから5824ドルのあいだになる！（現在の7567ドルから1万90ドル）。こうしてアメリカでは、社会的ステータス競争が始まり、借金とストレスと働きすぎによる疲弊が永遠に続くことになるのである[※418]。

肉体のイメージ

この独創的な観察が発表されて以降、オーディオヴィジュアルの持つ規範的な力が多くの分野で確認され、多くのデジタル媒体にも一般化された。体重の問題を例としてあげてみよう。たとえばフランスでは、医学的には健康な体重を謳歌している女性の60％と男性の30％が痩せたいと願っている[※419]。これは異常なことなのだが、メディア、とくにデジタルの媒体からほぼ共通して発せられる、極端に痩せた女性や極端に筋肉質の男性に対する賛辞を見ると、不思議なことではない。実際、私たちは毎日、映画や音楽クリップ、コンピュータゲーム、あるいはインスタグラムで、「異常」な体型（統計学上の言葉で）の画像の波に直面している。[※18] そして心配なのは、常軌を逸した肉体を繰り返し見ているおかげで、私たちがこちらのほうが正常で、自分たちは例外だと思ってしまうことだ。もっともわかりやすい例として、女性のケースを考えてみよう。このテーマは現在、驚くほどの資料の裏づけがあり、歪みを示す証拠が山のようにある。[※18] たとえば、1世紀も経たないうちに、ミス・アメリカの体重は普通からほぼ拒食症状態になった。[※420] 女性雑誌の表紙を飾るモデルや、痩せすぎがつねに問題になるファッションモデルも同じで、[※421~※423] こちらはすでに25年前から指摘されていた。[※424] ショーのトップモデルは女性人口の98%よりも痩せており、[※425] 平均して「普通の」女性より17センチ背が高く、体重は21キロ軽い。[※426~※428] テレビの「プライムタイム」シリーズ番組では、女優の3分の1のボディマス指数は痩せ気味で、肥満は3%。[※429] これが現実の生活になると数字がものの見事に逆転し、3分の1が肥満で、痩せている女性は2%となる。[※425・※430] これらのデータは当然ながら、メディアに浸透している肥満に対するネガティヴなイメージと無縁ではない。[※18・※431~※434] これもすでに述べたように、無気力、無為、不潔、不誠実、不器用、怠慢、無教養などなど、散々なのである。

この「現実の世界」とのギャップに、女性たちが激しい不満を感じ、精神的な苦しみを抱き（鬱症状、低い自尊心など）、摂食障害（拒食症、過食症など）に陥るのはよく知られている。[※18] ちなみに、この問題に関するメタ分析では次のように結論づけられている。「メディアにさらされることで、女性たちが自分の身体に不満を抱くことがごく普通になり、見かけへの投資が増え、摂食障害を受け入れる気運も増大している。これらの影響は揺るぎないように思われる。さまざまな分野を横断して研究した結果があり、実験的にも相関的な研究でも証明されている。したがって、メディアにさらされることと、女性が自分の身体にネガティヴなイメージを抱くことには関係があり、それは評価の方法や個人間のばらつき、メディアのタイプ、年齢、その他、研究の特性には関係ないことが見て取れる」[※435]。この言葉を見事に証明した実験に基づく研究がある。

ハーヴァード大学の研究者が、フィジー島のある州にテレビがまだなく、しかし近々、設置の対象になっていることに興味を持った[※436]。それを機に、その州の思春期の女の子を対象に、テレビが設置される前（数週間）と、設置されたあと（3年後）の2回、摂食障害が存在するかどうかが標準テストで評価された。結果、太らないために嘔吐すると告白する女の子の数が明らかに増え（0から11％）、テストで「リスク」があると判断された女の子の数はほぼ3倍になった。すべての家庭にテレビがなかったことから、研究者はテレビのある家とない家の参加者を比較することもできた。テレビのある家の参加者が「リスク」があると判断された数は、ない家の3倍だった。

性のイメージ

性行動も同じような結果を提供している。この分野では、ポルノの影に、「マッドメン」や「アバター」、「デスパレートな妻たち」といった、いわゆる「普通の」映画やドラマの悪影響が隠されてしまうことが多い。たしかに、普通の映画でのセックスシーンはそうあからさまには描写されない。しかしそれでも、現実として、多くの場合、かなり「無作法」なやり方（つまり、リスクのある可能性に触れず、避妊措置もしない）で紹介される傾向がある[※3・※4・※437〜※439]。たとえばテレビでは、リスクのある性行動のシーンの割合が、「7歳までの子どもに推奨するテレビ番組」、「親の指導の元で推奨されるテレビ番組」、「14歳以下には不適切なテレビ番組」、「成人向けで17歳以下には不適切なテレビ番組」の順に、それぞれ8％、65％、55％、91％だった[※283]。問題は、視聴者が無意識のうちに、記憶システムが結合する傾向から、この流れを行動の規範にしてしまうことだ。その場合、当然の結果として二つのことが派生する。簡単に性行為にいたることと、予防的な性行為を無視することだ。このことはまさに科学的文献でも報告されている[※440〜※445]。たとえば、テレビを対象にして行われたある研究では、13歳から17歳の思春期の若者約１８００人が一年間追跡された。[※446] その期間後、性描写の多い番組を見せられた参加者10％と、少ない番組を見せられた参加者10％を比較すると、初体験をしたと思われる者が、前者は後者の2倍だった。ほかの研究では、やはりテレビが中心で、12歳から17歳の思春期の女の子１７００人が3年間追跡された。[※447] この期間中、望まない若年妊娠を経験した女子は、性描写の多い番組を見せられた参加者10％で、少ない番組を見せられた参加者10％の2倍いた。研究者によると、この結果を受け、後続の研究が行われて確認されたのが、その悪影響がいつまでも続くことだった。「早期に（16歳以前）性描写の多い映画にさらされると、大人になって危険な性行動（たとえば、セックスパートナーの数が多く、コンドームなしで性行為をするなど）を取ることが予想される」[※444]。またほかの研究では、ラップ音楽のビデオによる影響が分析された。[※448] 14歳から18歳のアフリカ系アメリカ人の思春期の女の子５００人以上が、一年間追跡された結果、複数のパートナーを持ち、性感染症になった可能性が、ビデオを見なかった参加者に比べて、それぞれ2倍と1・6倍だった。

そしてポルノのあからさまな内容についてはなんと言っていいのだろう。先進国はもちろん、多くの国でポルノは制限されているが、まさに馬鹿げている。「わたしは未成年ではありません」のボタンを押すだけで、これ以上ないほどあからさまな動画にアクセスできるのだ（私が試したのは、大手ストリーミングのPornHubとYouPorn）。クリックするだけで、子どもはあらゆる種類の性行為にさらされ、そうしてたちまちジェンダーの最悪なステレオタイプを発達させ、危険で暴力的な性行為に目覚めていくことになるのである、[※3・※449〜※455] サディズム、屈辱的な行為、攻撃的な行為、乱行パーティ、予防なしの複数との関係、などである。ポルノでこれだけ子どもたちに寛容な大人が、レイプに対する予防や、コンドームの必要性、性差別の受け入れ難さなど、性行為の基本を同時に訴えるなど、とてもできないだろう。子どもたちが無制限にさらされている内容は、これらおぞましい行為を美化するものが多く、たとえば（ポルノビデオでよくある筋立て）、レイプされた女性が「またそうされたいと強く欲する」のは、「すました見かけの下に『あばずれ女』の本性を隠しているから」で、「最後は恥も外聞もなく、再び要求して暴行者の襲撃に屈する！」といったものである。これは一部の人気「アクション」ゲームにもよくある筋立てでもある。男性ホルモンと男らしさたっぷりのゲームは、女性を飾り物にして描く傾向があり、支配的な男性の単なる性の相手としてのみ紹介されることが多い。[※456] ゲームが、ジェンダーのステレオタイプや女性差別にネガティヴな影響を与えていることについては、次から次へと資料で裏づけされている。[※456〜※464] それでも疑う人は、本当かどうかを確認するために、すでに何度も話題にしているゲーム、「グランド・セフト・オート」の内容を一瞥してみるといいだろう。この暴力あり、ポルノありの大ヒットゲームは、何度も言わせてもらおう！　8〜10歳の38％、11〜14歳の74％、15〜18歳の85％に消費されているのである。[※315]

つまり、これらのデータ全体を考慮して明らかになるのは、オーディオヴィジュアルやデジタルのコンテンツには社会的規範を決定する大きな力があるということだ。それらは私たちの世界観を変えることで、私たちの行動のあり方に影響を与えている。それも目立たずに、防衛意識を目覚めさせずに行われることが多く、そうして私たちの神経組織の内側に刻み込まれていくのである。脳は素晴らしい器械だが、しかし非常にもろい器械でもある。私たちの無意識のうちに、山のような情報を、ただただ自動的に処理している。[※248・※252・※465〜※467] 機能的な視点で見れば、これは欠点だけでなく、まさに進化する奇跡でもある。この機能がなければ思考や決断の過程はまたたく間に飽和状態になるだろう。しかし、金儲け主義の視点で見れば、これほど問題なものはない。「利用できる脳の時間を売る」メディアの軍団にとっては、思わぬ授かり物。素晴らしいセキュリティホールとなり、その脆弱性につけこんで、人間の行動を方向づけ、操作することが可能になる。そして、正直なところ、これは集団的意識に早々に気づかれることはなく、近い将来に事態が回復する可能性も少ない。実際、これまでは一般的な情報伝達にすぎなかったものが、いたるところに指数関数的に増えているデジタルの監視ツールのおかげで、本質的に有害で、的の絞りかたも道徳に反するような行為になりつつある。[※468] 私たちがウェブ上に残す各痕跡、各データ、買い物、言葉、各訪問、クリック一つ、「いいね！」一つが、私たちの意に反して、いまや憂慮すべき決断に使用されている。こうして多くの国で、選挙コンサルティング会社「ケンブリッジ・アナリティカ」［かつて存在したデータ分析を手法とする会社］による操作が行われ、アメリカでは、フェイスブックのユーザー数百万人が残した個人情報を元に、各地で行われた民主的な選挙をゆがめたのだ。このケースはおそらく将来的に増えるであろう違反行為の先駆者になるのだろう。[※469〜※472] このスキャンダルのおかげで、一部の鍵となる有権者を大規模に狙い撃ちして影響を与え、彼らの投票先を変えさせるか、あるいは投票しないように持っていくことが、今後は可能になることが確認されたのである。しかし、これらの「ツール」がすでに広告のターゲットのために大規模に利用されている時代、このことはそれほど衝撃的なのだろうか？　いずれにしろこれは、グーグルやフェイスブックといった巨大デジタル企業のビジネスモデルでもある。

暴力

こうして、私たちの子どもを脅かすコンテンツのリストは伸びるいっぽうだ。タバコからアルコール、「ジャンクフード」からポルノ、消費主義から反吐がでそうなほどのステレオタイプまで、それも性行為、肉体、ジェンダー、体重、人種（この分野は言及しなかったが、大いに研究されてきた）[※473〜※475] にまで及んでいる。しかし、このリストには大きなものが欠けている。暴力だ。これはいまやデジタル空間のどこにでもある状態で、これらから私たちの子どもを守るのは不可能なほどになっている。最近も米国小児科学会が認めたように「暴力的なメディアにさらされることは、子どもたちの生活で避けられない構成要素になっている」[※476]。ところで現在、科学界で幅広く一致しているのは、これから詳しく述べるが、この大量の暴力が子どもの発達に深刻な悪影響を与えるという告発である。この問題では一般に、三つの点が考察されている。(1) 攻撃的な思考や感情、行動の激化。(2) 感情移入する力の減少と低下。(3) 安全ではないという主観的な感情が、根拠もなく誇張されること、である。それにもかかわらず、これもこれから述べるように、メディアでの「反論」は活発で、議論は決まって少数派の伝統破壊的な意見に縛られている。なぜここまでしつこく反論されるのだろう? というのも、暴力的なコンテンツが子どもたちの表現や行動に与える悪影響に関しては、50年以上にわたる研究から証拠も十分、反論のしようがないからだ! 実際、因果関係の視点から見ると、ここでもタバコやアルコール、性行為、肉体のイメージなどと同じである。なぜ暴力だけが、これら進行中の脳の弱点と関係なしでいられるだろう? 結局のところ、脳の機能から見たら、暴力的なコンテンツに悪影響がないほうが驚きなのだから。

暴力的なコンテンツであふれるメディア

すでに60年以上も前から、メディアの暴力的なコンテンツの影響は、科学者たちによって最大限に全方向で研究されてきた。媒体のばらつき(映画、ドラマ、コンピュータゲーム、テレビのニュースなど)や研究の形式(実験に基づくもの、観察によるもの、縦断的研究、横断的研究など)、人口(年齢、性別、民族など)、そして統計の方法はさまざまでも、結果には決してばらつきがなかった。暴力的なコンテンツは短期的にも長期的にも、つまり子どもにも大人にも、攻撃的な行動や感情があらわれるのを助長するのである。[※476〜※485] しかし攻撃的とはいっても、映画やゲームが男の子全員を血みどろの殺人者に変え、あらゆる種類の暴行や虐殺、大量殺人を犯すように導くということではない。また、暴力的なコンテンツだけが（あるいはおもな）攻撃的な行動の原因ということでもない。さらには、悪影響が無条件に、画一的に出るということでもない。ただ「単に」、暴力的なコンテンツにさらされた個人を見ると、言葉や身体による攻撃的な行動が、そのようなコンテンツにさらされていない個人より多く、より目につくということだ。そしてその平均的な影響は、さらされる強度によって大きくなりそうだということだ。したがってこの程度では、暴力的なコンテンツの攻撃性が高いと暴力的な行為にいたるとは誰も断言できず……しかしまた、誰もその可能性を完全に排除できないことになる。

問題は、米国小児科学会が強調するように、「メディアの報道でよく見かけるのは、暴力的なメディアと結果としての攻撃性を二面から描写するときに、セットで紹介する科学的研究が、残念ながら企業お抱えの専門家のものや、広報担当者、あるいは学術的に反対の意見であることが多く、そのことが研究データと科学的コンセンサスが欠けているという間違った認識を生じさせることになる」[※476]。実際に、「大衆向け」記事の多くは、科学的コンセンサスが欠けている方向に操作しているのが見え見えで、暴力的なコンテンツと攻撃的な行動の因果関係を否定している。[※486・※487] この嘆かわしい話に決着をつけるため、ある研究者グループが立ち上がり、問題を大々的に調査した。[※488・※489] 調査の対象になったのは、デジタル業界で働く数百人の科学者や、小児科医、親だった（図10）。結果、「明白なコンセンサスがある（……）。この結果に『議論』を要求しているのは少数の研究者だけで、圧倒的多数は、暴力的なメディアが子どもの攻撃性を高め、そこに因果関係があると信じている。小児科医のほうがもっとも確信を抱き、親もほぼ確信している」[※488]。最後の二つの観察に説得力

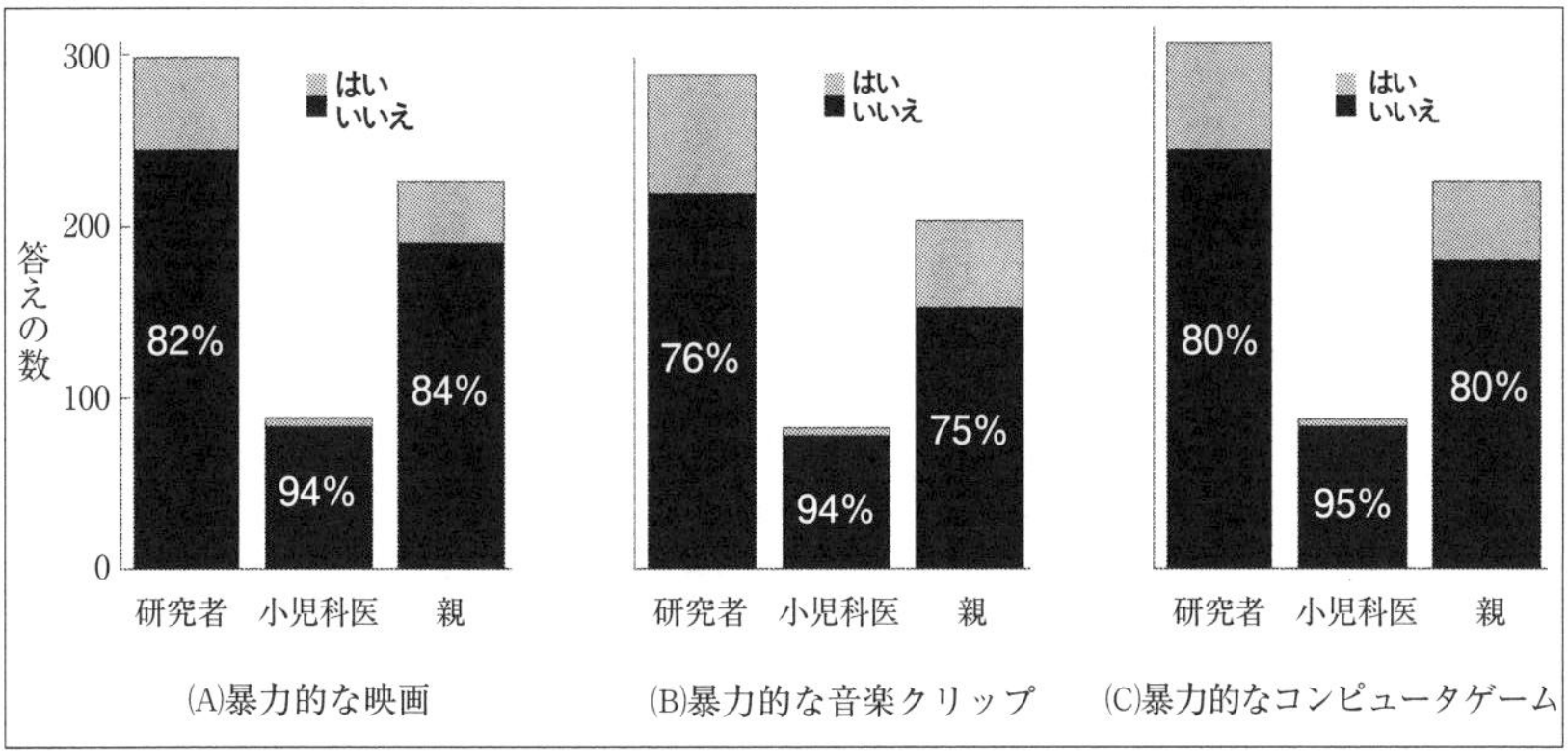

図10　暴力的なコンテンツの影響に関する幅広いコンセンサス

研究者（コミュニケーション学とメディア心理学、必ずしも暴力の専門家ではない）と小児科医、親は、(A)暴力的な映画と(B)音楽クリップ、(C)コンピュータゲームという三つの分野について、「子どもの攻撃性を高める力がありますか？」という問いに答えた。図を見てわかるのは、肯定的な答えが多く（「同意」と「強く同意」を「はい」とみなした）、否定的な答え（「同意しない」と「強く同意しない」を「いいえ」とみなした）を圧倒している。図では「意見なし」（調査対象の15%）を省略している。というのも「回答なし」は感覚的にわからない（「このテーマについてよく知らないので答えられない」など）からなのか、それとも、不確か（現状の知識では答えられない、など）だからなのか、わからなかったからである[※488・※489]。

があるのは、臨床医と親は、研究者以上に、暴力的な「画面」が子どもの行動に影響を及ぼす可能性に身をもって直面しているからである。ここで親の答えがとりわけ安心材料なのは、親として問題をきちんと把握し、業者側の操作に騙されていないことをはっきりと示しているからである。

じつは、これらのデータに関してもっとも驚くのは、ここで観察されたコンセンサスが科学界ではまったく重要視されていないことである。それについては、調査された学術的なサンプルに特性が欠けていたことが考えられる。実際、もしこの分野の専門家だけ（つまり、暴力的なコンテンツの影響について直接的に研究する専門家）が中心になった研究なら、たぶんもっと声高に全員一致のレベルにもっていくことができただろう[※490]。それが証拠に、政府機関[※491・※492]や、医療機関[※476・※482・※493〜※495]、学術機関[※481・※496]の名のもとに集合した超専門家のパネリストの大半が、同じ結論を表明している——アメリカだけでも名前をあげると、米国小児学会、アメリカ心理学会、アメリカ精神医学会、アメリカ青少年児童心理学会、社会問題心理学会、米国医師会、アメリカ家庭医学会、攻撃性に関する国際学会、アメリカ外科医総長、アメリカ国立衛生研究所——。それは「広範囲な研究の証拠によると、暴力的なメディアが攻撃的な行動や暴力の脱感作《だつかんさ》、悪夢、害を受ける恐怖感の原因になっているのは明らかである」[※494]となる。これらに加えて、一連のメタ分析や、厳密に行われた学術雑誌の研究でも、同じ結論に達している[※477・※478・※480・※483・※484・※497〜501]のはもちろんだ。

つまり、入手できるデータ全体を時間をかけて真面目に分析してみると、この問題にいまだに決着がついていないほうがおかしいようにみえるのだ。すでに1999年、『ニューヨーク・タイムズ』紙で、アメリカ心理学会の事務総長はこう宣言していた。「証拠は圧倒的で、異論を唱えるのは重力に反論するようなものである」[※502]。それなのに議論はいまも続き、メディアを介しての異論は相変わらず活発だ。この問題を客観的にとらえられるのが、2000年代初頭に行われたコンテンツに関する研究だろう。当時、二人の研究者がアメリカの大手メディアが暴力的な映像の問題に微妙な視線（はっきりと肯定しない）を投げかけていたことについて、真面目に考え始めた[※503]。記事に反論する権利を『ニューズウィーク』誌に拒否された二人は、少々気分を害し、最後の賭けのつもりで量的な視点で研究を行う決心をした。そのために彼らは、研究文献を読みあさることから始め、ここ4半世紀の科学的知識とメディア表現のそれぞれの変遷の比較に取りかかったのだ。結果、その間に推移が逆転していたのである。1975年から2000年のあいだ、暴力的なメディアが行動に悪影響を及ぼすことに関して、科学の「確信」が高まるほど、メディアの表現は論点をぼかし、安心させるものになっていたのだ。言いかえると、学術的研究が問題の現実を強調するほど、ジャーナリストは態度を曖昧にし、読者に慌てることはない、問題はあったとしても「現実の生活」への影響は些細なものであると説明していたのである。不安は的中。歪んだ事態はこのときから何も変わっていなかった。

最近の研究結果によると、メディアの後ろ向きの姿勢は時とともに強くなるいっぽうである。[※504] ２０００年代初頭は、「断定的な」プレスの記事（メディアの暴力と攻撃的な行動に明快な関係があるのを認める記事）は「中立的な」記事（断定できないと強調する記事）の２・２倍あった。それが10年後、科学界ではつねにコンセンサスとして存在するにもかかわらず、その関係は逆転し、「中立的な」記事のほうが「断定的な」記事の１・５倍になっている。興味深いのは、断定的な記事の書き手に女性が多く見られることだ。コンピュータゲームは男性のほうに愛好者が多いことから、[※505] たぶん問題を認めたくない傾向にあるのだろう。[※506] この分野に関係のない研究者やメディア業界、消費者側につく「特定の」情報源の記事が増えるにつれ、「断定的な」記事が減っていたのも驚くことではない。

もちろん、買収された無能な偽専門家が異議を唱えるだけで、科学の知識とメディアのあいだにできた対立は説明できない。しっかりと断定する知識の強固な塊に疑いの目を効果的に差し込むには、同じ研究者を母体にしたところから反論が発せられなければならない。つまり、信頼できる大学関係者からのものでなければいけない。この点に関して、これ以上効果的だったことはない例として、いまやすっかり有名なのがクリストファー・ファーガソンだ。フロリダ州のステッソン大学の教授でもあるこの心理学者は、もう何年も前から、メディアの暴力的なコンテンツと攻撃的な行動には何の関係もないと、繰り返しメディアで宣言し、[※507〜※509] 学術的な論文を発表していた。[※510〜※515] これらの出版物にはしかし、悪い癖が見受けられ、目標達成のための回りくどい手段や、方法論的に危惧すべき概算が用いられていた。[※477・※478・※488・※516〜※518] 最近の代表的な例を一つあげてみよう。これはファーガソンがメタ分析で行ったもので、目的は、コンピュータゲーム（とくに暴力的なもの）が行動と認識機能に及ぼす悪影響についての議論に決着をつけることだった。[※511] それによると、この研究者はまたしても、コンピュータゲームには攻撃的な行動や学業成績、注意力不足に些細な影響しかないことが「わかった」としているところが、そんな彼の研究についに楯突いたのがニューヨーク市立大学教授のハンナ・ロスシュタインだった。[※519] メタ分析の方法論の専門家として国際的に知られる彼女は、難解なテーマのために特別なソフトを共同開発し、[※520] 書籍[※521～※523]や記事[※524～※526]の形で多くの参考図書を発表していた。そしてその結論は、その前にファーガソンの記事を受け入れた雑誌で紹介されたのだが、記事のタイトルからして辛辣だった。「メタ分析の再調査で方法論と内容に間違いを発見！ ほかのメタ分析を怒らせる」（ファーガソンの記事のタイトル「怒る鳥が子どもを怒らせる？」をもじったと思われる）[※519]。この記事では、方法論的、統計的に間違っていた点の長いリストをあげたあと、こう結論づけている。「私たちは（ファーガソンによってメタ分析に使われた）データの正当性、信頼性をいっさい信用していない。影響の大きさは部分的でかつ修正され、正しくないうえに、そこから解釈することと自体不可能である。さらに、私たちが恐れるのは、読者（親、小児科医、政治家など）がそれを鵜呑みにすることである。なぜなら、このメタ分析が出版されたのは権威ある雑誌――『心理学の展望』――で、コンピュータゲームが子どもに及ぼす影響の研究としてお墨つきを与えていたからである。ところがそうではない。この研究には致命的な欠陥があり、この雑誌でも、ほかのどんな雑誌でも発表されるべきではなかった」[※519]。科学的文献の巧妙な言葉遣いを知っていると、このコメントが言わんとすることは明快である。

しかし、百歩譲って、ファーガソンの研究がしっかりしたものであると認めたとしても、結局のところ、大勢に変わりはないだろう。実際、入手できる研究全体を混ぜ合わせてみると、網羅的なメタ分析（かつ正しく行われている！）のなかに、彼のような完全に王道から外れた研究（または立ち位置）があることはあり、それが統計的にみて異常な形となっているのだ。[※477・※478] つまり別の言葉で言うと、ファーガソンのような研究者は、ほかの大多数の研究者に対して何をしても太刀打ちできないのである。現実として奇妙だが……しかし実践的でもある。というのも、こういう発表の場のあることが、いっぽうで「世界を騙しつづける科学者たち」

にとっての強力な武器になっているからだ。そしてこれがいまも続いているのも、大手メディアのあいだで間違った「公平性の教義」がまかり通り、賛成反対を含めてすべての「分野」の考えが同等に比較できることを強制しているからである。[※278] ということはつまり、異常な研究がその他多数のコンセンサスと同等のものとして受理されるというわけだ。こうして、暴力的なイメージの影響についての議論も、20年前に権威ある雑誌『サイエンス』にすでに書かれていたように続いているのである。「今後ももっと長く続くだろう、喫煙とガンの論争が、科学界で喫煙がガンの原因であると知ってからも長く続いたように[※527]」。しかしおそらく、そろそろ正しいデータに目を向け、そこで断言されていることを現実として確認すべきときだろう。

「攻撃的な」人間の作り方

ではコンテンツの研究から始めよう。これらが示しているのは、タバコやアルコール、性行動で観察された観点は暴力にも通じるということだ。デジタルの世界では、暴力はどこにでもあるだけではない。同じように価値が高められ、あらゆるプラスな特徴と結びつけられている。金、不屈さ、（男性なら）男らしさである。そして多くの場合、いかにも魅力的に紹介され、正当な手段でもあるかのように描かれている。対してそのトラウマ的な影響は、短期的にも長期的にも驚くほど過小に評価されている[※3・※4・※494・※528]（映画「ロッキー」の各シリーズで、百回も強烈なパンチを受け、どこの誰が神経に重い後遺症を受けずにすむだろう？）。そう、もう一度言おう、この押し寄せる暴力の波は、子どもや思春期の若者に目に見える悪影響を与えている。[※476〜※478・※480〜※485・※491〜※501] そしてこれは短期的に長期的にも観察されている。

まず短期的な影響から見てみよう。これはすでに述べたプライミング効果に基づいている。考え方は簡単だ。暴力的な刺激や行動にさらされると、攻撃性に関連する記憶網が活性化し、敵意のある行動に出やすくなる。何十という研究がこのメカニズムを証明している。たとえば、そのなかの一つの研究は、ある質問に正しく答えられなかった未知の人物に、若者が強度を自由に選べる（1から10）電気ショックを加えなければいけないというものだった。[※529]実験はまず、脈絡のない単語を元に文を作ることから始まった。単語は、「中立」（たとえば「ドア、オープン、固定」など）か、「敵意を含む」（「殴る、彼、彼女、彼ら」）もののどちらかだった。この結果が示したのは、そのあと行われた実験で、「敵意を含む」グループの参加者は「中立」グループに比べて、より強度の高い電気ショックを使用したことだった（プラス50%、3・3対2・2）。別の似た研究では、「礼儀正しい」（尊敬、丁寧、辛抱強いなど）単語、または「行儀のわるい」単語（邪魔をする、困らせる、引き裂くなど）から文が作られた。[※256]この作業を終えたところで、参加者は実験者の前に顔を出さなければならなかった。その場は会話で盛り上がったのだが、乱暴に議論を中断した参加者の数は、「行儀の悪い」グループのほうが、「礼儀正しい」グループより4倍多かった（63%対17%）。

この結果は当然ながら、オーディオヴィジュアルの「プライミング」でも同じだった。たとえばある研究では、参加者の若者がまず、暴力的または非暴力的な短編ビデオを見せられた。[※530]次に、参加者は画面上にさっとあらわれた文字列を見て、瞬間的にそれらが本当の単語かどうかを見極めなければならなかった。前もって暴力的なビデオを見た個人は、非暴力的なビデオを見た仲間より、「攻撃的な」単語（破壊、害、痛いなど）をより速く認識した。対して中立的な単語のグループでは違いがいっさい観察されなかった。別の研究では、学生が4日続けて4本の暴力的または非暴力的な映画を見せられた。[※531]それぞれの上映が終わるごとに、学生は映画についてメモをしなければならなかった。5日目に、研究は中断すると告げられ、その代わり、顔認識の作業をするよう言われた。そのあと、学生たちは次の作業を監視する2人の実験者を評価するように求められた（「彼らは礼儀正しいか？」「1から10段階で」、「奨学金をもらえる価値があるか？［イエスかノーで］」など）。

そうしてわかったのが、第一段階で「暴力的な」映画を見させられた学生のほうが、「中立的」な映画の学生より敵意のレベルがずっと高いことだった。たとえば後者の多くは、実験者は非常に礼儀正しく（プラス29％、4・5対5・8）、奨学金を受ける価値がある（プラス23％、43％対63％）と評価したのである。同様の結果は、施設に収監された非行少年の研究でも観察された。[※532] 一週間のあいだ、一つのグループは「中立的な」映画に、もう一つは「暴力的な」映画にさらされた。結果、後者は前者に比べて暴力的な行動がいちじるしく増えた。

当然ながら、多くの研究がもっと若い世代でもこれらの行動が一般化していることを示している。たとえばある研究では、4歳から6歳の幼児が二つのロボットで自由に遊ぶよう誘われた。[※533] レバーの圧力に応じて、一つ目のロボットは、ボールが1個飛び出し、それがぐるぐる回って障害物を飛び越え、元の位置に戻るというものだった。二つ目は人形を動かし、それが棒を使って横の人形を打つというものだった。この前に、子どもたちは「中立」または「暴力的」なイメージのアニメを見せられた。暴力的な条件にさらされた子どもたちは棒で打つ人形に関わりたい欲求が強くなり、その使用頻度は中立のアニメグループが29％だったのに対し、50％だった。同じ結果は、少し年上の子どもたち（5～9歳）を対象にした同様の実験でも得られた。子どもたちはまず、暴力的な映画または陸上競技のスポーツ番組（跳躍、競走など）を見せられた。[※534] そのあと、ほかの子どもの動きを見て助けるか、妨害をするかが観察されたのだ。結果は予想通り、「暴力的」な条件下におかれた子どもに敵意のある行動が多いことが確認された。

最近になって、これらの観察はより積極的に行われるようになった。その代表的な研究では、学生が3日間続けて、毎日20分間、暴力的または非暴力的なコンピュータゲームをさせられた。[※535] 一回のゲームが終わるごとに、参加者は「曖昧な」物語の続きを想定して完成させるよう要求され、そこにおける敵対的な期待度が測定された。その後、各参加者は直接に対決する状況――突然あらわれるバーチャルな合図に答え、相手より早く返事をする――に置かれた。各対決後、勝者は敗者にヘッドホンを介して、音で攻撃することができ、その強度（1から10）と長さ（0から5秒）を自由に調整できた。その結果について、研究の著者たちはこう書いている。「予想通り、攻撃的な行動と敵対的な期待は、暴力的なゲームのプレーヤーでは数日にわたって増加したが、非暴力的なゲームのプレーヤーでは増加しなかった。そして攻撃的な行動の増加は、一部は敵対的な期待によるものだった」。こうして研究が終わると、攻撃的なスコアの平均は（強度と持続時間のデータを集めて計算）、「暴力的」なグループ（6・8）が「中立」のグループ（4・1）の1・7倍だった。これに相通じる結果は、小学校高学年（8〜10歳）を対象に行われた、より「エコロジーな」研究でも得られた。[※536]そこでは6か月間、メディアの媒体（コンピュータゲーム、テレビ、DVD）にさらされる時間を減らす実験が行われたのだが、結果、攻撃的な行動は目に見えて減った。この結果は、かなり昔の観察とも呼応する。それはカナダのある村にテレビが登場して2年後、学校での休み時間に観察されたもので、身体と言葉による攻撃的な行動がそれぞれ2・6倍、2倍と大きく増加したことだった。

つまり、メディアの暴力的なコンテンツが短期的、中期的に影響して、敵対的で攻撃的な行動となってあらわれるのは明白なのだ。しかし長期的な影響はどうなのだろう？　この問題に関しては、実験的に取り組めないのは明らかで、縦断的、横断的な疫学的研究を行う必要があるだろう。原則として標準的なやり方でいいだろう。共変動を適切に考慮し、暴力的なオーディオヴィジュアルを大量に消費すると、攻撃的な行動になる個人が非常に多いかどうかを確認するのである。結果はここでも明らかだ。たとえば、ある研究で明らかになったのは、幼稚園（4歳）でテレビを1時間視聴するごとに、小学校（6〜11歳）で暴力的になるリスクが9％上昇することだった。[※538]この結果はおそらく、「画面」に暴力的なコンテンツが頻繁にあったからだと思われる。実際、それを補足した形のほかの研究で確認されたのは、幼児期（2歳から5歳のあいだ）に暴力的なテレビ番組（映画、スポーツ、アニメなど）にさらされると、5年後に行動障害になる可能性があることだった。[539] この場合、影響が大きかったのは男の子だけで（女の子の4倍）、教育的または非暴力的な番組では見られなかった。ほかの研究では、6歳から10歳の子どもたちが15年間追跡され、[540] 大人の年齢になって、子ども時代に暴力的な映像を多く見た者（全体の20％）対、あまり見なかった者（同80％）で、攻撃的な行動に出る割合が比較された。男性の結果で明らかになったのは、前者のほうが妻への暴力（1・9倍）、法律違反（3・5倍）または道路違反（駐車違反は1・5倍）の可能性が高いことだった。女性で目立ったのは、夫に物を投げる（2・3倍）、ほかの大人を攻撃する（4・8倍）、過去の犯罪行為（1・9倍）といった行動だった。さらにほかの研究では、アメリカ人の思春期（9〜12歳）と日本人の思春期（12〜15歳と13〜18歳）が、それぞれ3から6か月間追跡された。[541] 結果は文化的背景が異なっても同じで、研究が始まるときに暴力的なコンピューターゲームを定期的にしていた子どもは、グループによって、攻撃的な行動に出る可能性が2倍から3倍になった。ほかの研究では、アフリカ系アメリカ人の思春期（14〜18歳）を対象に、ラップビデオの影響が評価された。[448] 12か月の追跡後、当初もっともビデオを見ていた参加者は、教師を殴る回数が増え（3倍）、逮捕される（2・6倍）か、麻薬に走る回数も増えた（1・6倍）。

　このような例ならいくらでもあげることができる。異なるコンテンツ（ポルノなど[452]）や集団（年齢、文化、社会経済的な出身[542〜545]）の結果まで広げることができるだろう。しかし、いずれも結果は同じで、そんなことをしても大勢に変わりはない。それよりここでもう一つ取り組まなければならないのは、因果関係が間違っている可能性だ。考えられるのは、観察された影響が「画面」の見過ぎから行動に及ぶのではなく、逆に行動から「画面」に及んでいる可能性はないのだろうか？　言いかえると、単に個人が「生まれつき」攻撃的だから暴力的なコンテンツに惹かれるということだ。この仮説に関しては、攻撃性をコントロールする方法や、さまざま特別な統計ツールによって否定され、因果関係の原因は「画面」にあることがはっきりと証明されている。[※540・※541・※543〜※545] 残るは、このメカニズムの特性を理解することだ。二つの道筋がとくに確率が高そうだ。規範の流用と、「脱感作」である。

最初の規範の流用については前項ですでに触れた。これは社会的規範の一部を、無意識のうちに代理のものを吸収して、徐々に自分のものにしていくことである。[※546] この場合は、暴力的なコンテンツに繰り返し直面することで、子どもは暴力や攻撃性が人間関係の争いを効果的に解決することを学び、それを身につけたらいいと思い、羨ましいと思うまでになっていく。[※545・※547〜※550] これらの思い込みが、最後には精神生活全体に染み込んでいくことは、次の研究が明らかにしている。[※551] 学生（18歳）が意味の連想テストを受け、無意識の記憶網のなかに「自身」と攻撃的な特性を関連づけるものがあるかどうかが確認された。その結果、暴力的なコンピュータゲームのユーザーにとくに強い関連性があることがわかったのだ。[※551]

脱感作とは、習慣による現象で、元々の刺激の効果を徐々に失っていくことである。これは基本の生物学的なプロセスで、神経的な反応が徐々に低下していくこと、[※552] たとえば、自分の匂いには意外と早く無感覚になることで説明できるだろう。[※553] ここで取り上げるテーマに関しては、「許容できる暴力」という概念で要約できるだろう。生理学的な視点で定義するとしたら、暴力を否定的な感情でとらえなくなる最高閾値である。現在、明確に確立されているのは、この閾値は子ども、思春期の若者、大人では、暴力的なコンテンツにさらされる時間によってばらつきがあり、暴力に浸っている個人ほど、無感覚のレベルが高くなっている。[※554〜※556] たとえばある縦断的研究で、シンガポールの生徒（7〜15歳）の集団を2年間追跡して明らかになったのは、研究の最初に暴力的なコンピュータゲームで遊んでいたユーザーは2年後、感情移入のレベルが低下していたことだった[※557]。最近になって、神経画像の研究によって、この脱感作の基盤となる神経が確定された[※558]。明らかになったのは、短期的には、暴力的なイメージに繰り返しさらされると、脳が感情網を不活性化させることだった[※559・※560]。長期的には、テレビの暴力にさらされすぎた思春期の若者は、感情を管理して攻撃的な行動を抑制する脳の前頭葉前部の発達が、密かに、しかし目に見えて異常になっていることが報告された[※561]。これらの観察をもとに、表皮の電気伝導率（強い感情が働くと変化する）に基づいたさまざまな研究が行われ、暴力的な映像に慣れている子どもや思春期の若者は、慣れていない仲間に比べて、実際の喧嘩や暴力に対する寛容度がより高いことがわかった[※560・※562・※563]。同じ結果はコンピュータゲームでも確認され、神経画像の研究では、暴力的なゲームを定期的に行っているユーザーは脳の感情網の反応が弱かった[※564〜※566]。当然のことながら、この脱感作のプロセスが攻撃的で敵意のある行動を導きやすいことを、多くの研究が確認している[※564・※567・※568]。

いっぽう他人の痛みに対する感覚の喪失では、感情移入の力が低下しつつも、自身の不安はそれほど消えないこともわかっている。このことも多くの研究が指摘しており、たとえば、暴力的なコンテンツは、子どもや思春期の若者の不安や鬱感情、睡眠障害（ベッドに行きたくない、深い眠りに入りにくい、悪夢など）のリスクを増長させていた[※165・※494・※569〜※571]。その影響はもちろん、悲惨な物語や激しい暴力（テロ、自然災害、気候変動など[※572]）のほうが、「普通の」コンテンツ（検察物、犯罪物のシリーズ、ニュース、アニメなど[※573]）より大きいのは当然だ。しかし後者に関しては個人間のばらつきがかなり大きいようだ。たとえば、最近のメタ分析では「グループ単位で、怖いテレビが子どもの精神衛生（恐怖、不安、悲しみ、睡眠障害など内面化する問題）に重大な影響を与えるとは想定できないようだ。しかしながら、このような番組は外面化する行動（攻撃、暴力、非社交的など）に恒常的に影響を与えている。（……）。いくつかの個人的な研究では、ごく少数の子どもに『極端な』反応が見られる[※573]」。そして、ここでもう一度言おう、「ごく少数」と言っても、これを数千万人の人口に当てはめれば相当の数になる。

金儲け主義が隠す、まやかしの相関関係

こうして永遠に続く金儲け主義「対」公共の利益の闘いでは、金儲け主義側の一部のごまかしによって、いまも暴利がむさぼり続けられている。目に余るほどの過激なタイトルで、客を引きつけているのである。これら妄想を呼ぶ大作戦の最前線で見られるのが、「まやかしの相関関係」であるのは間違いない。このコンセプトはかなり単純で、二段階からなっている。一段階目は「前提」である。AがBに作用するとして、Aが増加するとBも増加するとする。二段階目は「詭弁」だ。Aが増加してもBが増加しない場合、AはBに作用しなかったとする。これが詭弁で、この図式はほとんどのケースであり得ないことである。これが機能するのは、Bに影響を与える要因がAだけの場合だが、そういうことは「本当の生活」ではほとんど起こらないからだ。わかりやすい例を一つあげよう。私は排気量の小さいスクーターで平坦な道を走っている。アクセルを握ると速度が上がる。そこで私は、アクセルの握りで速度を調整できると結論づける。ここまでは大丈夫。しかし突然、道が急に上り坂になる。私は再びアクセルをかけるが、しかし速度は速くならず、遅くなる。私はスクーターを遅らせたのはアクセルだと結論すべきだろうか？　もちろん違う。私が遅くなったのは、上り坂がアクセルと逆に作用したからだ。坂の影響がアクセルより大きかったからスクーターは遅くなった。もしここでアクセルに速度を速める効果がないと断言する個人がいたら、即座にお払い箱だろう。しかし、この種の混同はメディア、とくに暴力的なコンテンツの悪影響を否定する分野ではびこっている。とくにそれがいちじるしいのがコンピュータゲームに関するものだ。これまで述べた多くの例のほかに、『世界を騙しつづける科学者たち』（前述）が議論の中心に置いているのが、この「まやかしの相関関

係」である。

実際、これはさまざまな形をとっている。まずあげられるのは、国家の枠を超え、世界中のメディアの「一面」を飾って大々的に断言されるもので、たとえば最近の例では『グランド・セフト・オートシリーズ』や『コール・オブ・デューティー』といった暴力的なゲームで多く遊ぶ国は殺人が少ない！[574]」、あるいは「十か国を比較すると、コンピュータゲームと武器による殺人に関係はないか、あっても少ないと言える[575]」といったタイトルだ。結局のところ、ジャーナリストが言いたいのは、「仮にコンピュータゲームがすべての悪の根源なら、論理的に言って、少なくとも武器による殺人がもっと多いはずである。しかしまったくそうではない。（……）。事実、コンピュータゲームがもっとも使用されている国は、どちらかといえば世界でもっとも安全な国である[576]」といったことだ。なんという論法だろう！　ここで強調されている「ロジック」は完全に馬鹿げている。そもそもこの論理が成り立つのは、コンピュータゲームだけが犯罪や暴力的な攻撃の原因であるときだ。ところが実際はもちろんそうではない。誰が、一瞬でもいい、暴力的なコンピュータゲームが私たちの行動を攻撃的にするからといって、世界中で観察される政治的、社会的、宗教的な不安定の責任まで負わせられると考えるだろう？　日本はコンピュータゲームがもっとも盛んな国でありながら、ホンデュラスやエルサルバドル、イラクより殺人が少ないという理由で[574・577]、暴力的なゲームの攻撃的な行動への影響を否定するのは、まさに不条理である。

もちろん、一部の頭のいい観察者は、ここまでの無茶な比較を避け、一見比較できそうな、たとえば日本とアメリカを比べている。その場合、アメリカのほうが日本より殺人が多いのにコンピュータゲームは少ないという議論は、たしかに魅力的だろう[575]。しかしここでもいくつかの暴力的な要素、たとえば複合的な要因がゲームの影響より強いことが忘れられており、それを知ると、この二国がじつは非常に違っていることがわかる。たとえば武器の購入（アメリカはほぼ自由）、経済的条件（犯罪率は失業率や貧困率の上層で増加）、一部の環境汚染（鉛の汚染と犯罪率には明確な関係がある）、年齢ピラミッド（人口が高齢化するほど犯罪率は低下する）、警察の人員と方法、向精神薬商品の消費（アルコールやコカインの使用で犯罪率が上がる）[※578〜※583]などである。これらのリスク要因を統計モデルに組み入れずに、暴力的なコンピュータゲームと犯罪率を比較するなど、どだい不可能な話だろう。

「まやかしの相関関係」のもう一つのやり方は、こちらのほうが多いのだが、縦断的（時間的に長期的）な形をとっている。たとえば、こういう主張である。「暴力的なコンピュータゲームの急増と、若者の暴力的な犯罪はまったく関係がない[※486]」。言いかえると、「コンピュータゲームの売り上げは年々上昇しているが、暴力的な犯罪は下降し続けている[※584]」。おまけに最近の研究がこの観察を裏づけている[※585]。「信頼できる週刊誌によると、ある研究が、もっとも知られた定説をしめ殺す[※586]」。よくぞ言ったものだが……しかしやや楽観的だ。どういうことなのか？　もう少し簡単に見てみよう。

当初、この研究が指摘していたのは、アメリカではコンピュータゲームの売り上げと犯罪率が逆方向に推移していることだった。たとえば、１９９０年代初めから、前者は急激に増加したのに対し、後者は目に見えて低下していた。素晴らしい結果なのだが、しかし何度も言おう、何の意味もない。実際、アメリカではここ十年間、多くの要因が犯罪率の急激な低下に貢献している。拘置率の爆発的な増加、警官の増員、経済状況の改善、重大犯罪を生む一部の要因の減少（アルコール、麻薬、鉛など）、などである[※578・※580・※582]。これらの要因による複合作用が、コンピュータゲームだけの影響を上回ったのは明らかだ。加えて、ここで話しているコンピュータゲームは暴力的なものだけではないことも大きい。紹介されている相関関係では、奇妙なことにあらゆるタイプのゲーム、幼児向けからロールプレイングゲーム、戦略ゲームからゲームセンター、スポーツゲームまでがごちゃ混ぜになっているのだ。これほどの寄せ集めなら、なんであれ物事をはっきり観察する確率が小さくなって当然である。

最初の研究に限界があるのを意識した研究者たちは、「より正確」なものを想定し、二回目の分析を行った。[※586] そのため彼らは、三つの暴力的なゲーム（「グランド・セフト・オート・サンアンドレアス」、「グランド・セフト・オートⅣ」、「コール・オブ・デューティ・ブラックオプス」）の売上数と、犯罪数の月間統計の関係確立に取り組んだ。ある記事の説明によると、考え方はいたって簡単だ。「もし暴力的なゲームがシリアスな暴力犯罪の原因なら、これら三つの人気ゲームが発売されるごとに、シリアスで死に結びつく暴力犯罪も増加するはずである」。[※585] ところが、予想された増加は生じなかった。それぞれのゲームが発売されたあとの12か月間、攻撃的な暴力事件の数に変化はなく、平均で、3か月目と4か月目の殺人数は微小ではあるものの減っているようだった。この結果を、研究者たちはもちろん説明できなかった。しかしそれはどうでもいい、問題はほかにあるからだ。実際、もし先の説明文を読んでいれば、ここでは「ある一つのゲーム」の発売日について語っているのは明白だ（分析が行われたのはそれぞれのゲームが発売された2004年と2008年、2010年の三回繰り返されたのみ）。暴力的なゲームは毎月発売されている。たとえば2010年11月には、研究対象になった「コール・オブ・デューティ・ブラックオプス」が発売されているが、その前の一年間には、もっと人気で――「バトルフィールド」「ゴッド・オブ・ウォー」「ヘイロー」「デッド・ライジング2」「メダル・オブ・オナー」「フォールアウト」「ソウ2」など――、もっと暴力的な多くのコンピュータゲーム――「アサシン・クリード」「バトルフィールド」「デッド・スペース2」「モータル・コンバット」「ギアーズ・オブ・ウォー3」「ダーク・ソウル」「ジ・エルダー・スクロールズ5」など――が段階的に発売されている。したがって、一個だけのゲームを別にして、それだけで犯罪率を高めるなど、このゲームの悪影響がほかのゲームの何倍もない限り、あり得ない話なのである。

また、「コール・オブ・デューティ」が犯罪数に悪影響を与えるかどうかを知るには、発売日の前後数週間から数か月間、同じような商品が市場に出ない場合しか意味がない。それもあり得ない話なので、この研究からはなんであれ結論を出すのは不可能なのだ。加えて、ゲーマーが「コール・オブ・デューティ」の発売前にほかのゲームで遊んでいなかったとは考えにくい。実際、発表された推論が成立するには、ゲーマーが本当に「コール・オブ・デューティ」をしたくて購入したのか、または単にゲームを変えたいだけだったのかの確認も必要だろう。いずれにしろ、この研究は突っ込みどころが満載で、それでいて過激なタイトルで一般人を引きつけたのである。

つまり、この種の研究は、表面的な見せかけ以外、科学的には何の意味もないのだが、科学雑誌がいまなおそれらを受け入れて掲載しているのには眩暈さえ覚えるほどである。それでも、これらの「研究」はロビイストや「世界を騙しつづける科学者たち」、ビズに飢えるメディアにとっては天の恵み。なかには信じられないような自説を朗々と唱えるジャーナリストもいる。たとえば、これらの結果は確かに「コンピュータゲームが犯罪を減らすよい影響は証明できないにしても、バーチャルな暴力が現実の暴力を助長させるという永遠の主張を破壊している（……）。陳腐な決まり文句は、ピューリタン的な政策から生まれたもので、その単純な信条が、現象を理解できない社会の多くの層にあっという間に伝播したのである」[※587]。それだけだ。個人的には、私はピューリタンでもなければ、理解していないわけでもないが、しかし、この種の問題は政治に投げかけるより、理にかなった純粋な研究に基づいて解決したほうがいいように思われる。実際、ここで取り上げたまやかしの相関関係の大半は、ロビイストに活動の基盤となるカタログを提供するようなものである。そして、少なくとも言えるのは、これら金儲け主義に飛びつく者たちは、これからも鉱脈を掘り続けるということだ。[※385・※588] そうして宣伝のプロたちから流される情報はいまも、バズを狙うジャーナリストたちに伝達され続け、それらは一見、客観的で真面目な情報と保証されている。くれぐれも騙されないようにしたいところだが、しかし、この種の操作から身を守る簡単なルールがある。もし二つの現象に相関関係が見られず、それぞれ独立していると言われたら、慎重にも慎重を重ねることだ。そしてこれらの現象にいくつかの原因があるかどうか、つねに問い正してほしい。もしそうなら、そしてこれは疫学の分野ではつねにそうなのだが、これらの原因が統計モデルで考慮されているかどうか（つまり共変動の要因も含まれているかどうか）を問い正すことだ。答えが否定的だったら、それはおそらく科学をないがしろにしているということである。

法律が介入するとき——誰が責任をとるのか

2011年、アメリカの最高裁でこの判決が下されたのは、もちろんコンピュータゲーム業界の利に沿ってのものだった。[※589] この業界はその一年前、カリフォルニア州で成立した法律、「未成年（18歳以下の者は誰でも）への暴力的なゲームの販売及びレンタルを制限する」に激しく抗議していた。最高裁では9人の判事のうち、7人がこの文面を違憲と主張していた。判決理由で、アントニン・スカリア判事は科学的な証明について短い文を書いていた。彼にとって「（カリフォルニア）州による証明には説得力がない。（……）。研究では暴力的なコンピュータゲームが未成年の攻撃的な行動の原因になるとは証明されていない。その代わりほとんどの研究は、相関関係に基づいており、因果関係の証拠はなく、大多数の研究は方法論的に目に余るほどの欠陥に苦しんでいる。ビデオ・ソフトウェア販売企業業界団体。556F。3d、964」。最後の引用は（驚くべきことに！）、出典元を示したもので、なんとこの文面は業界が作成したものだった。

コンピュータゲームは無害と主張する支持者にとっては、もちろん、思わぬ天からの授かり物だった。しかし残念ながら、このときも、判決理由は表面をとりつくろっただけで、問題の現実を十分には伝えていなかった。実際、前述の文面に書かれていたこととは逆に、この案件は科学を基本に考察されたのではなく、政治的なものだった[※501・※590・※591]。判事たちが審議したのはコンピュータゲームが行動に悪影響を与えるかどうかではなく、法律の文面が合衆国憲法修正第1条、「表現の自由」に抵触しないかどうかだった。それが証拠に、判決のあと報告された関連記事にはこうあった。「多数意見を執筆した判事（スカリア）は、カリフォルニアの法律を支援する科学的記事はいっさい読まず、自分の主張を支持するエンターテインメント・ソフトウェア・インダストリーの概要を引用しただけだったことを認めている[※501]」。いっぽう、最高裁判事の一人（スティーブン・ブライヤー）は主文の補遺で、最高裁の判事全体に係争を科学的に処理する素質が欠けていたことを認めている。「私には、ほかの多くの判事と同様に、社会科学の専門的な知識が欠けており、誰が正しいかを言えるような立場にない。しかし、専門性を持ち合わせている公衆衛生協会がこれらの多くの研究を検討した結果、暴力的なコンピュータゲームにはリスクがあることを認めており、この点では消極的なメディアに比べると、とくに子どもに害を及ぼすことを認めていた[※589]」。そのうえで彼は、ブラックジョークのような疑念を抱いて、現行の判決と以前の最高裁からの警告を関連づけている。それは未成年への、裸の映像を含む商品の販売を制限しているもので、彼はこう書いている。「いったいどういう感覚で、13歳の少年に女性のヌードのある雑誌の販売を禁止し、そのいっぽうで、13歳の少年にバーチャルとはいえ、そのなかで女性を縛って、猿ぐつわをし、それから拷問して殺したりするコンピュータゲームの販売を保護できるのか？　どういう種類の修正第1条を用いれば、政府は子どもたちを守るために、トップレスの女性に対して極端に暴力的なコンピュータゲームの販売だけでも制限できるのだろう？　このケースは最終的には検閲より教育の問題である[※589]」。実際、ゲーム業界その他から抗議されていたカリフォルニア州の法律は、親の教育的特権を考慮しただけのものだった。たとえば別の判事（クレランス・トーマス）が強調するように「法律が禁止しているのは、暴力的なコンピュータゲームを未成年に直接販売することと、未成年の両親、祖父母、おじおば、または法的な保護者とは別の者からレンタルすることだけである。未成年には普通、両親または保護者がいるのが当たり前だから、法律では暴力的なゲームが両親や保護者から未成年の手に渡るのを防ぐことはできない[※589]」。しかし、これ以上をスカリア判事に求めるのは酷だろう。実際、判事自身こう書いている。「州には子どもたちを悪害から法的に守る力があるのは疑いもないが、しかし、子どもがさらされるかもしれないアイデアまでむやみに制限する力は含まれない[※589]」……たとえこれらのアイデアが金儲け主義のものであったとしても、ということになるのだろう。一方、カリフォルニア州のある議員は、「最高裁はまたしても、子どもたちの利益をさしおいてアメリカ企業の利益を選んだ。コンピュータゲーム業界がその利幅を両親の権利や子どもの幸福にまで広げるのを許可されるのは、単によろしくない[※591]」と、明快に強調していた。

つまり、最終的に最高裁の判決の元になったのは、科学を基本にした有効性ではなく、表現の自由に関連する議論だった。それでもまだ疑う人のために、スカリア判事が主文の最後を次のように結論づけたことを紹介しておこう。「私たちには、カリフォルニア立法府が暴力的なコンピュータゲームが若者にとって危険とした立場を判断する権利はない。私たちの仕事はただ、これらの作品が正しい表現としてはっきり定義され、明確に制限されているか否かに答えることだけで、予防や罰則が憲法問題になりうるかどうかまでは考察されなかった[※589]」。この一年前、最高裁は同じような論拠を用いて、ある恐ろしい行為を罰則する連邦法を葬り去っていた。それは、生きた動物を意図的に虐待する（切断、傷を負わせる、拷問、殺すなど）映像の制作と販売、そして所有に対してのものだった[※589]。つまりアメリカでは、修正第1条が、動物が生きたままぶたれ、拷問され、焼かれて殺されるビデオを購入する権利に適応されたのである。そうして5、6、8歳の男の子が購入できるビデオは、ある判事（しかしながらカリフォルニア州の法律には反対していた）が認めるように、次のようなものである。「暴力は驚異的である。何ダースという犠牲者が、想像しうるかぎりの手段、マシンガンからショットガン、こん棒からハンマー、斧、剣、チェインソーまで、あらゆるもので殺されている。犠牲者はバラバラにされ、首を切られ、腹を裂かれ、火の中に入れられ、みじん切りにされている。みんな苦しんで叫び声をあげ、許しを乞うている。血が吹き出て飛び散り、血だまりになっている（……）。ゲームのなかにはゲーマーがこれと同じことができるものがあり、実際にあったコロンバイン高校銃乱射事件や、ヴァージニア工科大学銃乱射事件を加害者の視点で再現したものもある。あるゲームの目的は母親と娘をレイプすることで、別のゲームのゴールはアメリカ原住民の女性をレイプすることだ。ゲーマーが『民族浄化』に取り組むゲームでは、アフリカ系アメリカ人かラテン系かユダヤ人のどれを射殺するか選ぶこともできる。さらにほかのゲームでは、ゲーマーがケネディ大統領の暗殺現場となったダラスのテキサス教科書倉庫で、車のパレードが通るのを待ちながら、試しに彼の頭にライフルを撃ちこむこともできる」[※589]。そう、アメリカではこれらすべてが表現の自由で保護されている。そして最高裁の判事たちが未成年に自由に販売する業界の権利を正当化したのもそれである。このコンテンツと消費が子どもたちの精神的成熟や社会観に影響があるとしても、そんなことはどうでもいいのである。そしておかげで、誰も言わないが、このテーマで親や国の責任は問われないことになる。この法律が求めているのは、この責任を表現の自由にすることなのである。

結論

この章でおさえておかなければいけないのは、「遊びの画面」消費は私たちの子どもや思春期の若者に、非常に重大な悪影響を与えることだ。そこではテコとなる三つの要因がとりわけ有害なことがわかっている。

一つは、睡眠に深刻な影響を及ぼすことである。ちなみに睡眠は、発達を支えるもっとも重要な柱である。睡眠の調子が狂うと、個人全体が影響を受け、肉体から感情、知性面までおかしくなる。現在、この問題の大きさが過小評価されていることには驚く（そして心配になる）ばかりである。

二つ目は、「画面」は「座りっぱなし」の程度を高め、同時に身体を動かす機会をいちじるしく減少させることだ。身体が最良の方法で動き、健康なままでいるためには、身体の組織をたっぷりと積極的に動かさなければならない。座ったままでいると殺される！　運動をすると身体ができていく！　それも肉体だけではない。動くことで感情や知性の機能にも大きな影響があるのである。ここでも問題は、このことが子どもたちのデジタル使用に関する議論ですっかり忘れられていることだ。

三つ目に、いわゆる「リスクのある」コンテンツ（セックス、タバコ、アルコール、肥満、暴力など）がデジタルの世界にあふれていることだ。どの媒体も同じである。子どもや思春期の若者にとって、これらのコンテンツは規範の重要な決定者であり（多くは無意識のうちに）、彼等がどうあるべきか（たとえば、「普通の」高校生はタバコを吸い、コンドームのことなど気にもせずにセックスする、など）を言ってくる。これらの規範は、いったん自分のものにしたら行動に重要な影響を与えることになるのである（たとえば、高校生がタバコを吸い、避妊なしでセックスする可能性）。

エピローグ
基本的な七つのルール

「今日のきみの一歩一歩が、明日のきみの人生になる」

ヴィルヘルム・ライヒ（1897–1957）

オーストリア出身の精神科医、精神分析家[※1]

ものを書くと落ち着く、と人は言う。私は、必ずしもそうではないと思って不安になる。言葉はときに混乱を大きくするだけである。人は善意から問題に取り組み、良心的に前へ進み、最後に打ちのめされる。本書はそのいい例である。最初は、細分化した文献の知識しかなく、不安はあってもまだ漠然としていた。それからゆっくりと、一方では心配な科学的研究がどんどんと増えていき、他方では迎合的になるいっぽうの公式声明が山のように押し寄せ、じわじわと心の底から怒りがわいてきた。私たちは私たちの子どもに許し難いことを耐え忍ばせている。かつておそらく、人類史上これほど大規模に、これほどの除脳体験が行われたことはなかっただろう。

私は最近、人から、若い世代を「軽蔑している」と言われてしまった。とんでもない！　これほど馬鹿げた間違いはない。もし私が若者を軽蔑していたら、もっと賢明にふるまってお世辞の一つでも言うだろう。全員が超越した脳を持つ突然変異体であると甘言を言い、あらゆる種類の信用できない「教育」アプリを提案するだろう。彼らの素晴らしい創造性を褒めそやし、その一方で金になる顧客には密かに、若い世代には脳の注意系統に欠陥があり、10秒以上の広告は失敗すると説明するだろう。彼らのデジタルの才能を称賛する一方で、自分の子どもたちだけはこの恐怖の狂乱から守るようなんとか工夫するだろう。若い世代の驚くべき語彙の発明力に驚嘆する一方で、心配される彼らの言語力の低下については何も言わないようにするだろう。本当のところ、もし私がこの子どもたちを軽蔑していたら、このような本は書かず、しかし賛辞や賛同を連ねた本を書いただろう。私の言葉は、科学的な正当性が欲しいどこかの電子書籍やコンピュータゲーム企業に売っただろう。私はどこかの「コンサルタント」になり、たっぷりと報酬をもらって忙しく働き、テレビ番組や記者会見場を走り回っていただろう。

現実として私がこの本を書いているのは、この若者たちを軽蔑しているからではなく、愛し、尊敬しているからである。大きな部分で、私の人生は仕上がっている。子どもたちの人生にはまだ望みある将来があり、そしてその将来は神聖でなければならない。それなのに私たちはその将来を利益のために破壊しようとしている。教育者のニール・ポストマン（前述）はほぼ40年前に「子どもたちは、私たちが見られない時代に向けて送る生きたメッセージである」と書いた。[※2] この美しいイメージを元に、私たちが今すべきことは、どのような証言を残し、どのような社会を築きたいのかを、問いただすことではないだろうか。私たちが現在の世界で子どもたちに約束している未来は、ますますオルダス・ハクスリーの『すばらしい新世界』で描かれるディストピア［ユートピアの正反対の社会］の亡霊に似てくるようだ。一方は、カースト制度の「アルファ」――恵まれた子どもたちの少数派のカースト。この遊びの狂乱から保護され、言語、感情、文化など人間としてのしっかりした資本を授かっている。もう一方は「ガンマ」――あまり恵まれない、広範囲にいる多数派のカースト。思考や知性など基本のツールを奪われている。働き者の実行者の下の階級で、ジョージ・オーウェルの『１９８４』に出てくる簡素化した新語「ニュースピーク」を話し、娯楽と幸福感で頭が空っぽになっている。このようなリスクをなんとしても排斥したい人には、本書で述べたおもな要因は簡潔な警告として何らかの役に立つだろう。

四つの重要な結論

四つの重要な結論はおさえておくべきだろう。

一つは、デジタル使用で一般大衆に提供される情報は、厳密さと信頼性にひどく欠けているということだ。多くのジャーナリストは、生産性という不可解な至上命令に支配され、テーマを掘り下げて理解する時間がまったくなく、おかげで適切に表現することも、資格のある専門家と、買収された怪しい情報源を区別することもできないでいる。

二つ目は、若い世代の遊びのデジタル使用は、「過剰」あるいは「誇張」どころではなく、もはや常軌を逸しており、コントロールできない状態になっていることだ。この時間的な狂乱の犠牲になっているのが、発達にとって重要なあらゆる種類の活動で、たとえば睡眠、読書、家族間の交流、学校の宿題、スポーツや芸術的な活動などである。

三つ目は、デジタルへの飽くなき熱狂のおかげで、私たちの子どもの知的、感情的、衛生的な成熟が大きく損なわれているということだ。疫学的な視点で厳密に見ると、これらのデータから引き出される結論はシンプルで、「遊びの画面」は大混乱に陥っている。同じ系統の病気（肥満、睡眠障害、タバコ、暴力、注意不足、言葉の遅れ、不安症、記憶など）はすべて、研究者の軍団が立ち上がってさまざまな議論が行われている。まさにあちこちで警告が発せられ、「合理的な警戒」が呼びかけられている。※3

四つ目は、「遊びの画面」にこれほど害があるとしたら、それは大部分、私たちの脳がデジタルの激しい一撃に対応できないでいるからだ。脳が構築されるには、節度のある感覚と人の存在、運動、睡眠、そして認識を正しくはぐくむ「糧」が必要だ。デジタルが蔓延する世界は、それとはまったく逆である。知覚はつねに刺激の嵐にさらされ、人間関係の交流は崩壊（とくに家族関係）し、睡眠は量的にも質的にも妨害され、座りっぱなしの行動が増えている。この有害な環境に支配され、脳は苦しみ、うまく構築できずにいる。別の言い方をすれば、脳が機能し続けていることは事実なのだが、私たちは自分の可能性を全開にできずにいる。それがとくに悲劇的なのは、脳にとっていちばん柔軟な子ども時代と思春期は永遠ではないということだ。その時期がいったん閉ざされてしまうと、もう蘇ることはない。そのときに台無しにされたことは、永遠に失われたままになるのである。たしかに、現代のように技術が進化すると、よく言われるのが「時代とともに生きなければならない」という言葉だ。それには議論の余地がない……。しかしその前に、脳には時代が変わったことを予告しておかなければならないだろう。なぜなら、脳は何世紀もの間、わずかも変わっていないからだ。そして残念なことに、デジタルの新しい環境に完全に適応するには（もしその日が来るとして）、何万年もかかるだろう！　その間、事態が回復することはなく、現実のリスクもこのまま存続するだろう。おそらく、教育のデジタル化に邁進する推奨派も、これは意識したほうがいいだろう。現在、教育現場で生徒の今後に本当にプラスの影響を与えることが証明されているのは、唯一、資格のある、きちんと養成された教師のみである。優秀な教師こそ、世界中で成果をあげる教育システムに共通する要因なのである。

デジタルとの付き合い方

では、なにをすべきなのだろう？　私の考えでは二つある。まず、諦めないことである。その気になればなんでもできる。市民として、親として、私たちには選択の自由があり、これら遊びのデジタルツールの有害な世界に私たちの子どもを引き渡す義務などないのである。たしかに、時流に抵抗するのは容易ではない。しかし必ずできる！　多くの人が成功している。それはとくに富裕層に多い。もちろん、そんなことをしたら除け者になる話もよく耳にする。そういう子どもはＳＮＳが利用できず、オンライン上でのゲームにも「共通のデジタル文化」にも参加できないので、クラスの仲間から相手にされず、孤立すると言われている。しかし現在のところ、どの研究をとってみても、「遊びの画面」使用を禁止して社会的に孤立したり、感情的に不安定になると指摘するものはない！　逆に、多くの研究者が強調しているのが、これらのツールには深刻な害があり、私たちの子どもに鬱病や不安症の症状があらわれるということだ。別の言い方をすると、これらは存在すると害を与え、ないと無害ということだ。この二つのオプションで選ぶとしたら、答えは明白のように見える。とくに、そこではデジタルの接続を全部禁止するのではなく、使用時間を有害な閾値以下におさえて維持させればいいとなるとなおさらだろう。

そしていったんこのことが理解でき、無力感から解放されたら、いよいよ教育的な行動にでることができる。それは親にとっては、消費時間に正しいルールを設置することである。本書を通して展開してきたさまざまな要因を元に、とくに重要なものを七つ、引き出すことができる。七つのルールはもちろん、それぞれ子どもたちの性格や家族の状況に合わせて適応できるものである。

基本的な七つのルール

6歳前

1・「画面」なし 正しく成長するために、幼児は「画面」など必要としていない。必要としているのは、誰かに話しかけられ、物語を読んでもらい、本を与えてもらうことである。幼児が必要としているのは、退屈し、遊び、パズルをし、レゴで家を作り、走って跳んで、歌うことである。絵を描き、スポーツをし、音楽を聞き、楽器を演奏することである。これらの活動はすべて（ほかの同様のものも）、どんな「遊びの画面」よりも、子どもたちの脳を確実に、有効に構築してくれる。このことが何よりも本当なのは、人生の最初の数年間にデジタルにさらされなくても、短期的、長期的にマイナスの影響は何もないということだ。言いかえると、子どもは6歳まで画面にさらされなくても、デジタルの障害者にはならないだろう。逆に、「画面」を離れて成長させたもののおかげで、そのあとデジタルが提供するものをよりプラスに、上手に使用することができるようになるのである。

6歳以降

2・一日に30分から1時間以上はダメ　この点はおそらく、本書ではもっともいいニュースになるだろう！　使用時間に節度があれば、「画面」は有害にはならない（もちろんコンテンツが適切で、睡眠も守られるという条件で）。とくに、毎日の使用時間が30分以下の場合、感知できる悪影響はあらわれない。害があらわれるのは、30分から1時間のあいだなのだが、しかしそれほど強くないので許容できる範囲である。これらのデータを元に、慎重なアプローチとして年齢に合わせて段階的に増やしていくのはどうだろう。12歳までは最高30分、それ以降は60分という具合である。不安な親のために、現在はほとんどすべてのデジタル媒体（タブレット、スマホ、ゲームのコンソール、コンピュータ、テレビなど）が、オプションやアプリの形で時間の管理に有効なツールを提供している。前もって設定した一日の制限時間に達すると、器械がブロックするのである。それはそれとして、一部の親は「『画面』をゼロにするほうが、時間を少しにして制限するよりも楽」と考えているようだ。これは元ソーシャルコンピューティング［コンピュータを社会的に活用するための研究］の研究者で、フェイスブックの技術者と結婚したある母親が実際に体験したことが、『ニューヨークタイムズ』紙で紹介されたときの意見である。[※5] このやり方がとくに興味深いのは、子どもたちには何の損害もなく（すでに強調したように）、親子の対立もなかったことである。これは少し、快楽的な食品の摂取と近いところがありそうだ。チョコレートは一回に1個ずつと制限するより、家にないほうが楽に我慢できるというわけだ。[※6]

3・部屋には置かない　部屋に「画面」があると、とりわけ好ましくない影響がある。使用時間を長くするだけでなく（とくに睡眠を犠牲にして）、不適切なコンテンツに接続しやすい状況を生むからだ。部屋は神聖で、あらゆるデジタルの存在から解放されていなければならない。時計代わりになるという反論に対しては、性能のいい目覚まし時計なら2、3ユーロで買えることを言っておこう……。

4・不適切なコンテンツはダメ　音楽クリップであれ、映画、ドラマ、ゲームであれ、暴力的で、セックスやタバコ、飲酒のシーンが多いコンテンツは、子どもや思春期の若者が世界を見る目に重大な影響を与える。最低でも、年齢表示を守ることが重要だろう。その場合も、アプリによって簡単に、ほとんどのデジタル媒体でも、不適切なコンテンツへの接続をブロックすることができる。もちろん、第三者を介して、たとえば友だちのスマホやパソコン、タブレットから見ることはでき、そうなると確かめようがない。重要なのは、それについて子どもと話すことだろう。それでも完全ではないが、しかし残念ながら、それが唯一可能な方法でもあるのは……公権力がそのようなコンテンツが未成年に届かないよう、真面目に取り組んでいないからである。

5・朝の登校前はダメ　とくに「興奮させる」コンテンツは、子どもの認識能力を持続的に疲労させるものである。朝は、子どもを夢の世界に置いたまま、退屈させ、朝食は落ち着いた雰囲気でとり、話を聞き、話しかけることである。学校での集中力は一挙に改善するはずだ。

6・就寝前はダメ　夜の「画面」は、睡眠の持続時間（遅く寝るようになる）と質（よく眠れない）に大きな影響を与える。「興奮させる」コンテンツは、そこでもとくに有害である。少なくとも、就寝時間の1時間半前には電源を切るようにすることだろう。

7・一度に一つのこと　最後のポイントだが、しかしこれは重要だ。「画面」は「画面」だけで使用されるべき（同時に1個）である。食事や宿題、家族で話し合っているときは、手の届かないところに置いておくべきである。脳はマルチタスクに支配されて発達するほど、気が散りやすくなる。加えて、一度に多くのことをすればするほど、成果はあがらず、学びも記憶も低下する。最後にきわめつけを言おう。私たちの脳は本当のところ、現代の新しいデジタル向きには作られていないのである。

充実した人生のために

これを習慣にすると、たしかに束縛されることになるが、しかし突飛な考えではまったくない。すでに見てきたように、その効率たるや恐ろしいほどだ。とにかく「画面」から取り戻した膨大な時間は、生の人生に戻すべきである。それは単純なことではなく、すぐにできることでもない。なぜなら家族環境をすべて再構成しなければならないからだ。しかし意思をしっかり持ちつづければ、子どもたちは応じてくれる。そうして、「空いた」時間をついに、新しい活動でいっぱいにすることができる。話して交流し、眠り、スポーツをし、楽器を演奏し、絵を描き、彫刻をして、踊って、歌って、文化講座に通い、そしてもちろん本を読むのだ。本は一見、とっつきにくいように見えるだろうが、思い切って読んでみよう。なかには創造性や言葉で驚くばかりに豊かなものもある。

結局のところ、最初はどんなに難しく思え、あなたがどんなに子どもたちの反抗にあい、罪悪感にさいなまされたとしても、一つのことを忘れないでほしい。彼らの多くが大人になったとき、子ども時代の豊かな体験を通して、スポーツや思考、文化に自分を解放できることに、そして有害な「画面」のせいで精神的に不毛にならなかったことについて、あなたに感謝するだろう。最近もまた、私の教え子で優秀な学生の一人が言っていた。彼によると子ども時代は、「画面」（とくにスマホとコンピュータゲーム）が親子のあいだでずっしりと重い緊張を生んでいたものだったが、時がたって振り返ると、諦めずに「画面」と距離を置かせてくれた親に感謝しているそうだ。

希望の光

「象に立ち向かう蝿一匹」。この言葉は、いまから約500年前、宗教改革の初期の指導者で、狂気の独裁者だったとされるジャン・カルヴァン（1509-1564）を相手に、ジュネーヴで戦った神学者セバスチャン・カステリオン（1515-1563）が言ったとされている。[※7] 私が本書の執筆に取りかかった4年ほど前、まず頭をよぎったのがこの言葉だった。デジタルの波は最高潮に達しており、あまりの高さと強烈さに、それに刃向かうのは不可能のように見えた。それから物事が変化しはじめた。知覚できないほどの反対の声が、どこからともなく立ちあがってきた。とくに躊躇しだしたのは、子どもの専門家だった。それを機に、私は教師や発音矯正士の団体や組合、生徒の親、小児科医、学校の保健師などから相談を受けるようになった。毎回、同じ議論、同じ観察、同じ質問、無力感を訴える声が飛び交った。この確認はもちろん、「科学的」ではなかったが、しかしある思いがしつこく残り、懐疑論が形成されていった。現実のほうが粘り勝ちし、混乱が目に見え始めたと言うべきだろう。

おもに子どもたちと直接に接触する人たちから不安のきざしがあらわれたのは、偶然ではないだろう。本書で報告されたことはすべて、これらの専門家たちの心からの叫びである。注意力不足、言語、衝動性、記憶、攻撃性、睡眠、学業成績などなど。これは現在にとっては悲しいことだが、しかし同時に、未来にとっては励ましでもある。実際、健全な意識が形になってきているようだ。私としては、本書がその意識の普及に役立つのを願うばかりである。

訳者あとがき

本書『デジタル馬鹿』は、2019年にフランスで出版されると同時にベストセラーとなり、その後新型コロナウイルスのパンデミックでデジタル化が加速するにつれますます注目を浴びている話題の本、原題『La fabrique du crétin digital: Les dangers des écrans pour nos enfants』(デジタル馬鹿製造工場——子どもにとって危険なデジタル画面、スイユ社刊)が、英語圏での翻訳出版のために再構成されたものを日本の読者向けに翻訳したものである。

著者のミシェル・デミュルジェは1965年生まれで、認識神経科学の専門家。米国にも約8年間滞在して研究した経験があり、現在は仏国立衛生医学研究所所長である。この分野の第一人者で、著書の『テレビ・ロボトミー——テレビの影響に関する科学的な真実』(2012年)や『アンチ食事療法、健康的に痩せる』(2015年)はいずれもベストセラーになっている。最新刊である本書は、デジタル画面の影響に関する国際的な科学文献を初めて総括したもので、世界中の科学者がその悪影響を示すデータを山のように発表しているにもかかわらず、メディアを通して伝えられる内容、つまり私たちが一般に知りうる知識は肯定的なものが多いことに対する、著者の「怒り」の書でもある。なんといってもすごいのは、膨大な数の参考図書(世界中で発表されたもの、2000点以上!)だろう。ここで興味深いのは、国際的な科学的文献はすべて英語で発表されているため、英語を母国語としない国では読める人が少なく、したがって本書で紹介されている科学的な事実は、いまだ広く知られていないということである。日本でも、いきすぎたデジタル化を警戒する記事や本をよく目にするが、いずれも根拠をはっきりと示せていないのは、おそらくそれが理由だろう。

最近のニュース(2021年5月11日、CNN.co.jp)では、全米44州の司法長官が、連名でフェイスブックのマーク・ザッカーバーグ最高経営責任者に「子ども向けインスタグラム計画」の中止を要請したことが報じられている。

世界中がデジタル化に向かって突き進むなか、その熱狂に冷静な視点で警告を鳴らす本書は、「画面」が子どもに与える影響を不安視する人にもしない人にも、まさに必読の書である。

最後に、本書がこうして形になるまで、花伝社の大澤茉実さんにはとってもお世話になりました。この場を借りて心からの感謝を! どうもありがとうございました。

2021年5月

鳥取絹子

参考図書

扉

1. de Tocqueville A., *De la Démocratie en Amérique*, Michel Lévy Frères, 1864.

プロローグ

1. Braque G., *Le jour et la nuit* [FR], Gallimard, 1952.
2. Schleicher A., in « Une culture qui libère ? [FR] », Round table organized by the newspaper *Libération*, Université catholique de Lyon, 19 septembre 2016.
3. Carter C., « Head teachers to report parents to police and social services if they let their children play Grand Theft Auto or Call of Duty », dailymail.co.uk, 2015.
4. OECD, « PISA 2018 Results (Volume 1) », oecd.org, 2019.
5. Phillips T., « Taiwan orders parents to limit children's time with electronic games », telegraph.co.uk, 2015.
6. Hernandez J. *et al.*, « 90 Minutes a Day, Until 10 P.M.: China Sets Rules for Young Gamers », nytimes.com, 2019.
7. Bilton N., « Steve Jobs Was a Low-Tech Parent », nytimes.com, 2014.
8. Bowles N., « A Dark Consensus About Screens and Kids Begins to Emerge in Silicon Valley », nytimes.com, 2018.
9. Richtel M., « A Silicon Valley School That Doesn't Compute », nytimes.com, 2011.
10. Bowles N., « The Digital Gap Between Rich and Poor Kids Is Not What We Expected », nytimes.com, 2018.
11. Erner G., « Les geeks privent leurs enfants d'écran, eux [FR] », huffingtonpost.fr, 2014.
12. Tapscott D., « New York Times Cover Story on "Growing Up Digital" Misses the Mark », huffingtonpost.com, 2011.
13. Bauerlein M., *The Dumbest generation*, Tarcher/Penguin, 2009.
14. Oreskes N. *et al., Merchants of doubt*, Bloombury, 2010.
15. Petersen A.M. *et al.*, « Discrepancy in scientific authority and media visibility of climate change scientists and contrarians », *Nat Commun*, 10, 2019.
16. Glantz S.A. *et al.*, *The Cigarette Papers*, University of California Press, 1998.
17. Proctor R., *Golden Holocaust*, UCP, 2012.
18. Angell M., *The Truth About the Drug Companies*, Random House, 2004.
19. Mullard A., « Mediator scandal rocks French medical community », *Lancet*, 377, 2011.
20. Healy D., *Pharmageddon*, UCP, 2012.
21. Goldacre B., *Bad Pharma*, Fourth Estate, 2014.
22. Gotzsche P., *Deadly psychiatry and organized denial*, People's Press, 2015.
23. Leslie I., « The sugar conspiracy », theguardian.com, 2016.
24. Holpuch A., « Sugar lobby paid scientists to blur sugar's role in heart disease – report », theguardian.com, 2016.
25. Kearns C.E. *et al.*, « Sugar Industry and Coronary Heart Disease Research: A Historical Analysis of Internal Industry Documents », *JAMA Intern Med*, 176, 2016.
26. Cunningham A. *et al.*, *Book Smart*, Oxford University Press, 2014.
27. Cunningham A. *et al.*, « What reading does for the mind », *Am. Educ.*, 22, 1998.

第一部

1. Esquiros A., *L'Esprit des Anglais*, Hachette, s.d.197
2. Kirschner P. *et al.*, « Do Learners Really Know Best? Urban Legends in Education », *Educ Psychol*, 48, 2013.
3. Serres M., *Petite Poucette* [FR], Le Pommier, 2012.
4. Tapscott D., *Grown Up Digital*, Mc Graw Hill, 2009.
5. Veen W. *et al.*, *Homo Zappiens: Growing up in a digital age*, Network Continuum Education, 2006.
6. Brown J.S., « Growing Up Digital », *Change*, 32, 2000.
7. Prensky M., « Digital Natives, Digital Immigrants (part 1) », *On The Horizon*, 9, 2001.
8. Fourgous J., *Réussir à l'école avec le numérique* [FR], Odile Jacob, 2011.
9. Ségond V., « Les "digital natives" changent l'entreprise [FR] », lemonde.fr, 2016.
10. Prensky M., « Listen to the natives », *Educational Leadership*, 63, 2006.
11. « Le cerveau des natifs du numérique en 90 secondes [FR] », lemonde.fr, 2015.
12. Davidenkoff E., *Le Tsunami numérique* [FR], Stock, 2014.
13. Prensky M., Teaching Digital Natives, Corwin, 2010.
14. Khan S., *The One World Schoolhouse*, Twelve, 2012.

15. Fourgous J., « Oser la pédagogie numérique ! [FR] », lemonde.fr, 2011.
16. Reynié D., in « "Apprendre autrement" à l'ère numérique. Rapport de la mission parlementaire de Jean-Michel Fourgous [FR] », La Documentation française, 2012.
17. Tapscott D., « Educating the net generation », *Educational Leadership*, 56, 1999.
18. Kirschner P. *et al.*, « The myths of the digital native and the multitasker », *Teach Teach Educ*, 67, 2017.
19. De Bruyckere P. *et al.*, *Urban myth about learning and education*, Academic Press, 2015.
20. Gallardo-Echenique E. et al., « Let's Talk about Digital Learners in the Digital Era », *Int Rev Res Open Distrib Lear*, 16, 2015.
21. Jones C., in *Reshaping learning* (eds. Huang R. et al.), « The new shape of the student », Springer, 2013.
22. Jones C. *et al.*, « The net generation and digital natives », *Higher Education Academy, York*, 2011.
23. Bullen M. *et al.*, « Digital Learners in Higher Education », Can J Learn Tech, 37, 2011.
24. Brown C. *et al.*, « Debunking the 'digital native': beyond digital apartheid, towards digital democracyjcal », *J Comput Assist Lear*, 26, 2010.
25. Bennett S. *et al.*, « Beyond the 'digital natives' debate: Towards a more nuanced understanding of students' technology experiences », *J Comput Assist Lear*, 26, 2010.
26. Bennett S. *et al.*, « The 'digital natives' debate », *Br J Educ Tech*, 39, 2008.
27. Selwyn N., « The digital native – myth and reality », *Aslib Proc*, 61, 2009.
28. Calvani A. *et al.*, « Are young generations in secondary school digitally competent? », *Comput Educ*, 58, 2012.
29. Tricot A., in Miller M., « Etre un "digital native" ne rend pas meilleur pour prendre des notes [FR] », lemonde.fr, 2018.
30. Kennedy G. *et al.*, « Beyond natives and immigrants », *J Comput Assist Lear*, 26, 2010.
31. Bekebrede G. *et al.*, « Reviewing the need for gaming in education to accommodate the net generation », *Comput Educ*, 57, 2011.
32. Jones C. *et al.*, « Net generation or Digital Natives », *Comput Educ*, 54, 2010.
33. Zhang M., « Internet use that reproduces educational inequalities », *Comput Educ*, 86, 2015.
34. Lai K. *et al.*, « Technology use and learning characteristics of students in higher education: Do generational differences exist? », *Brit J Educ Tech*, 46, 2015.
35. Rideout V., « The common sense census : Media use by tweens and teens », Common sense media, 2015.
36. Fraillon J. *et al.*, « Preparing for Life in a Digital Age (International Computer and Information Literacy Study) », Springer Open, 2014.
37. Demirbilek M., « The 'Digital Natives' Debate », *Eurasia J Math Sci Tech*, 10, 2014.
38. Romero M. *et al.*, « Do UOC Students Fit in the Net Generation Profile? », *Int Rev Res Open Distrib Lear*, 14, 2013.
39. Hargittai E., « Digital Na(t)ives? Variation in Internet Skills and Uses among Members of the "Net Generation" », *Sociol Inq*, 80, 2010.
40. Nasah A. *et al.*, « The digital literacy debate », *Educ Tech Res Dev*, 58, 2010.
41. Rideout V. *et al.*, « The common sense census : Media use by tweens and teens », Common sense media, 2019.
42. Stoerger S., « The digital melting pot », *First Monday*, 14, 2009.198
43. « Evaluating Information: The Cornerstone of Civic Online Reasoning», Report from the Stanford History Education Group, Stanford History Education Group, 2016.
44. « Computerkenntnisse der ÖsterreicherInnen (Austrian Computer Society) », Austrian Computer Society, 2014.
45. « Security of the digital natives», Tech and Law Center Project, 2014.
46. « Information behaviour of the researcher of the future », University College London, 2008.
47. Johnson L. *et al.*, « Horizon Report Europe: 2014 Schools Edition », Publications Office of the European Union & The New Media Consortium, 2014.
48. Rowlands I. *et al.*, « The Google generation », *Aslib Proc*, 60, 2008.
49. Thirion P. *et al.*, « Enquête sur les compétences documentaires et informationnelles des étudiants qui accèdent à l'enseignement supérieur en Communauté française de Belgique [FR] », enssib.fr, 2008.
50. Julien H. *et al.*, « How high-school students find and evaluate scientific information », *Libr Inform Sci Res*, 31, 2009.
51. Gross M. *et al.*, « What's skill got to do with it? », *J Am Soc Inf Sci Technol*, 63, 2012.
52. Perret C., « Pratiques de recherche documentaire

et réussite universitaire des étudiants de première année [FR] », *Carrefours de l'éducation*, 35, 2013.
53. Dumouchel G. *et al.*, « Mon ami Google [FR] », *Can J Learn Tech*, 43, 2017.
54. TNS Sofres « Les Millennials passent un jour par semaine sur leur smartphone [FR] », tns-sofres.com, 2015.
55. Lhenart A., «Teens, Social Media & Technology Overview 2015 », Pew Research Center, 2015.
56. Rideout V. *et al.*, « Generation M2 : Media in the lives of 8-18 year-olds », Kaiser Family Foundation, 2010.
57. Dumais S., « Cohort and gender differences in extracurricular participation », *Sociol Spectr*, 29, 2009.
58. Lauricella A. et al., « The common sense census : Plugged in parents of tweens and teens », Common sense media, 2016.
59. Ofcom, « Adults' media use and attitudes (report 2016) », ofcom.org, 2016.
60. Greenwood S. et al.,« Social Media Update 2016 », Pew Research Center, 2016.
61. Anderson M.. et al.,« Tech Adoption Climbs Among Older Adults », Pew Research Center, 2017.
62. Richtel M., « A Silicon Valley School That Doesn't Compute », nytimes.com, 2011.
63. AAP, « Media and Young Minds. American Academy of Pediatrics. Council on Communications and Media », *Pediatrics*, 138, 2016.
64. Christodoulou D., *Seven Myths About Education*, Routledge, 2014.
65. *Paroles de poilus* [FR], J'ai Lu, 2013.
66. Fourgous J., « Réussir l'école numérique. Rapport de la mission parlementaire sur la modernisation de l'école par le numérique [FR] », La Documentation française, 2010.
67. Fourgous J., « "Apprendre autrement" à l'ère numérique. Rapport de la mission parlementaire de Jean-Michel Fourgous [FR] », 2012.
68. Small G. et al., *iBrain*, HarperCollins, 2009.
69. Fourgous J., *Réussir à l'école avec le numérique*, Odile Jacob, 2011.
70. Des Deserts S., « Nos enfants, ces mut@nts [FR] », nouvelobs.com, 2012.
71. Serres M., *Petite Poucette*, Le Pommier, 2012.
72. Small G. et al., in *Digital divide* (ed. Bauerlein M.), « Your brain is evolving riht now », Penguin, 2011.
73. Bisson J., « Le cerveau de nos enfants n'aura plus la même architecture [FR] », lefigaro.fr, 2012.
74. Prensky M., *Brain Gain*, St Martin's Press, 2012.
75. Kuhn S. *et al.*, « Amount of lifetime video gaming is positively associated with entorhinal, hippocampal and occipital volume », *Mol Psychiatry*, 19, 2014.
76. Kuhn S. *et al.*, « Playing Super Mario induces structural brain plasticity », *Mol Psychiatry*, 19, 2014.
77. Kuhn S. *et al.*, « Positive association of video game playing with left frontal cortical thickness in adolescents », *PLoS One*, 9, 2014.
78. Gong D. *et al.*, « Enhanced functional connectivity and increased gray matter volume of insula related to action video game playing », *Sci Rep*, 5, 2015.
79. Tanaka S. *et al.*, « Larger right posterior parietal volume in action video game experts », *PLoS One*, 8, 2013.
80. « Jouer à Super Mario augmente le volume de matière grise [FR] », lexpress.fr, 2013.
81. Gracci F., « Les adeptes des jeux vidéos ont plus de matière grise et une meilleure connectivité cérébrale [FR] », science-et-vie.com, 2015.199
82. DiSalvo D., « The Surprising Connection Between Playing Video Games And A Thicker Brain », forbes.com, 2014.
83. Bergland C., « Video Gaming Can Increase Brain Size and Connectivity », psychologytoday.com, 2013.
84. Costandi M., *Neuroplasticity*, MIT Press, 2016.
85. Draganski B. *et al.*, « Neuroplasticity », *Nature*, 427, 2004.
86. Munte T.F. *et al.*, « The musician's brain as a model of neuroplasticity », *Nat Rev Neurosci*, 3, 2002.
87. Becker M.P. *et al.*, « Longitudinal changes in white matter microstructure after heavy cannabis use », *Dev Cogn Neurosci*, 16, 2015.
88. Preissler S. *et al.*, « Gray matter changes following limb amputation with high and low intensities of phantom limb pain », *Cereb Cortex*, 23, 2013.
89. Maguire E.A. *et al.*, « Recalling routes around london », *J Neurosci*, 17, 1997.
90. Takeuchi H. *et al.*, « The impact of television viewing on brain structures », *Cereb Cortex*, 25, 2015.
91. Takeuchi H. *et al.*, « Impact of reading habit on white matter structure », *Neuroimage*, 133, 2016.
92. Killgore W.D. *et al.*, « Physical exercise habits

correlate with gray matter volume of the hippocampus in healthy adult humans », *Sci Rep*, 3, 2013.
93. Fritel J., « Jeux vidéo : les nouveaux maîtres du monde [FR] », documentaire Arte, 15/11/2016.
94. Kanai R. *et al.*, « The structural basis of inter-individual differences in human behaviour and cognition », *Nat Rev Neurosci*, 12, 2011.
95. Shaw P. *et al.*, « Intellectual ability and cortical development in children and adolescents », *Nature*, 440, 2006.
96. Schnack H.G. *et al.*, « Changes in thickness and surface area of the human cortex and their relationship with intelligence », *Cereb Cortex*, 25, 2015.
97. Luders E. et al., « The link between callosal thickness and intelligence in healthy children and adolescents », Neuroimage, 54, 2011.
98. Takeuchi H. *et al.*, « Impact of videogame play on the brain's microstructural properties », *Mol Psychiatry*, 21, 2016.
99. Li W. *et al.*, « Brain structures and functional connectivity associated with individual differences in Internet tendency in healthy young adults », *Neuropsychologia*, 70, 2015.
100. « Brain regions can be specifically trained with video games », sciencedaily.com, 2013.
101. Boehly A., « Super Mario joue sur notre cerveau [FR] », sciencesetavenir.fr, 2013.
102. Richardson A. *et al.*, « Video game experience predicts virtual, but not real navigation performance », *Comput Hum Behav*, 27, 2011.
103. West G.L. *et al.*, « Impact of video games on plasticity of the hippocampus », *Mol Psychiatry*, 2017.
104. Tanji J. *et al.*, « Role of the lateral prefrontal cortex in executive behavioral control », *Physiol Rev*, 88, 2008.
105. Matsumoto K. *et al.*, « The role of the medial prefrontal cortex in achieving goals », *Curr Opin Neurobiol*, 14, 2004.
106. Funahashi S., « Space representation in the prefrontal cortex », *Prog Neurobiol*, 103, 2013.
107. Ballard I.C. *et al.*, « Dorsolateral prefrontal cortex drives mesolimbic dopaminergic regions to initiate motivated behavior », *J Neurosci*, 31, 2011.
108. Weinstein A. *et al.*, « Internet addiction or excessive internet use », *Am J Drug Alcohol Abuse*, 36, 2010.
109. Weinstein A. *et al.*, « New developments in brain research of internet and gaming disorder », *Neurosci Biobehav Rev*, 75, 2017.
110. Meng Y. *et al.*, « The prefrontal dysfunction in individuals with Internet gaming disorder », *Addict Biol*, 20, 2015.
111. Kuss D.J. *et al.*, « Neurobiological Correlates in Internet Gaming Disorder: A Systematic Literature Review », *Front Psychiatry*, 9, 2018.
112. Yuan K. *et al.*, « Cortical thickness abnormalities in late adolescence with online gaming addiction », *PLoS One*, 8, 2013.
113. Juraska J.M. *et al.*, « Pubertal onset as a critical transition for neural development and cognition », *Brain Res*, 1654, 2017.
114. Konrad K. *et al.*, « Brain development during adolescence », *Dtsch Arztebl Int*, 110, 2013.
115. Selemon L.D., « A role for synaptic plasticity in the adolescent development of executive function », *Transl Psychiatry*, 3, 2013.
116. Sisk C.L., « Development: Pubertal Hormones Meet the Adolescent Brain », *Curr Biol*, 27, 2017.200
117. Caballero A. et al., « Mechanisms contributing to prefrontal cortex maturation during adolescence », *Neurosci Biobehav Rev*, 70, 2016.
118. Caballero A. *et al.*, « GABAergic Function as a Limiting Factor for Prefrontal Maturation during Adolescence », *Trends Neurosci*, 39, 2016.
119. Paus T. *et al.*, « Why do many psychiatric disorders emerge during adolescence? », *Nat Rev Neurosci*, 9, 2008.
120. Sawyer S.M. *et al.*, « Adolescence: a foundation for future health », *Lancet*, 379, 2012.
121. Oei A.C. *et al.*, « Are videogame training gains specific or general? », *Front Syst Neurosci*, 8, 2014.
122. Przybylski A.K. *et al.*, « A large scale test of the gaming-enhancement hypothesis », *PeerJ*, 4, 2016.
123. van Ravenzwaaij D. *et al.*, « Action video games do not improve the speed of information processing in simple perceptual tasks », *J Exp Psychol Gen*, 143, 2014.
124. Jäncke L. *et al.*, « Expertise in Video Gaming and Driving Skills », *Z Neuropsychol*, 22, 2011.
125. Gaspar J.G. *et al.*, « Are gamers better crossers? An examination of action video game experience and dual task effects in a simulated street crossing task », *Hum Factors*, 56, 2014.
126. Owen A.M. *et al.*, « Putting brain training to the test », *Nature*, 465, 2010.
127. Simons D.J. *et al.*, « Do "Brain-Training" Programs Work? », *Psychol Sci Public Interest*, 17,

2016.
128. Azizi E. *et al.*, « The influence of action video game playing on eye movement behaviour during visual search in abstract, in-game and natural scenes », *Atten Percept Psychophys*, 79, 2017.
129. Sala G. *et al.*, « Video game training does not enhance cognitive ability », *Psychol Bull*, 144, 2018.
130. Bavelier D. *et al.*, « Brain plasticity through the life span », *Annu Rev Neurosci*, 35, 2012.
131. Koziol L.F. *et al.*, « Consensus paper: the cerebellum's role in movement and cognition », *Cerebellum*, 13, 2014.
132. Manto M. *et al.*, « Consensus paper: roles of the cerebellum in motor control », *Cerebellum*, 11, 2012.
133. Kennedy A.M. *et al.*, « Video gaming enhances psychomotor skills but not visuospatial and perceptual abilities in surgical trainees », *J Surg Educ*, 68, 2011.
134. Desmurget M., *Imitation et apprentissages moteurs* [FR], Solal, 2007.
第二部
1. *Pensées de monsieur le comte d'Oxenstirn sur divers sujets (T2)* [FR], Aux dépens de la société, 1787.
2. Bach J. et al., L'Enfant et les écrans : Un avis de l'académie des sciences [FR], Le Pommier, 2013.
3. Vandewater E.A. *et al.*, « Measuring Children's Media Use in the Digital Age », *Am Behav Sci*, 52, 2009.
4. Anderson D.R. *et al.*, « Estimates of young children's time with television », *Child Dev*, 56, 1985.
5. Desmurget M., *TV Lobotomie* [FR], J'ai Lu, 2013.
6. Donaldson-Pressman S. *et al.*, *The Learning Habit*, Perigee Book, 2014.
7. American Optometric Association, « Survey Reveals Parents Drastically Underestimate the Time Kids Spend on Electronic Devices », aoa.org, 2014.
8. Lee H. *et al.*, « Comparing the Self-Report and Measured Smartphone Usage of College Students », *Psychiatry Investig*, 14, 2017.
9. Otten J.J. *et al.*, « Relationship between self-report and an objective measure of television-viewing time in adults », *Obesity (Silver Spring)*, 18, 2010.
10. Rideout V., « The common sense census : Media use by tweens and teens », Common sense media, 2015.
11. Rideout V., « The common sense census : Media use by kids age zero to eight », Common sense media, 2017.
12. Roberts D.F. *et al.*, « Generation M : Media in the lives of 8-18 year-olds », Kaiser Family Foundation, 2005.
13. « Esteban: Étude de santé sur l'environnement, la biosurveillance, l'activité physique et la nutrition, 2014-2016 [FR] », santepubliquefrance.fr, 2017.
14. « Santé des collégiens en France /2014 [FR] » (données française de l'enquête internationale HBSC, santepubliquefrance.fr, 2016.
15. Barr R. *et al.*, « Amount, content and context of infant media exposure », *Int J Early Years Educ*, 18, 2010.
16. Garrison M.M. *et al.*, « The impact of a healthy media use intervention on sleep in preschool children », *Pediatrics*, 130, 2012.201
17. Sisson S.B. *et al.*, « Television, Reading, and Computer Time », *J Phys Act Health*, 8, 2011.
18. Felisoni D. *et al.*, « Cell phone usage and academic performance », *Comput Educ*, 117, 2018.
19. Rideout V. *et al.*, « Generation M2: Media in the lives of 8-18 year-olds », Kaiser Family Foundation, 2010.
20. Rideout V., « Zero to eight: children media use in america 2013 », Common Sense, 2013.
21. Rideout V. *et al.*, « The media family: Electronic media in the lives of infants, toddlers, preschoolers and their parents », Kaiser family foundation, 2006.
22. Médiamat Annuel 2017 [FR], Médiamétrie.
23. Ofcom, « Children and Parents: Media Use and Attitudes Report », ofcom.org, 2017.
24. Hysing M. *et al.*, « Sleep and use of electronic devices in adolescence », *BMJ Open*, 5, 2015.
25. Australian Institute of Family Studies, « The Longitudinal Study of Australian Children Annual Statistical Report 2015 », GrowingUpInAustralia.gov.au, 2016.
26. Winn M., *The Plug-In-Drug (revised edition)*, Penguin Group, 2002.
27. Lee S.J. *et al.*, « Predicting children's media use in the USA », *Br J Dev Psychol*, 27, 2009.
28. Chiu Y.C. *et al.*, « The amount of television that infants and their parents watched influenced children's viewing habits when they got older », *Acta Paediatr*, 106, 2017.
29. Biddle S.J. *et al.*, « Tracking of sedentary behaviours of young people », *Prev Med*, 51, 2010.
30. Cadoret G. *et al.*, « Relationship between screen-time and motor proficiency in children », *Early Child Dev Care*, 188, 2018.

31. Trinh M.H. *et al.*, « Association of Trajectory and Covariates of Children's Screen Media Time », *JAMA Pediatr*, 2019.
32. Olsen A. *et al.*, « Early Origins of Overeating », *Curr Obes Rep*, 2, 2013.
33. Rossano M.J., « The essential role of ritual in the transmission and reinforcement of social norms », *Psychol Bull*, 138, 2012.
34. Dehaene-Lambertz G. *et al.*, in *L'Acquisition du langage: Le langage en émergence (eds. Kail M. et al.)*, « Bases cérébrales de l'acquisition du langage [FR] », PUF, 2000.
35. Uylings H., « Development of the Human Cortex and the Concept of "Critical" or "Sensitive" Periods », *Lang Learn*, 56, 2006.
36. Nelson C.A., 3rd *et al.*, « Cognitive recovery in socially deprived young children », *Science*, 318, 2007.
37. Zeanah C.H. *et al.*, « Sensitive Periods », *Monogr Soc Res Child Dev*, 76, 2011.
38. Knudsen E.I., « Sensitive periods in the development of the brain and behavior », *J Cogn Neurosci*, 16, 2004.
39. Hensch T.K., « Critical period regulation », *Annu Rev Neurosci*, 27, 2004.
40. Friedmann N. *et al.*, « Critical period for first language », *Curr Opin Neurobiol*, 35, 2015.
41. McLaughlin K.A. *et al.*, « Neglect as a Violation of Species-Expectant Experience: Neurodevelopmental Consequences », *Biol Psychiatry*, 82, 2017.
42. Anderson V. *et al.*, « Do children really recover better? Neurobehavioural plasticity after early brain insult », *Brain*, 134, 2011.
43. Beuriat P.A. *et al.*, « Cerebellar lesions at a young age predict poorer long-term functional recovery », *Brain Commun*, 2, 2020.
44. Chaput J.P. *et al.*, « Sleeping hours: what is the ideal number and how does age impact this? », *Nat Sci Sleep*, 10, 2018.
45. Skinner J.D. *et al.*, « Meal and snack patterns of infants and toddlers », *J Am Diet Assoc*, 104, 2004.
46. Ziegler P. *et al.*, « Feeding Infants and Toddlers Study », *J Am Diet Assoc*, 106, 2006.
47. Jia R. *et al.*, « New Parents' Psychological Adjustment and Trajectories of Early Parental Involvement », *J Marriage Fam*, 78, 2016.
48. Kotila L.E. *et al.*, « Time in Parenting Activities in Dual-Earner Families at the Transition to Parenthood », *Fam Relat*, 62, 2013.
49. « American Time Use Survey 2016 », bls.gov, 2017.
50. « Horaires d'enseignement des écoles maternelles et élémentaires - France- [FR] », education.gouv.fr, 2015.
51. « Number of instructional days and hours in the school year, by state: 2018 -USA- », nces.ed.gov, 2018.
52. Hart B. *et al.*, *Meaningful differences*, Paul H Brookes Publishing Co, 1995.
53. Wartella E. *et al.*, « Parenting in the Age of Digital Technology », Center on Media and Human Development School of Communication Northwestern University, 2014.202
54. Mendelsohn A.L. *et al.*, « Do Verbal Interactions with Infants During Electronic Media Exposure Mitigate Adverse Impacts on their Language Development as Toddlers? », *Infant Child Dev*, 19, 2010.
55. Chonchaiya W. *et al.*, « Elevated background TV exposure over time increases behavioural scores of 18-month-old toddlers », *Acta Paediatr*, 104, 2015.
56. Duch H. *et al.*, « Association of screen time use and language development in Hispanic toddlers », *Clin Pediatr (Phila)*, 52, 2013.
57. Kabali H.K. *et al.*, « Exposure and Use of Mobile Media Devices by Young Children », *Pediatrics*, 136, 2015.
58. Ericsson A. *et al.*, « The role of deliberate practice in the acquisition of expert performance », *Psychol Rev*, 100, 1993.
59. Fetler M., « Television Viewing and School Achievement », *J Commun*, 34, 1984.
60. Beentjes J. *et al.*, « Television's Impact on Children's Reading Skills », *Read Res Q*, 23, 1988.
61. Comstock G., in *Thinking and Literacy: The Mind at Work* (eds. Hedley C.N. *et al.*), « Television and the american child », LEA, 1995.
62. Jackson L. *et al.*, « A longitudinal study of the effects of Internet use and videogame playing on academic performance and the roles of gender, race and income in these relationships », *Comput Hum Behav*, 27, 2011.
63. Rideout V. *et al.*, « The common sense census : Media use by tweens and teens », Common sense media, 2019.
64. « L'emploi du temps de votre enfant au collège [FR] », education.gouv.fr, 2017.
65. « Average annual hours actually worked (2019 or latest available) », data.oecd.org, 2020.
66. Orben A. *et al.*, « The association between

adolescent well-being and digital technology use », *Nat Hum Behav*, 3, 2019.
67. Orben A. et al., « Screens, Teens, and Psychological Well-Being: Evidence From Three Time-Use-Diary Studies », *Psychol Sci*, 30, 2019.
68. Kasser T., *The High Price of Materialism*, MIT Press, 2002.
69. Public Health England, « How healthy behaviour supports children's wellbeing », gov.uk, 2013.
70. Kross E. *et al.*, « Facebook use predicts declines in subjective well-being in young adults », *PLoS One*, 8, 2013.
71. Yang F. *et al.*, « Electronic screen use and mental well-being of 10-12-year-old children », *Eur J Public Health*, 23, 2013.
72. Verduyn P. *et al.*, « Passive Facebook usage undermines affective well-being: Experimental and longitudinal evidence », *J Exp Psychol Gen*, 144, 2015.
73. Tromholt M., « The Facebook Experiment », *Cyberpsychol Behav Soc Netw*, 19, 2016.
74. Lin L.Y. *et al.*, « Association between Social Media Use and Depression among U.S. Young Adults », *Depress Anxiety*, 33, 2016.
75. Primack B.A. *et al.*, « Social Media Use and Perceived Social Isolation Among Young Adults in the U.S », *Am J Prev Med*, 53, 2017.
76. Primack B.A. *et al.*, « Association between media use in adolescence and depression in young adulthood », *Arch Gen Psychiatry*, 66, 2009.
77. Costigan S.A. *et al.*, « The health indicators associated with screen-based sedentary behavior among adolescent girls », *J Adolesc Health*, 52, 2013.
78. Shakya H.B. *et al.*, « Association of Facebook Use With Compromised Well-Being », *Am J Epidemiol*, 185, 2017.
79. Babic M. *et al.*, « Longitudinal associations between changes in screen-time and mental health outcomes in adolescents », *Ment Health Phys Act*, 12, 2017.
80. Twenge J. *et al.*, « Increases in Depressive Symptoms, Suicide-Related Outcomes, and Suicide Rates Among U.S. Adolescents After 2010 and Links to Increased New Media Screen Time », *Clin Psychol Sci*, 6, 2018.
81. Twenge J.M. *et al.*, « Decreases in Psychological Well-Being Among American Adolescents After 2012 and Links to Screen Time During the Rise of Smartphone Technology », *Emotion*, 2018.
82. Kelly Y. *et al.*, « Social Media Use and Adolescent Mental Health », *EClinicalMedicine*, 2019.
83. Demirci K. *et al.*, « Relationship of smartphone use severity with sleep quality, depression, and anxiety in university students », *J Behav Addict*, 4, 2015.203
84. Hinkley T. et al., « Early childhood electronic media use as a predictor of poorer well-being », *JAMA Pediatr*, 168, 2014.
85. Hunt M. *et al.*, « No More FOMO », *J Soc Clin Psychol*, 37, 2018.
86. Seo J.H. *et al.*, « Late use of electronic media and its association with sleep, depression, and suicidality among Korean adolescents », *Sleep Med*, 29, 2017.
87. Tournier P., in Weynants E., « "Les collégiens ont trop d'heures de cours [FR]" », lexpress.fr, 2010.
88. Dupiot C., « "L'école ? On va finir par y dormir" [FR] », liberation.fr, 2012.
89. Gladwell M., *Outliers*, Black Bay Books, 2008.
90. Tough P., *How children succeed*, Random House, 2013.
91. Angrist J.D. *et al.*, « Who Benefits from KIPP? », *J Policy Anal Manag*, 31, 2012.
92. Dennison B.A. *et al.*, « Television viewing and television in bedroom associated with overweight risk among low-income preschool children », *Pediatrics*, 109, 2002.
93. Borzekowski D.L. *et al.*, « The remote, the mouse, and the no. 2 pencil », *Arch Pediatr Adolesc Med*, 159, 2005.
94. Barr-Anderson D.J. *et al.*, « Characteristics associated with older adolescents who have a television in their bedrooms », *Pediatrics*, 121, 2008.
95. Granich J. *et al.*, « Individual, Social, and Physical Environment Factors Associated With Electronic Media Use Among Children », *J Phys Act Health*, 8, 2011.
96. Sisson S.B. *et al.*, « TVs in the bedrooms of children », *Prev Med*, 52, 2011.
97. Ramirez E.R. *et al.*, « Adolescent screen time and rules to limit screen time in the home », *J Adolesc Health*, 48, 2011.
98. Garrison M.M. *et al.*, « Media use and child sleep », *Pediatrics*, 128, 2011.
99. Tandon P.S. *et al.*, « Home environment relationships with children's physical activity, sedentary time, and screen time by socioeconomic

status », *Int J Behav Nutr Phys Act*, 9, 2012.
100. Wethington H. *et al.*, « The association of screen time, television in the bedroom, and obesity among school-aged youth », *J Sch Health*, 83, 2013.
101. Dumuid D. *et al.*, « Does home equipment contribute to socioeconomic gradients in Australian children's physical activity, sedentary time and screen time? », *BMC Public Health*, 16, 2016.
102. Li S. *et al.*, « The impact of media use on sleep patterns and sleep disorders among school-aged children in China », *Sleep*, 30, 2007.
103. Brockmann P.E. *et al.*, « Impact of television on the quality of sleep in preschool children », *Sleep Med*, 20, 2016.
104. Van den Bulck J., « Television viewing, computer game playing, and Internet use and self-reported time to bed and time out of bed in secondary-school children », *Sleep*, 27, 2004.
105. Gentile D.A. *et al.*, « Bedroom media », *Dev Psychol*, 53, 2017.
106. Shochat T. *et al.*, « Sleep patterns, electronic media exposure and daytime sleep-related behaviours among Israeli adolescents », *Acta Paediatr*, 99, 2010.
107. Owens J. *et al.*, « Television-viewing habits and sleep disturbance in school children », *Pediatrics*, 104, 1999.
108. Veldhuis L. *et al.*, « Parenting style, the home environment, and screen time of 5-year-old children; the 'be active, eat right' study », *PLoS One*, 9, 2014.
109. Pempek T. *et al.*, « Young Children's Tablet Use and Associations with Maternal Well-Being », *J Child Fam Stud*, 25, 2016.
110. Lauricella A.R. *et al.*, « Young children's screen time », *J Appl Dev Psychol*, 36, 2015.
111. Jago R. *et al.*, « Cross-sectional associations between the screen-time of parents and young children », *Int J Behav Nutr Phys Act*, 11, 2014.
112. Jago R. *et al.*, « Parent and child screen-viewing time and home media environment », *Am J Prev Med*, 43, 2012.
113. De Decker E. *et al.*, « Influencing factors of screen time in preschool children », *Obes Rev*, 13 Suppl 1, 2012.
114. Bleakley A. *et al.*, « The relationship between parents' and children's television viewing », *Pediatrics*, 132, 2013.
115. Collier K.M. *et al.*, « Does parental mediation of media influence child outcomes? A meta-analysis on media time, aggression, substance use, and sexual behavior », *Dev Psychol*, 52, 2016.
116. Bandura A., *Social learning theory*, Prentice Hall, 1977.
117. Durlak A. et al., *Handbook of social and emotional learning*, Guilford Press, 2015.204
118. Jago R. *et al.*, « Parental sedentary restriction, maternal parenting style, and television viewing among 10- to 11-year-olds », *Pediatrics*, 128, 2011.
119. Buchanan L. *et al.*, « Reducing Recreational Sedentary Screen Time: A Community Guide Systematic Review », *Am J Prev Med*, 50, 2016.
120. Community Preventive Services Task Force, « Reducing Children's Recreational Sedentary Screen Time », *Am J Prev Med*, 50, 2016.
121. Desmurget M., *L'Antirégime au quotidien* [FR], Belin, 2017.
122. Wansink B., *Mindless eating*, Bantam Books, 2007.
123. Feeley J.,« Children's Content Interest--A Factor Analytic Study », Paper presented at the Annual Meeting of the National Council of Teachers of English, Minneapolis, Minnesota, November 23-25, 1972.
124. Killingsworth M.A. *et al.*, « A wandering mind is an unhappy mind », *Science*, 330, 2010.
125. Koerth-Baker M., « Why boredom is anything but boring », *Nature*, 529, 2016.
126. Milyavskaya M. *et al.*, « Reward sensitivity following boredom and cognitive effort: A high-powered neurophysiological investigation », *Neuropsychologia*, 2018.
127. Wilson T.D. *et al.*, « Just think », *Science*, 345, 2014.
128. Havermans R.C. *et al.*, « Eating and inflicting pain out of boredom », *Appetite*, 85, 2015.
129. Maushart S., *The Winter of our disconnect*, Tarcher/Penguin, 2011.
130. Dunkley V., « Gray Matters: Too Much Screen Time Damages the Brain », psychologytoday.com, 2014.
131. Walton A., « Investors Pressure Apple Over Psychological Risks Of Screen Time For Kids », forbes.com, 2018.
132. Huerre P., in Picut G., « Comment aider son enfant à ne pas devenir accro aux écrans ? [FR] », lexpress.fr, 2014.
133. Brand M. *et al.*, « Prefrontal control and internet addiction: a theoretical model and review of neuropsychological and neuroimaging findings », *Front Hum Neurosci*, 8, 2014.
134. De-Sola Gutierrez J. *et al.*, « Cell-Phone

Addiction », *Front Psychiatry*, 7, 2016.
135. Cerniglia L. *et al.*, « Internet Addiction in adolescence », *Neurosci Biobehav Rev*, 76, 2017.
136. Kuss D.J. *et al.*, « Neurobiological Correlates in Internet Gaming Disorder: A Systematic Literature Review », *Front Psychiatry*, 9, 2018.
137. Meng Y. *et al.*, « The prefrontal dysfunction in individuals with Internet gaming disorder », *Addict Biol*, 20, 2015.
138. Park B. *et al.*, « Neurobiological findings related to Internet use disorders », *Psychiatry Clin Neurosci*, 71, 2017.
139. Weinstein A. *et al.*, « New developments in brain research of internet and gaming disorder », *Neurosci Biobehav Rev*, 75, 2017.
140. Gentile D.A. *et al.*, « Internet Gaming Disorder in Children and Adolescents », *Pediatrics*, 140, 2017.
141. Griffiths M. *et al.*, « A brief overview of internet gaming disorder and its treatment », *Austr Clin Psychol*, 2, 2016.
142. He Q. *et al.*, « Brain anatomy alterations associated with Social Networking Site (SNS) addiction », *Sci Rep*, 7, 2017.
143. OMS, « Trouble du jeu vidéo [FR] », who.int, 2018.
144. Anderson E.L. *et al.*, « Internet use and Problematic Internet Use », *Int J Adolesc Youth*, 2016.
145. Kuss D.J. *et al.*, « Internet addiction », *Curr Pharm Des*, 20, 2014.
146. Petry N.M. *et al.*, « Griffiths et al.'s comments on the international consensus statement of internet gaming disorder », *Addiction*, 111, 2016.
147. Griffiths M.D. *et al.*, « Working towards an international consensus on criteria for assessing internet gaming disorder: a critical commentary on Petry et al. (2014) », *Addiction*, 111, 2016.
148. Weinstein A. *et al.*, « Internet addiction or excessive internet use », *Am J Drug Alcohol Abuse*, 36, 2010.
149. Durkee T. *et al.*, « Prevalence of pathological internet use among adolescents in Europe: demographic and social factors », *Addiction*, 107, 2012.
150. Feng W. *et al.*, « Internet gaming disorder: Trends in prevalence 1998-2016 », *Addict Behav*, 75, 2017.
151. Mihara S. *et al.*, « Cross-sectional and longitudinal epidemiological studies of Internet gaming disorder: A systematic review of the literature », *Psychiatry Clin Neurosci*, 71, 2017.
152. INSEE, « Population par sexe et groupe d'âges en 2018 [FR] », insee.fr, 2018.205
153. United States Census, « 2017 National Population Projections Tables », census.gov, 2017.
154. Ballet V., « Jeux vidéo : “Ma pratique était excessive, mais le mot "addiction" me semblait exagéré” [FR] », liberation.fr, 2018.
155. Young K.S., « Internet addiction », *CyberPsychol Behav*, 1, 1998.
156. Douglas A. *et al.*, « Internet addiction », *Comput Hum Behav*, 24, 2008.
157. Kuss D. *et al.*, « Excessive Internet use and psychopathology », *Clin Neuropsychiatry*, 14, 2017.
158. Hubel D.H. *et al.*, « The period of susceptibility to the physiological effects of unilateral eye closure in kittens », *J Physiol*, 206, 1970.
159. de Villers-Sidani E. *et al.*, « Critical period window for spectral tuning defined in the primary auditory cortex (A1) in the rat », *J Neurosci*, 27, 2007.
160. Kral A., « Auditory critical periods », *Neuroscience*, 247, 2013.
161. Kral A. *et al.*, « Developmental neuroplasticity after cochlear implantation », *Trends Neurosci*, 35, 2012.
162. Bailey J.A. *et al.*, « Early musical training is linked to gray matter structure in the ventral premotor cortex and auditory-motor rhythm synchronization performance », *J Cogn Neurosci*, 26, 2014.
163. Steele C.J. *et al.*, « Early musical training and white-matter plasticity in the corpus callosum », *J Neurosci*, 33, 2013.
164. Johnson J.S. *et al.*, « Critical period effects in second language learning », *Cogn Psychol*, 21, 1989.
165. Kuhl P.K., « Brain mechanisms in early language acquisition », *Neuron*, 67, 2010.
166. Kuhl P. et al., « Neural substrates of language acquisition », *Annu Rev Neurosci*, 31, 2008.
167. Gervain J. *et al.*, « Speech perception and language acquisition in the first year of life », Annu Rev Psychol, 61, 2010.
168. Werker J.F. *et al.*, « Critical periods in speech perception: new directions », *Annu Rev Psychol*, 66, 2015.
169. Flege J. *et al.*, « Amount of native-language (L1) use affects the pronunciation of an L2 », *J Phon*, 25, 1997.

170. Weber-Fox C.M. *et al.*, « Maturational Constraints on Functional Specializations for Language Processing », *J Cogn Neurosci*, 8, 1996.
171. Piaget J., *The Origins of Intelligence in Children*, International Universities Press, 1952.
172. *The New Jerusalem Bible -Standard Edition-*, Doubleday, 1999.
173. Duff D. *et al.*, « The Influence of Reading on Vocabulary Growth », *J Speech Lang Hear Res*, 58, 2015.
174. Perc M., « The Matthew effect in empirical data », *J R Soc Interface*, 11, 2014.
175. Cunningham A. *et al.*, *Book Smart*, Oxford University Press, 2014.
176. Hirsch E., *The Knowledge deficit*, Houghton Mifflin Hartcourt, 2006.
177. Mol S.E. *et al.*, « To read or not to read », *Psychol Bull*, 137, 2011.
178. Petersen A.M. *et al.*, « Quantitative and empirical demonstration of the Matthew effect in a study of career longevity », *Proc Natl Acad Sci USA*, 108, 2011.
179. Rigney D., *The Matthew Effect*, Columbia University Press, 2010.
180. Heckman J.J., « Skill formation and the economics of investing in disadvantaged children », *Science*, 312, 2006.
181. van den Heuvel M. *et al.*, « Mobile Media Device Use is Associated with Expressive Language Delay in 18-Month-Old Children », *J Dev Behav Pediatr*, 40, 2019.
182. Wen L.M. *et al.*, « Correlates of body mass index and overweight and obesity of children aged 2 years », *Obesity (Silver Spring)*, 22, 2014.
183. Tomopoulos S. *et al.*, « Infant media exposure and toddler development », *Arch Pediatr Adolesc Med*, 164, 2010.
184. Pagani L.S. *et al.*, « Prospective associations between early childhood television exposure and academic, psychosocial, and physical well-being by middle childhood », *Arch Pediatr Adolesc Med*, 164, 2010.
185. Christakis D.A. et al., « How early media exposure may affect cognitive function », *Proc Natl Acad Sci USA*, 115, 2018.
186. Nikkelen S.W. et al., « Media use and ADHD-related behaviors in children and adolescents », *Dev Psychol*, 50, 2014.
187. Rueb E., « W.H.O. Says Limited or No Screen Time for Children Under 5 », nytimes.com, 2019.
188. WHO, « To grow up healthy, children need to sit less and play more », who.int, 2019.206
189. AAP, « Media education. American Academy of Pediatrics. Committee on Public Education », *Pediatrics*, 104, 1999.
190. Australian Department of Health, « Is your family missing out on the benefits of being active every day? », health.gov.au, 2014.
191. AAP, « Media and Young Minds. American Academy of Pediatrics. Council on Communications and Media », *Pediatrics*, 138, 2016.
192. Canadian Paediatric Society D.H.T.F.O.O., « Screen time and young children: Promoting health and development in a digital world », *Paediatr Child Health*, 22, 2017.
193. French broadcasting authority « Utiliser les écrans, ça s'apprend [FR] », csa.fr, 09/2018.
194. Kostyrka-Allchorne K. *et al.*, « The relationship between television exposure and children's cognition and behaviour », *Dev Rev*, 44, 2017.
195. Madigan S. *et al.*, « Associations Between Screen Use and Child Language Skills: A Systematic Review and Meta-analysis », *JAMA Pediatr*, 2020.
196. Murray L. *et al.*, « Randomized controlled trial of a book-sharing intervention in a deprived South African community », *J Child Psychol Psychiatry*, 57, 2016.
197. Vally Z. *et al.*, « The impact of dialogic book-sharing training on infant language and attention », *J Child Psychol Psychiatry*, 56, 2015.
198. Hayes D., « Speaking and writing », *J Mem Lang*, 27, 1988.
199. Cunningham A. *et al.*, « What reading does for the mind », *Am. Educ.*, 22, 1998.
200. AAP, « Children and Adolescents and Digital Media. American Academy of Pediatrics. Council on Communications and Media », *Pediatrics*, 138, 2016.
201. Rymer R., *Genie*. A Scientific Tragedy, HarperPerennial, 1994.
202. Whitebread D. *et al.*, in *Creativity and the Wandering Mind* (eds. Preiss D. et al.), « Pretend play in young children and the emergence of creativity », Academic Press, 2020.
203. Nicolopoulou A. *et al.*, « What Do We Know about Pretend Play and Narrative Development? », *Am J Play*, 6, 2013.
204. Rao Z. et al., in *The SAGE Handbook of Developmental Psychology and Early Childhood*

Education(eds. Whitebread D. et al.), « The role of pretend play in supporting young children's emotional development », Sage, 2019.
205. Vandewater E.A. *et al.*, « Time well spent? Relating television use to children's free-time activities », *Pediatrics*, 117, 2006.
206. Hancox R.J. *et al.*, « Association of television viewing during childhood with poor educational achievement », *Arch. Pediatr. Adolesc. Med*, 159, 2005.
207. Zheng F. et al., « Association between mobile phone use and inattention in 7102 Chinese adolescents », *BMC Public Health*, 14, 2014.
208. Stettler N. *et al.*, « Electronic games and environmental factors associated with childhood obesity in Switzerland », *Obes Res*, 12, 2004.
209. Exelmans L. *et al.*, « Sleep quality is negatively related to video gaming volume in adults », *J Sleep Res*, 24, 2015.
210. Gopinath B. *et al.*, « Influence of physical activity and screen time on the retinal microvasculature in young children », *Arterioscler Thromb Vasc Biol*, 31, 2011.
211. Dunstan D.W. *et al.*, « Television viewing time and mortality », *Circulation*, 121, 2010.
212. Strasburger V.C. *et al.*, « Children, adolescents, and the media », *Pediatr Clin North Am*, 59, 2012.
213. AAP, « Policy statement – Media violence », *Pediatrics*, 124, 2009.
214. MacDonald K., « How much screen time is too much for kids? It's complicated », theguardian.com, 2018.
215. « Keza MacDonald, video games editor », theguardian.com,
216. Desmurget M., *L'Antirégime* [FR], Belin, 2015.
217. USDA *et al.*, « Dietary Guidelines for Americans, 2010. 7th Edition », U.S. Department of Agriculture and U.S. Department of Health and Human Services,, 2010.
218. Morgenstern M. *et al.*, « Smoking in movies and adolescent smoking », *Thorax*, 66, 2011.
219. Morgenstern M. *et al.*, « Smoking in movies and adolescent smoking initiation », *Am J Prev Med*, 44, 2013.
220. Dalton M.A. *et al.*, « Early exposure to movie smoking predicts established smoking by older teens and young adults », *Pediatrics*, 123, 2009.207
221. Dalton M.A. *et al.*, « Effect of viewing smoking in movies on adolescent smoking initiation: a cohort study », *Lancet*, 362, 2003.
222. Sargent J.D. *et al.*, « Exposure to movie smoking », *Pediatrics*, 116, 2005.
223. Wingood G.M. *et al.*, « A prospective study of exposure to rap music videos and African American female adolescents' health », *Am J Public Health*, 93, 2003.
224. Chandra A. *et al.*, « Does watching sex on television predict teen pregnancy? Findings from a national longitudinal survey of youth », *Pediatrics*, 122, 2008.
225. Collins R.L. *et al.*, « Relationships Between Adolescent Sexual Outcomes and Exposure to Sex in Media », *Dev Psychol*, 47, 2011.
226. O'Hara R.E. *et al.*, « Greater exposure to sexual content in popular movies predicts earlier sexual debut and increased sexual risk taking », *Psychol Sci*, 23, 2012.
227. Postman N., *Amusing Ourselves to Death*, Penguin Books, 2005/1985.
第三部
1. Bauerlein M., *The Dumbest generation*, Tarcher/Penguin, 2009.
イントロ
1. Vriend J. *et al.*, « Emotional and Cognitive Impact of Sleep Restriction in Children », *Sleep Med Clin*, 10, 2015.
2. Kirszenblat L. *et al.*, « The Yin and Yang of Sleep and Attention », *Trends Neurosci*, 38, 2015.
3. Lowe C.J. *et al.*, « The neurocognitive consequences of sleep restriction », *Neurosci Biobehav Rev*, 80, 2017.
4. Tarokh L. *et al.*, « Sleep in adolescence », *Neurosci Biobehav Rev*, 70, 2016.
5. Curcio G. *et al.*, « Sleep loss, learning capacity and academic performance », *Sleep Med Rev*, 10, 2006.
6. Carskadon M.A., « Sleep's effects on cognition and learning in adolescence », *Prog Brain Res*, 190, 2011.
7. Shochat T. *et al.*, « Functional consequences of inadequate sleep in adolescents », *Sleep Med Rev*, 18, 2014.
8. Schmidt R.E. *et al.*, « The Relations Between Sleep, Personality, Behavioral Problems, and School Performance in Adolescents », *Sleep Med Clin*, 10, 2015.
9. Bryant P.A. *et al.*, « Sick and tired », *Nat Rev Immunol*, 4, 2004.
10. Kurien P.A. *et al.*, « Sick and tired », *Curr Opin Neurobiol*, 23, 2013.
11. Irwin M.R. *et al.*, « Sleep Health »,

Neuropsychopharmacology, 42, 2017.
12. Baxter S.D. *et al.*, « The relationship of school absenteeism with body mass index, academic achievement, and socioeconomic status among fourth-grade children », *J Sch Health*, 81, 2011.
13. Sigfusdottir I.D. *et al.*, « Health behaviour and academic achievement in Icelandic school children », *Health Educ Res*, 22, 2007.
14. Blaya C., « L'absentéisme des collégiens [FR] », *Les Sciences de l'éducation – Pour l'Ère nouvelle*, 42, 2009.
15. Frank M.G., « Sleep and developmental plasticity not just for kids », *Prog Brain Res*, 193, 2011.
16. Telzer E.H. *et al.*, « Sleep variability in adolescence is associated with altered brain development », *Dev Cogn Neurosci*, 14, 2015.
17. Dutil C. *et al.*, « Influence of sleep on developing brain functions and structures in children and adolescents », *Sleep Med Rev*, 2018.
18. Patel S.R. *et al.*, « Short sleep duration and weight gain », *Obesity (Silver Spring)*, 16, 2008.
19. Chen X. *et al.*, « Is sleep duration associated with childhood obesity? A systematic review and meta-analysis », *Obesity (Silver Spring)*, 16, 2008.
20. Fatima Y. *et al.*, « Longitudinal impact of sleep on overweight and obesity in children and adolescents », *Obes Rev*, 16, 2015.
21. Miller M.A. *et al.*, « Sleep duration and incidence of obesity in infants, children, and adolescents », *Sleep*, 41, 2018.
22. Taras H. *et al.*, « Obesity and student performance at school », *J Sch Health*, 75, 2005.
23. Karnehed N. *et al.*, « Obesity and attained education », *Obesity (Silver Spring)*, 14, 2006.208
24. Pont S.J. *et al.*, « Stigma Experienced by Children and Adolescents With Obesity », *Pediatrics*, 140, 2017.
25. Puhl R.M. *et al.*, « The stigma of obesity », *Obesity (Silver Spring)*, 17, 2009.
26. Puhl R.M. *et al.*, « Stigma, obesity, and the health of the nation's children », *Psychol Bull*, 133, 2007.
27. Shore S.M. *et al.*, « Decreased scholastic achievement in overweight middle school students », *Obesity (Silver Spring)*, 16, 2008.
28. Geier A.B. *et al.*, « The relationship between relative weight and school attendance among elementary schoolchildren », *Obesity (Silver Spring)*, 15, 2007.
29. Desmurget M., *L'Antirégime* [FR], Belin, 2015.
30. Karsay K. *et al.*, « "Weak, Sad, and Lazy Fatties": Adolescents' Explicit and Implicit Weight Bias Following Exposure to Weight Loss Reality TV Shows », *Media Psychol*, 22, 2019.
31. Institute of Medicine of the National Academies, *Sleep Disorders and Sleep Deprivation: An Unmet Public Health Problem*, The National Academies Press, 2006.
32. Goldstein A.N. *et al.*, « The role of sleep in emotional brain function », *Annu Rev Clin Psychol*, 10, 2014.
33. Uehli K. *et al.*, « Sleep problems and work injuries », *Sleep Med Rev*, 18, 2014.
34. St-Onge M.P. *et al.*, « Sleep Duration and Quality », *Circulation*, 134, 2016.
35. Bioulac S. *et al.*, « Risk of Motor Vehicle Accidents Related to Sleepiness at the Wheel », *Sleep*, 41, 2018.
36. Spira A.P. *et al.*, « Impact of sleep on the risk of cognitive decline and dementia », *Curr Opin Psychiatry*, 27, 2014.
37. Lindstrom H.A. *et al.*, « The relationships between television viewing in midlife and the development of Alzheimer's disease in a case-control study », *Brain Cogn*, 58, 2005.
38. Lo J.C. *et al.*, « Sleep duration and age-related changes in brain structure and cognitive performance », *Sleep*, 37, 2014.
39. Ju Y.E. *et al.*, « Sleep and Alzheimer disease pathology--a bidirectional relationship », *Nat Rev Neurol*, 10, 2014.
40. Zhang F. *et al.*, « The missing link between sleep disorders and age-related dementia », *J Neural Transm (Vienna)*, 124, 2017.
41. Macedo A.C. *et al.*, « Is Sleep Disruption a Risk Factor for Alzheimer's Disease? », *J Alzheimers Dis*, 58, 2017.
42. Wu L. *et al.*, « A systematic review and dose-response meta-analysis of sleep duration and the occurrence of cognitive disorders », *Sleep Breath*, 22, 2018.
43. Barnes D.E. *et al.*, « The projected effect of risk factor reduction on Alzheimer's disease prevalence », *Lancet Neurol*, 10, 2011.
44. Ostria V., « Par le petit bout de la lucarne [FR] », *Les Inrockuptibles*, 792, 2011.

教育

1. Garcia S., *Le goût de l'effort* [FR], PUF, 2018.
2. Lahire B., *Enfances de classe* [FR], Seuil, 2019.
3. Bourdieu P. *et al.*, *The inheritors*, UCP, 1979/1964.

4. Sirin S., « Socioeconomic Status and Academic Achievement », *Rev Educ Res*, 75, 2005.
5. Bumgarner E. *et al.*, in *International guide to student achievement* (eds. Hattie J. *et al.*), « Socioeconomoc status and student achievement », Routledge, 2013.
6. Corder K. *et al.*, « Revising on the run or studying on the sofa », *Int J Behav Nutr Phys Act*, 12, 2015.
7. Dimitriou D. *et al.*, « The Role of Environmental Factors on Sleep Patterns and School Performance in Adolescents », *Front Psychol*, 6, 2015.
8. Garcia-Continente X. *et al.*, « Factors associated with media use among adolescents », *Eur J Public Health*, 24, 2014.
9. Garcia-Hermoso A. *et al.*, « Relationship of weight status, physical activity and screen time with academic achievement in adolescents », *Obes Res Clin Pract*, 11, 2017.
10. Pressman R. *et al.*, « Examining the Interface of Family and Personal Traits, Media, and Academic Imperatives Using the Learning Habit Study », *Am J Fam Ther*, 42, 2014.
11. Jacobsen W.C. *et al.*, « The wired generation », *Cyberpsychol Behav Soc Netw*, 14, 2011.
12. Lizandra J. *et al.*, « Does Sedentary Behavior Predict Academic Performance in Adolescents or the Other Way Round? A Longitudinal Path Analysis », *PLoS One*, 11, 2016.209
13. Mossle T. *et al.*, « Media use and school achievement--boys at risk? », *Br J Dev Psychol*, 28, 2010.
14. Peiro-Velert C. et al., « Screen media usage, sleep time and academic performance in adolescents », *PLoS One*, 9, 2014.
15. Poulain T. *et al.*, « Cross-sectional and longitudinal associations of screen time and physical activity with school performance at different types of secondary school », *BMC Public Health*, 18, 2018.
16. Syvaoja H.J. *et al.*, « Physical activity, sedentary behavior, and academic performance in Finnish children », *Med Sci Sports Exerc*, 45, 2013.
17. Syvaoja H.J. *et al.*, « The Relation of Physical Activity, Sedentary Behaviors, and Academic Achievement Is Mediated by Fitness and Bedtime », *J Phys Act Health*, 15, 2018.
18. Ishii K. *et al.*, « Joint Associations of Leisure Screen Time and Physical Activity with Academic Performance in a Sample of Japanese Children », *Int J Environ Res Public Health*, 17, 2020.
19. Desmurget M., *TV Lobotomie* [FR], J'ai Lu, 2013.
20. Keith T. *et al.*, « Parental involvement, homework, and TV time », *J Educ Psychol*, 78, 1986.
21. Comstock G., in *Thinking and Literacy: The Mind at Work* (eds. Hedley C.N. *et al.*), « Television and the american child », LEA, 1995.
22. Ozmert E. *et al.*, « Behavioral correlates of television viewing in primary school children evaluated by the child behavior checklist », *Arch Pediatr Adolesc Med*, 156, 2002.
23. Shin N., « Exploring pathways from television viewing to academic achievement in school age children », *J Genet Psychol*, 165, 2004.
24. Hunley S.A. *et al.*, « Adolescent computer use and academic achievement », *Adolescence*, 40, 2005.
25. Borzekowski D.L. *et al.*, « The remote, the mouse, and the no. 2 pencil », *Arch Pediatr Adolesc Med*, 159, 2005.
26. Hancox R.J. *et al.*, « Association of television viewing during childhood with poor educational achievement », *Arch. Pediatr. Adolesc. Med*, 159, 2005.
27. Johnson J.G. *et al.*, « Extensive television viewing and the development of attention and learning difficulties during adolescence », *Arch Pediatr Adolesc Med*, 161, 2007.
28. Espinoza F., « Using Project-Based Data in Physics to Examine Television Viewing in Relation to Student Performance in Science », *J Sci Educ Technol*, 18, 2009.
29. Sharif I. *et al.*, « Association between television, movie, and video game exposure and school performance », *Pediatrics*, 118, 2006.
30. Sharif I. *et al.*, « Effect of visual media use on school performance », *J Adolesc. Health*, 46, 2010.
31. Pagani L.S. *et al.*, « Prospective associations between early childhood television exposure and academic, psychosocial, and physical well-being by middle childhood », *Arch Pediatr Adolesc Med*, 164, 2010.
32. Walsh J.L. *et al.*, « Female College Students' Media Use and Academic Outcomes », *Emerg Adulthood*, 1, 2013.
33. Gentile D.A. *et al.*, « Bedroom media », *Dev Psychol*, 53, 2017.
34. Ribner A. *et al.*, « Family Socioeconomic Status Moderates Associations Between Television Viewing and School Readiness Skills », *J Dev

Behav Pediatr, 38, 2017.
35. Shejwal B.R. *et al.*, « Television Viewing of Higher Secondary Students: Does It Affect Their Academic Achievement and Mathematical Reasoning? », *Psychol Dev Soc*, 18, 2006.
36. Vassiloudis I. *et al.*, « Academic performance in relation to adherence to the Mediterranean diet and energy balance behaviors in Greek primary schoolchildren », *J Nutr Educ Behav*, 46, 2014.
37. Adelantado-Renau M. *et al.*, « Association Between Screen Media Use and Academic Performance Among Children and Adolescents: A Systematic Review and Meta-analysis », *JAMA Pediatr*, 2019.
38. Landhuis C.E. *et al.*, « Association between childhood and adolescent television viewing and unemployment in adulthood », *Prev Med*, 54, 2012.
39. Anderson C.A. *et al.*, « Video games and aggressive thoughts, feelings, and behavior in the laboratory and in life », *J Pers Soc Psychol*, 78, 2000.
40. Jaruratanasirikul S. *et al.*, « Electronic game play and school performance of adolescents in southern Thailand », *Cyberpsychol Behav*, 12, 2009.
41. Chan P.A. *et al.*, « A cross-sectional analysis of video games and attention deficit hyperactivity disorder symptoms in adolescents », *Ann Gen Psychiatry*, 5, 2006.
42. Hastings E.C. *et al.*, « Young children's video/computer game use », *Issues Ment Health Nurs*, 30, 2009.
43. Li D. *et al.*, « Effects of Digital Game Play Among Young Singaporean Gamers », *J Virtual Worlds Res*, 5, 2012.
44. Gentile D., « Pathological video-game use among youth ages 8 to 18 », *Psychol Sci*, 20, 2009.210
45. Gentile D.A. *et al.*, « The effects of violent video game habits on adolescent hostility, aggressive behaviors, and school performance », *J Adolesc*, 27, 2004.
46. Jackson L. *et al.*, « A longitudinal study of the effects of Internet use and videogame playing on academic performance and the roles of gender, race and income in these relationships », *Comput Hum Behav*, 27, 2011.
47. Jackson L. *et al.*, « Internet use, videogame playing and cell phone use as predictors of children's body mass index (BMI), body weight, academic performance, and social and overall self-esteem », *Comput Hum Behav*, 27, 2011.
48. Stinebrickner R. *et al.*, « The Causal Effect of Studying on Academic Performance », *BE J Econom Anal Policy*, 8, 2008.
49. Weis R. *et al.*, « Effects of video-game ownership on young boys' academic and behavioral functioning », *Psychol Sci*, 21, 2010.
50. Spitzer M., « Outsourcing the mental? From knowledge-on-demand to Morbus Google », *Trends Neurosci Educ*, 5, 2016.
51. Sanchez-Martinez M. *et al.*, « Factors associated with cell phone use in adolescents in the community of Madrid (Spain) », *Cyberpsychol Behav*, 12, 2009.
52. Junco R. *et al.*, « No A 4 U », *Comput Educ*, 59, 2012.
53. Lepp A. *et al.*, « The relationship between cell phone use, academic performance, anxiety, and Satisfaction with Life in college students », *Comput Hum Behav*, 31, 2014.
54. Lepp A. *et al.*, « The Relationship Between Cell Phone Use and Academic Performance in a Sample of U.S. College Students », *SAGE Open*, 5, 2015.
55. Li J. *et al.*, « Locus of control and cell phone use », *Comput Hum Behav*, 52, 2015.
56. Baert S. *et al.*, « Smartphone Use and Academic Performance, IZA Discussion Paper No. 11455 », iza.org, 2018.
57. Harman B. *et al.*, « Cell phone use and grade point average among undergraduate university students », *Coll Stud J*, 45, 2011.
58. Seo D. *et al.*, « Mobile phone dependency and its impacts on adolescents' social and academic behaviors », *Comput Hum Behav*, 63, 2016.
59. Hawi N. *et al.*, « To excel or not to excel », *Comput Educ*, 98, 2016.
60. Samaha M. *et al.*, « Relationships among smartphone addiction, stress, academic performance, and satisfaction with life », *Comput Hum Behav*, 57, 2016.
61. Dempsey S. *et al.*, « Later is better », *Econ Innovat New Tech*, 2018.
62. Felisoni D. *et al.*, « Cell phone usage and academic performance », *Comput Educ*, 117, 2018.
63. Abdoul-Maninroudine A., « Classement des PACES : où réussit-on le mieux le concours de médecine ? [FR] », letudiant.fr, 2017.
64. Kirschner P. *et al.*, « Facebook® and academic performance », *Comput Hum Behav*, 26, 2010.
65. Junco R., « Too much face and not enough books », *Comput Hum Behav*, 28, 2012.
66. Paul J. *et al.*, « Effect of online social networking on student academic performance »,

Comput Hum Behav, 28, 2012.
67. Rosen L. *et al.*, « Facebook and texting made me do it », *Comput Hum Behav*, 29, 2013.
68. Karpinski A. *et al.*, « An exploration of social networking site use, multitasking, and academic performance among United States and European university students », *Comput Hum Behav*, 29, 2013.
69. Tsitsika A.K. *et al.*, « Online social networking in adolescence », *J Adolesc Health*, 55, 2014.
70. Giunchiglia F. *et al.*, « Mobile social media usage and academic performance », *Comput Hum Behav*, 82, 2018.
71. Lau W., « Effects of social media usage and social media multitasking on the academic performance of university students », *Comput Hum Behav*, 68, 2017.
72. Liu D. *et al.*, « A meta-analysis of the relationship of academic performance and Social Network Site use among adolescents and young adults », *Comput Hum Behav*, 77, 2017.
73. Gregory P. *et al.*, « The Instructional Network », *J Comput Math Sci Teach*, 33, 2014.
74. Hansen J.D. *et al.*, « Democratizing education? Examining access and usage patterns in massive open online courses », *Science*, 350, 2015.
75. Perna L. *et al.*, « The Life Cycle of a Million MOOC Users , paper presented at the MOOC Research Initiative Conference, 5–6 December 2013 », upenn.edu, 2013.
76. Kolowich S., « San Jose State U. Puts MOOC Project With Udacity on Hold », chronicle.com, 2013.211
77. Fairlie R., « Do Boys and Girls Use Computers Differently, and Does It Contribute to Why Boys Do Worse in School than Girls? IZA Discussion Papers, No. 9302 », iza.org, 2015.
78. Fairlie R. *et al.*, « Experimental Evidence on the Effects of Home Computers on Academic Achievement among Schoolchildren. NBER Working Paper No. 19060 », nber.org, 2013.
79. Fuchs T. et al., « Computers and Student Learning», Ifo Working Paper, n° 8, 2005.
80. Malamud O. *et al.*, « Home Computer Use and the Development of Human Capital », *Q J Econ*, 126, 2011.
81. Vigdor J. *et al.*, « Scaling the Digital Divide », *Econ Inq*, 52, 2014.
82. Spitzer M., « Information technology in education », *Trends Neurosci Educ*, 3, 2014.
83. Même si cette citation est très fréquemment associée au *Meilleur des monde*, ouvrage d'Adlous Huxley dont elle reprend fidèlement le message, elle ne figure pas dans le livre (ni dans le *Retour au meilleur des mondes*). Elle semble provenir d'une fiche de lecture d'Annie Degré Lassalle [FR], ici. radiocanada.ca, accès 10/2018
84. Postman N., *Amusing Ourselves to Death*, Penguin Books, 2005/1985.
85. Keith T., « Time spent on homework and high school grades », *J Educ Psychol*, 74, 1982.
86. Keith T. *et al.*, « Longitudinal Effects of In-School and Out-of-School Homework on High School Grades », *School Psychol Q*, 19, 2004.
87. Cooper H. *et al.*, « Does Homework Improve Academic Achievement? A Synthesis of Research, 1987–2003 », *Rev Educ Res*, 76, 2006.
88. Fan H. *et al.*, « Homework and students' achievement in math and science », *Educ Res Rev*, 20, 2017.
89. Rawson K. *et al.*, « Homework and achievement », *J Educ Psychol*, 109, 2017.
90. Bempechat J., « The Motivational Benefits of Homework », *Theory Pract*, 43, 2004.
91. Ramdass D. *et al.*, « Developing Self-Regulation Skills », *J Adv Acad*, 22, 2011.
92. Hampshire P. *et al.*, « Homework Plans », *Teach Except Child*, 46, 2014.
93. Göllner R. *et al.*, « Is doing your homework associated with becoming more conscientious? », *J Res Pers*, 71, 2017.
94. Duckworth A.L. *et al.*, « Self-discipline outdoes IQ in predicting academic performance of adolescents », *Psychol Sci*, 16, 2005.
95. Duckworth A.L., *Grit*, Scribner, 2016.
96. Ericsson A. *et al.*, Peak, Houghton Mifflin Harcourt, 2016.
97. Dweck C., *Mindset*, Ballantine Books, 2008.
98. Colvin G., *Talent is overrated*, Portfolio, 2010.
99. Baumeister R. *et al.*, *Willpower*, Penguin Books, 2011.
100. Duckworth A. *et al.*, « Self-regulation strategies improve self-discipline in adolescents: benefits of mental contrasting and implementation intentions », *Educ Psychol*, 31, 2011.
101. Donaldson-Pressman S. *et al.*, *The Learning Habit*, Perigee Book, 2014.
102. Wiecha J.L. *et al.*, « Household television access », *Ambul Pediatr*, 1, 2001.
103. Vandewater E.A. *et al.*, « Time well spent? Relating television use to children's free-time activities », *Pediatrics*, 117, 2006.

104. Cummings H.M. et al., « Relation of adolescent video game play to time spent in other activities », *Arch Pediatr Adolesc Med*, 161, 2007.
105. Barr-Anderson D.J. *et al.*, « Characteristics associated with older adolescents who have a television in their bedrooms », *Pediatrics*, 121, 2008.
106. Ruest S. *et al.*, « The Inverse Relationship between Digital Media Exposure and Childhood Flourishing », *J Pediatr*, 197, 2018.
107. Armstrong G. *et al.*, « Background Television as an Inhibitor of Cognitive Processing », *Human Comm Res*, 16, 1990.
108. Pool M. *et al.*, « Background Television as an Inhibitor of Performance on Easy and Difficult Homework Assignments », *Comm Res*, 27, 2000.
109. Pool M. *et al.*, « The Impact of Background Radio and Television on High School Students' Homework Performance », *J Commun*, 53, 2003.
110. Calderwood C. *et al.*, « What else do college students "do" while studying? An investigation of multitasking », *Comput Educ*, 75, 2014.
111. Jeong S.-H. *et al.*, « Does Multitasking Increase or Decrease Persuasion? Effects of Multitasking on Comprehension and Counterarguing », *J Commun*, 62, 2012.
112. Srivastava J., « Media multitasking performance », *Comput Hum Behav*, 29, 2013.212
113. Foerde K. *et al.*, « Modulation of competing memory systems by distraction », *Proc Natl Acad Sci USA*, 103, 2006.
114. Kirschner P. *et al.*, « The myths of the digital native and the multitasker », *Teach Teach Educ*, 67, 2017.
115. Guglielminetti B., « One Laptop Per Child réussit son défi [FR] », LeDevoir.com, 2007.
116. « £50 laptop to teach Third World children », dailymail.co.uk, 2007.
117. « Ethiopian kids teach themselves with tablets », WashingtonPost.com, 2013.
118. Ehlers F., « The Miracle of Wenchi. Ethiopian Kids Using Tablets to Teach Themselves », Spiegel.de, 2012.
119. Guégan Y., « Apprendre à lire sans prof ? Les enfants éthiopiens s'y emploient [FR] », nouvelobs.com, 2012.
120. Beaumont P., « Rwanda's laptop revolution », theguardian.com, 2010.
121. « Ces enfants éthiopiens ont hacké leurs tablettes OLPC en 5 mois ! [FR] », 20minutes.fr, 2012.
122. Thomson L., « African kids learn to read, hack Android on OLPC fondleslab », theregister.co.uk, 2012.
123. Ozler B., « One Laptop Per Child is not improving reading or math. But, are we learning enough from these evaluations? », WorldBank.org, 2012.
124. deMelo G. et al., « The Impact of a One Laptop per Child Program on Learning: Evidence from Uruguay », IZA Discussion Paper No. 8489, 2014.
125. Beuermann D.W. et al., « One Laptop per Child at Home », *AEJ: Applied Economics*, 7, 2015.
126. Meza-Cordero J.A., « Learn to Play and Play to Learn », *J Int Dev*, 29, 2017.
127. Sharma U., « Can Computers Increase Human Capital in Developing Countries? An Evaluation of Nepal's One Laptop per Child Program », Paper presented at the AAEA Annual Meeting, Minneapolis, 2014.
128. Cristia J. *et al.*, « Technology and Child Development », *Am Econ J Appl Econ*, 9, 2017.
129. Mora T. *et al.*, « Computers and students' achievement. An analysis of the One Laptop per Child program in Catalonia », *Int J Educ Res*, 92, 2018.
130. Warschauer M. *et al.*, « Can one laptop per child save the world's poor ? », *J. Int. Aff*, 64, 2010.
131. Champeau, « Des enfants illettrés s'éduquent seuls avec une tablette [FR] », Numerama.com, 2012.
132. Murray L. *et al.*, « Randomized controlled trial of a book-sharing intervention in a deprived South African community », *J Child Psychol Psychiatry*, 57, 2016.
133. Vally Z. *et al.*, « The impact of dialogic book-sharing training on infant language and attention », *J Child Psychol Psychiatry*, 56, 2015.
134. Bohannon J., « I Fooled Millions Into Thinking Chocolate Helps Weight Loss. Here's How. », io9.gizmodo.com, 2015.
135. Lieury A. *et al.*, « Loisirs numériques et performances cognitives et scolaires [FR] », *Bulletin de psychologie*, 530, 2014.
136. « Liste des revues AERES pour le domaine : psychologie – ethologie – ergonomie », Agence d'évaluation de la recherche et de l'enseignement, 2009. [FR]
137. Lieury A. *et al.*, « L'impact des loisirs des adolescents sur les performances scolaires [FR] », Cahiers Pédagogiques, 2014.

138. « Les ados accros à la téléréalité sont moins bons à l'école [FR] », 20minutes.fr, 2014.
139. « Téléréalité et réussite scolaire ne font pas bon ménage [FR] », atlantico.fr, 2014.
140. Mondoloni M., « Plus on regarde de la téléréalité, moins on est bon à l'école [FR] », francetvinfo.fr, 2014.
141. Mouloud L., « Alain Lieury "La télé-réalité, un loisir nocif pour les résultats scolaires" [FR] », humanite.fr, 2014.
142. « Si tu regardes la télé-réalité, tu auras des mauvaises notes à l'école [FR] », lexpress.fr, 2014.
143. Radier V., « "La télé-réalité fait chuter les notes des ados" [FR] », nouvelobs.com, 2014.
144. Simon P., « Éducation. Trop de téléréalité fait baisser les notes en classe [FR] », ouest-france.fr, 2014.
145. « La téléréalité nuit aux résultats scolaires [FR] », leparisien.fr, 2014.
146. Médias, Le Magazine, France 5, invité Lieury A., 9 Février 2014. [FR]
147. CSA, « Etude sur les stéréotypes féminins pouvant être véhiculés dans les émissions de divertissement [FR] », csa.fr, 2014.
148. Gibson B. *et al.*, « Narcissism on the Jersey Shore », *Psychol Pop Media Cult*, 7, 2018.
149. Gibson B. *et al.*, « Just "harmless entertainment"? Effects of surveillance reality TV on physical aggression », *Psychol Pop Media Cult*, 5, 2016.213
150. Martins N. *et al.*, « The Relationship Between "Teen Mom" Reality Programming and Teenagers' Beliefs About Teen Parenthood », *Mass Commun Soc*, 17, 2014.
151. Martins N. *et al.*, « The role of media exposure on relational aggression: A meta-analysis », *Aggress Violent Behav*, 47, 2019.
152. van Oosten J. *et al.*, « Adolescents' Sexual Media Use and Willingness to Engage in Casual Sex: Differential Relations and Underlying Processes », *Hum Commun Res*, 43, 2017.
153. Riddle K. *et al.*, « A Snooki effect? An exploration of the surveillance subgenre of reality TV and viewers' beliefs about the "real" real world », *Psychol Pop Media Cult*, 2, 2013.
154. Posso A., « Internet Usage and Educational Outcomes Among 15-Year-Old Australian Students », *Int J Commun*, 10, 2016.
155. Gevaudan C., « Les ados qui jouent en ligne ont de meilleures notes [FR] », liberation.fr, 2016.
156. Griffiths S., « Playing video games could boost children's intelligence (but Facebook will ruin their school grades) », dailymail.co.uk, 2016.
157. Scutti S., « Teen gamers do better at math than social media stars, study says », cnn.com, 2016.
158. Fisné A., « Selon une étude, les jeux vidéo permettraient d'avoir de meilleures notes [FR] », lefigaro.fr, 2016.
159. Gibbs S., « Positive link between video games and academic performance, study suggests », theguardian.com, 2016.
160. Dotinga R., « What video games, social media may mean for kids' grades », cbsnews.com, 2016.
161. Bodkin H., « Teenagers regularly using social media do less well at school, new survey finds », telegraph.co.uk, 2016.
162. Devauchelle B., in Fisné A., « Selon une étude, les jeux vidéo permettraient d'avoir de meilleures notes [FR] », lefigaro.fr, 2016.
163. « L'usage des jeux vidéo corrélé à de meilleures notes au lycée, selon une étude australienne [FR] », lemonde.fr, 2016.
164. Oei A.C. *et al.*, « Are videogame training gains specific or general? », *Front Syst Neurosci*, 8, 2014.
165. Przybylski A.K. *et al.*, « A large scale test of the gaming-enhancement hypothesis », *PeerJ*, 4, 2016.
166. van Ravenzwaaij D. *et al.*, « Action video games do not improve the speed of information processing in simple perceptual tasks », *J Exp Psychol Gen*, 143, 2014.
167. Jäncke L. *et al.*, « Expertise in Video Gaming and Driving Skills », *Z Neuropsychol*, 22, 2011.
168. Gaspar J.G. *et al.*, « Are gamers better crossers? An examination of action video game experience and dual task effects in a simulated street crossing task », *Hum Factors*, 56, 2014.
169. Owen A.M. *et al.*, « Putting brain training to the test », *Nature*, 465, 2010.
170. Simons D.J. *et al.*, « Do "Brain-Training" Programs Work? », *Psychol Sci Public Interest*, 17, 2016.
171. Azizi E. *et al.*, « The influence of action video game playing on eye movement behaviour during visual search in abstract, in-game and natural scenes », *Atten Percept Psychophys*, 79, 2017.
172. Sala G. *et al.*, « Video game training does not enhance cognitive ability », *Psychol Bull*, 144, 2018.
173. Drummond A. *et al.*, « Video-games do not negatively impact adolescent academic performance in science, mathematics or reading », *PLoS One*, 9,

2014.
174. Borgonovi F., « Video gaming and gender differences in digital and printed reading performance among 15-year-olds students in 26 countries », *J Adolesc*, 48, 2016.
175. OECD, « The ABC of Gender Equality in Education », OECD, 2015.
176. Humphreys J., « Playing video games can boost exam performance, OECD claims », IrishTimes.com, 2015.
177. Eleftheriou-Smith L., « Teenagers who play video games do better at school -but not if they're gaming every day », Independent.co.uk, 2015.
178. Nunès E., « Jouer (avec modération) aux jeux vidéo ne nuit pas à la scolarité », lemonde.fr, 2015.
179. Bingham J., « Video games are good for children (sort of) », telegraph.co.uk, 2015.
180. Hu X. *et al.*, « The relationship between ICT and student literacy in mathematics, reading, and science across 44 countries », *Comput Educ*, 125, 2018.
181. OECD, « PISA 2015 Assessment and Analytical Framework », 2017.
182. Vandewater E.A. et al., « Measuring Children's Media Use in the Digital Age », *Am Behav Sci*, 52, 2009.
183. Edison T., in Saettler P., *The Evolution of american educational technology*, IAP, 1990.
184. Edison T., in Cuban L., *Teachers and the machines,* Teachers College Press, 1986.
185. Darrow B., in Cuban L., *Teachers and the machines*, Teachers College Press, 1986.214
186. Wischner G. *et al.*, « Some thoughts on television as an educational tool », *Am Psychol*, 10, 1955.
187. Johnson L., in Cuban L., *Teachers and the machines*, Teachers College Press, 1986.
188. Boileau N., *Oeuvres poétiques (Tome 1)* [FR], Imprimerie Générale, 1872.
189. Fourgous J., « Oser la pédagogie numérique ! [FR] », lemonde.fr, 2011.
190. Spitzer M., « M-Learning? When it comes to learning, smartphones are a liability, not an asset », *Trends Neurosci Educ*, 4, 2015.
191. Longcamp M. *et al.*, « Learning through hand- or typewriting influences visual recognition of new graphic shapes », *J Cogn Neurosci*, 20, 2008.
192. Longcamp M. *et al.*, « Remembering the orientation of newly learned characters depends on the associated writing knowledge », *Hum Mov Sci*, 25, 2006.
193. Longcamp M. *et al.*, « The influence of writing practice on letter recognition in preschool children », *Acta Psychol (Amst)*, 119, 2005.
194. Tan L.H. *et al.*, « China's language input system in the digital age affects children's reading development », *Proc Natl Acad Sci USA*, 110, 2013.
195. Fitzgerald J. *et al.*, « Reading and Writing Relations and Their Development », *Educ Psychol*, 35, 2000.
196. Tan L.H. *et al.*, « Reading depends on writing, in Chinese », *Proc Natl Acad Sci USA*, 102, 2005.
197. Longcamp M. *et al.*, « Contribution de la motricité graphique à la reconnaissance visuelle des lettres[FR] », *Psychol Fr*, 55, 2010.
198. Ahmed Y. *et al.*, « Developmental Relations between Reading and Writing at the Word, Sentence and Text Levels », *J Educ Psychol*, 106, 2014.
199. Li J.X. *et al.*, « Handwriting generates variable visual output to facilitate symbol learning », *J Exp Psychol Gen*, 145, 2016.
200. James K.H. *et al.*, « The effects of handwriting experience on functional brain development in pre-literate children », *Trends Neurosci Educ*, 1, 2012.
201. Mueller P.A. *et al.*, « The pen is mightier than the keyboard », *Psychol Sci*, 25, 2014.
202. Abadie A., « Twitter en maternelle, le cahier de vie scolaire 2.0 [FR] », lemonde.fr, 2012.
203. Davidenkoff E.,Davidenkoff E., « La pédagogie doit s'adapter à l'outil [FR] », in Femme Actuelle, n° 1544, Avril 2014.
204. Kirkpatrick H. *et al.*, « Computers make kids smarter - right? », *Technos Quarterly*, 7, 1998.
205. Smith H. *et al.*, « Interactive whiteboards: boon or bandwagon? A critical review of the literature », *J Comput Assist Lear*, 21, 2005.
206. Goolsbee A. *et al.*, « World Wide Wonder? », *Educ Next*, 6, 2006.
207. Clark R. *et al.*, in *The Cambridge Handbook of Multimedia Learning* (ed. Mayer R.E.), « Ten Common but Questionable Principles of Multimedia Learning », Cambridge University Press, 2014.
208. Bihouix P. et al., *Le Désastre de l'école numérique* [FR], Seuil, 2016.
209. Angrist J. *et al.*, « New Evidence on Classroom Computers and Pupil Learning », *Econ J*, 112, 2002.
210. Spiel C. *et al.*,« Evaluierung des österreichischen Modellversuchs e-Learning und e-Teaching mit SchülerInnen-Notebooks ». Im *Auftragdes Bundesministeriums für Bildung,*

Wissenschaftund Kultur, 2003.
211. Rouse C. *et al.*, « Putting computerized instruction to the test », *Econ Educ Rev*, 23, 2004.
212. Goolsbee A. *et al.*, « The Impact of Internet Subsidies in Public Schools », *Rev Econ Stat*, 88, 2006.
213. Schaumburg H. *et al.*, « Lernen in Notebook-Klassen. Endbericht zur Evaluation des Projekts "1000mal1000: Notebooks im Schulranzen" », Schulen ans Netz e. V., 2007.
214. Wurst C. *et al.*, « Ubiquitous laptop usage in higher education », *Comput Educ*, 51, 2008.
215. Barrera-Osorio F. *et al.*,« The use and misuse of computers in education : evidence from a randomized experiment in Colombia ». Impact Evaluation series ; no. IE 29 Policy Research working paper ; no. WPS 4836. Washington, DC: World Bank, 2009.
216. Gottwald A. *et al.*,Hamburger Notebook-Projekt. Behördefür Schule und Berufsbildung, 2010.
217. Leuven E. *et al.*, « The Effect of Extra Funding for Disadvantaged Pupils on Achievement », *Rev Econ Stat*, 89, 2007.
218. OECD, « Students, Computers and Learning: Making the Connection (PISA) », oecd.org, 2015.
219. OCDE, « Connectés pour apprendre ? Les élèves et les nouvelles technologies (principaux résultats) [FR] », oecd.org, 2015.
220. USDE, « Effectiveness of Reading and Mathematics Software Products: Findings from the First Student Cohort (report to congress) », ies.es.gov, 2007.215
221. USDE, « Reviewing the evidence on how teacher professional development affects student achievement (rel 2007, n° 033) », ies.ed.gov, 2007.
222. Rockoff J., « The Impact of Individual Teachers on Student Achievement », *Am Econ Rev*, 94, 2004.
223. Ripley A., *The Smartest kids in the world*, Simon & Shuster, 2013.
224. Darling-Hammond L., « Teacher Quality and Student Achievement », *Educ Policy Analysis Arch*, 8, 2000.
225. Darling-Hammond L., *Empowered Educators*, Jossey-Bass, 2017.
226. Chetty R. *et al.*, « Measuring the Impacts of Teachers II », *Am Econ Rev*, 104, 2014.
227. OECD, « Effective Teacher Policies: Insights from PISA », oecd.org, 2018.
228. Joy B., in Bauerlein M., *The Dumbest Generation*, Tarcher/Penguin, 2009.
229. Johnson L. *et al.*, « Horizon Report Europe: 2014 Schools Edition », Publications Office of the European Union & The New Media Consortium, 2014.
230. « A l'université Lyon 3, les connexions sur Facebook et Netflix ralentissent le Wifi [FR] », lefigaro.fr, 2018.
231. Nunès E., « Quand les réseaux sociaux accaparent la bande passante de l'université Lyon-III [FR] », lemonde.fr, 2018.
232. Gazzaley A. *et al.*, *The Distracted Mind*, MIT Press, 2016.
233. Junco R., « In-class multitasking and academic performance », *Comput Hum Behav*, 28, 2012.
234. Burak L., « Multitasking in the University Classroom », *Int J Scholar Teach Learn*, 8, 2012.
235. Bellur S. *et al.*, « Make it our time », *Comput Hum Behav*, 53, 2015.
236. Bjornsen C. *et al.*, « Relations Between College Students' Cell Phone Use During Class and Grades », *Scholarsh Teach Learn Psychol*, 1, 2015.
237. Carter S. *et al.*, « The impact of computer usage on academic performance », *Econ Educ Rev*, 56, 2017.
238. Patterson R. *et al.*, « Computers and productivity », *Econ Educ Rev*, 57, 2017.
239. Lawson D. *et al.*, « The Costs of Texting in the Classroom », *Coll Teach*, 63, 2015.
240. Zhang W., « Learning variables, in-class laptop multitasking and academic performance », *Comput Educ*, 81, 2015.
241. Gaudreau P. *et al.*, « Canadian university students in wireless classrooms », *Comput Educ*, 70, 2014.
242. Ravizza S. *et al.*, « Non-academic internet use in the classroom is negatively related to classroom learning regardless of intellectual ability », *Comput Educ*, 78, 2014.
243. Clayson D. *et al.*, « An Introduction to Multitasking and Texting:Prevalence and Impact on Grades and GPA in Marketing Classes », *J Mark Educ*, 35, 2013.
244. Wood E. *et al.*, « Examining the impact of off-task multi-tasking with technology on real-time classroom learning », *Comput Educ*, 58, 2012.
245. Fried C., « In-class laptop use and its effects on student learning », *Comput Educ*, 50, 2008.
246. Beland L. *et al.*, « Ill Communication », *Labour Econ*, 41, 2016.
247. Jamet E. *et al.*, « Does multitasking in the

classroom affect learning outcomes? A naturalistic study », *Comput Hum Behav*, 106, 2020.
248. Tindell D. *et al.*, « The Use and Abuse of Cell Phones and Text Messaging in the Classroom », *Coll Teach*, 60, 2012.
249. Aagaard J., « Drawn to distraction: A qualitative study of off-task use of educational technology », *Comput Educ*, 87, 2015.
250. Judd T., « Making sense of multitasking », *Comput Educ*, 70, 2014.
251. Rosenfeld B. *et al.*, « East Vs. West », *Coll Stud J*, 48, 2014.
252. Ugur N. *et al.*, « Time for Digital Detox », *Procedia Soc Behav Sci*, 195, 2015.
253. Ragan E. *et al.*, « Unregulated use of laptops over time in large lecture classes », *Comput Educ*, 78, 2014.
254. Kraushaar J. *et al.*, « Examining the Affects of Student Multitasking With Laptops During the Lecture », *J Inf Syst Educ*, 21, 2010.
255. Hembrooke H. *et al.*, « The laptop and the lecture », *J Comput High Educ*, 15, 2003.
256. Bowman L. *et al.*, « Can students really multitask? An experimental study of instant messaging while reading », *Comput Educ*, 54, 2010.
257. Ellis Y. *et al.*, « The Effect of Multitasking on the Grade Performance of Business Students », *Res High Educ J*, 8, 2010.
258. End C. *et al.*, « Costly Cell Phones », *Teach Psychol*, 37, 2010.
259. Barks A. *et al.*, « Effects of Text Messaging on Academic Performance », *Signum Temporis*, 4, 2011.216
260. Froese A. *et al.*, « Effects of classroom cell phone use on expected and actual learning », *Coll Stud J*, 46, 2012.
261. Kuznekoff J. *et al.*, « The Impact of Mobile Phone Usage on Student Learning », *Commun Educ*, 62, 2013.
262. Sana F. *et al.*, « Laptop multitasking hinders classroom learning for both users and nearby peers », *Comput Educ*, 62, 2013.
263. Gingerich A. *et al.*, « OMG! Texting in Class = U Fail », *Teach Psychol*, 41, 2014.
264. Thornton B. *et al.*, « The mere presence of a cell phone may be distracting », *Soc Psychol*, 45, 2014.
265. Rideout V. *et al.*, « The common sense census : Media use by tweens and teens », Common sense media, 2019.
266. Rideout V., « The common sense census : Media use by tweens and teens », Common sense media, 2015.
267. Morrisson C., « La Faisabilité politique de l'ajustement », *Cahier de politique économique*, 13, 1996.
268. Bourhan S., « Alerte, on manque de profs ! [FR] », franceinter.fr, 2018.
269. Mediavilla L., « L'Education nationale peine toujours à recruter ses enseignants [FR] », lesechos.fr, 2018.
270. Adams R., « Secondary teacher recruitment in England falls short of targets », theguardian.com, 2019.
271. Yan H. *et al.*, « Desperate to fill teacher shortages, US schools are hiring teachers from overseas », cnn.com, 2019.
272. Richtel M., « Teachers Resist High-Tech Push in Idaho Schools », nytimes.com, 2012.
273. Herrera L., « In Florida, Virtual Classrooms With No Teachers », nytimes.com, 2011.
274. Frohlich T., « Teacher pay: States where educators are paid the most and least », usatoday.com, 2018.
275. Davidenkoff E., *Le Tsunami numérique* [FR], Stock, 2014.
276. Davidenkoff E., « La révolution Mooc [FR] », huffingtonpost.fr, 2013.
277. Khan Academy, « Pythagorean theorem proof using similarity », khanacademy.org, accès 09/2020.
278. Allione G. *et al.*, « Mass attrition », *J Econ Educ*, 47, 2016.
279. Onah D. *et al.*, « Dropout rates of massive open online courses: behavioral patterns», Proceedings of EDULEARN14, Barcelona, Spain, 2014.
280. Breslow L., in *From books to MOOCs?* (eds. De Corte E. *et al.*), « MOOC research », Portland Press, 2016.
281. Evans B. *et al.*, « Persistence Patterns in Massive Open Online Courses (MOOCs) », *J High Educ*, 87, 2016.
282. Selingo J., « Demystifying the MOOC », nytimes.com, 2014.
283. Dubson M. *et al.*,« Apples vs. Oranges: Comparison of Student Performance in a MOOC vs. a Brickand-Mortar Course », PERC Proceedings 2014.
284. Miller M.A., « Les MOOCs font pshitt [FR] », lemonde.fr, 2017.
285. Barth I., « Faut-il avoir peur des grands méchants MOOCs ? [FR] », educpros.fr, 2013.

286. Azer S.A., « Is Wikipedia a reliable learning resource for medical students? Evaluating respiratory topics », *Adv Physiol Educ*, 39, 2015.
287. Azer S.A. *et al.*, « Accuracy and readability of cardiovascular entries on Wikipedia », *BMJ Open*, 5, 2015.
288. Vilensky J.A. *et al.*, « Anatomy and Wikipedia », *Clin Anat*, 28, 2015.
289. Hasty R.T. *et al.*, « Wikipedia vs peer-reviewed medical literature for information about the 10 most costly medical conditions », *J Am Osteopath Assoc*, 114, 2014.
290. Lee S. *et al.*, « Evaluating the quality of Internet information for femoroacetabular impingement », *Arthroscopy*, 30, 2014.
291. Lavsa S. *et al.*, « Reliability of Wikipedia as a medication information source for pharmacy students », *Curr Pharm Teach Learn*, 3, 2011.
292. Berlatsky N., « Google search algorithms are not impartial. », nbcnews.com, 2018.
293. Murray D., *The Madness of Crowds*, Bloomsburry Continuum, 2019.
294. Solon A. *et al.*, « How Google's search algorithm spreads false information with a rightwing bias », theguardian.com, 2016.
295. Grind K. *et al.*, « How Google Interferes With Its Search Algorithms and Changes Your Results », wsj.com, 2019.
296. Lynch P.M., *The Internet of us*, Liveright, 2016.
297. http://pensees.bibliques.over-blog.org/article-2590229.html, accès 11/2018.217
298. https://christiananswers.net/french/q-aig/aig-c030f.html, accès 11/2018.
299. https://datanews.levif.be/ict/actualite/qu-est-il-arrive-aux-dinosaures/article-normal-299437.html , accès 11/2018.
300. http://fr.pursuegod.org/whats-the-biblical-view-on-dinosaurs , accès 11/2018.
301. Hirsch E., *The Knowledge deficit*, Houghton Mifflin Hartcourt, 2006.
302. Willingham D., *Why don't students like school*, Jossey-Bass, 2009.
303. Christodoulou D., *Seven Myths About Education*, Routledge, 2014.
304. Tricot A. et al., « Domain-Specific Knowledge and Why Teaching Generic Skills Does Not Work », *Educ Psychol Rev*, 26, 2014.
305. Metzger M. *et al.*, « Believing the Unbelievable », *J Child Med*, 9, 2015.
306. Saunders L. *et al.*, « Don't they teach that in high school? Examining the high school to college information literacy gap », *Libr Inform Sci Res*, 39, 2017.
307. Recht D. *et al.*, « Effect of prior knowledge on good and poor readers' memory of text », *J Educ Psychol*, 80, 1988.
308. Rowlands I. *et al.*, « The Google generation », *Aslib Proc*, 60, 2008.
309. Thirion P. *et al.*, « Enquête sur les compétences documentaires et informationnelles des étudiants qui accèdent à l'enseignement supérieur en Communauté française de Belgique [FR] », enssib.fr, 2008.
310. Julien H. *et al.*, « How high-school students find and evaluate scientific information », *Libr Inform Sci Res*, 31, 2009.
311. Gross M. *et al.*, « What's skill got to do with it? », *J Am Soc Inf Sci Technol*, 63, 2012.
312. Perret C., « Pratiques de recherche documentaire et réussite universitaire des étudiants de première année [FR] », *Carrefours de l'éducation*, 35, 2013.
313. Dumouchel G. *et al.*, « Mon ami Google [FR] », *Can J Learn Tech*, 43, 2017.
314. « Evaluating Information: The Cornerstone of Civic Online Reasoning», Report from the Stanford History Education Group, Stanford History Education Group, 2016.
315. McNamara D. *et al.*, « Are Good Texts Always Better? Interactions of Text Coherence, Background Knowledge, and Levels of Understanding in Learning From Text », *Cognition Instruct*, 14, 1996.
316. Amadieu F. *et al.*, « Exploratory Study of Relations Between Prior Knowledge, Comprehension, Disorientation and On-Line Processes in Hypertext », *Ergon Open J*, 2, 2009.
317. Amadieu F. *et al.*, « Prior knowledge in learning from a non-linear electronic document: Disorientation and coherence of the reading sequences », *Comput Hum Behav*, 25, 2009.
318. Amadieu F. *et al.*, « Effects of prior knowledge and concept-map structure on disorientation, cognitive load, and learning », *Learn Instr*, 19, 2009.
319. Khosrowjerdi M. *et al.*, « Prior knowledge and information-seeking behavior of PhD and MA students », *Libr Inform Sci Res*, 33, 2011.
320. Kalyuga S., « Effects of Learner Prior Knowledge and Working Memory Limitations on Multimedia Learning », *Procedia Soc Behav Sci*, 83, 2013.

321. Guillou M., « Profs débutants : 10 bonnes raisons d'échapper au numérique [FR] », educavox.fr, 2013.
322. Guéno J., *Mémoires de maîtres, paroles d'élèves* [FR], J'ai lu, 2012.
323. Camus A., in Bersihand N., « Lettre de Camus à Louis Germain, son premier instituteur [FR] », huffingtonpost.fr, 2014.

発達

1. Dehaene-Lambertz G. *et al.*, « The Infancy of the Human Brain », *Neuron*, 88, 2015.
2. Otsuka Y., « Face recognition in infants », *Jpn Psychol res*, 56, 2014.
3. Bonini L. *et al.*, « Evolution of mirror systems », *Ann N Y Acad Sci*, 1225, 2011.
4. Grossmann T., « The development of social brain functions in infancy », *Psychol Bull*, 141, 2015.
5. Piaget J., *The Origins of Intelligence in Children*, International Universities Press, 1952.
6. Cassidy J. *et al.*, *Handbook of Attachment: Theory, Research, and Clinical Applications (3e édition)*, Guilford Press, 2016.
7. Tottenham N., « The importance of early experiences for neuro-affective development », *Curr Top Behav Neurosci*, 16, 2014.
8. Grusec J.E., « Socialization processes in the family », *Annu Rev Psychol*, 62, 2011.
9. Kuhl P.K., « Brain mechanisms in early language acquisition », *Neuron*, 67, 2010.
10. Eshel N. *et al.*, « Responsive parenting », *Bull World Health Organ*, 84, 2006.
11. Champagne F.A. *et al.*, « How social experiences influence the brain », *Curr Opin Neurobiol*, 15, 2005.218
12. Hart B. *et al.*, *Meaningful differences*, Paul H Brookes Publishing Co, 1995.
13. Farley J.P. *et al.*, « The development of adolescent self-regulation », *J Adolesc*, 37, 2014.
14. Hair E. *et al.*, « The Continued Importance of Quality Parent–Adolescent Relationships During Late Adolescence », *J Res Adolesc*, 18, 2008.
15. Morris A.S. *et al.*, « The Role of the Family Context in the Development of Emotion Regulation », *Soc Dev*, 16, 2007.
16. Smetana J.G. *et al.*, « Adolescent development in interpersonal and societal contexts », *Annu Rev Psychol*, 57, 2006.
17. Forehand R. *et al.*, « Home predictors of young adolescents' school behavior and academic performance », *Child Dev*, 57, 1986.
18. Dettmer A.M. *et al.*, « Neonatal face-to-face interactions promote later social behaviour in infant rhesus monkeys », *Nat Commun*, 7, 2016.
19. Cunningham A. *et al.*, *Book Smart*, Oxford University Press, 2014.
20. Neuman S. *et al.*, *Handbook of early literacy research (vol 1 to 3)*, Guilford Press, 2001-2011.
21. Black S. *et al.*, « Older and Wiser? Birth Order and IQ of Young Men, NBER Working Paper No. 13237 », 2007.
22. Black S. *et al.*, « The More the Merrier? The Effect of Family Size and Birth Order on Children's Education* », *Q J Econ*, 120, 2005.
23. Kantarevic J. *et al.*, « Birth Order, Educational Attainment, and Earnings », *J Hum Resour*, XLI, 2006.
24. Lehmann J. *et al.*, « The Early Origins of Birth Order Differences in Children's Outcomes and Parental Behavior », *J Hum Resour*, 53, 2018.
25. Coude G. *et al.*, « Grasping Neurons in the Ventral Premotor Cortex of Macaques Are Modulated by Social Goals », *J Cogn Neurosci*, 2018.
26. Ferrari P.F., « The neuroscience of social relations. A comparative-based approach to empathy and to the capacity of evaluating others' action value », *Behaviour*, 151, 2014.
27. Salo V.C. *et al.*, « The role of the motor system in action understanding and communication », *Dev Psychobiol*, 2018.
28. Ferrari P.F. *et al.*, « Mirror neurons responding to the observation of ingestive and communicative mouth actions in the monkey ventral premotor cortex », *Eur J Neurosci*, 17, 2003.
29. Jarvelainen J. *et al.*, « Stronger reactivity of the human primary motor cortex during observation of live rather than video motor acts », *Neuroreport*, 12, 2001.
30. Perani D. *et al.*, « Different brain correlates for watching real and virtual hand actions », *Neuroimage*, 14, 2001.
31. Shimada S. *et al.*, « Infant's brain responses to live and televised action », *Neuroimage*, 32, 2006.
32. Jola C. *et al.*, « In the here and now », *Cogn Neurosci*, 4, 2013.
33. Ruysschaert L. *et al.*, « Neural mirroring during the observation of live and video actions in infants », *Clin Neurophysiol*, 124, 2013.
34. Troseth G.L. *et al.*, « The medium can obscure the message », *Child Dev*, 69, 1998.
35. Troseth G.L. *et al.*, « Young children's use of video as a source of socially relevant information »,

Child Dev, 77, 2006.
36. Kuhl P.K. *et al.*, « Foreign-language experience in infancy », *Proc Natl Acad Sci* USA, 100, 2003.
37. Schmidt K.L. *et al.*, « Television and reality », *Media Psychol*, 4, 2002.
38. Schmidt K.L. *et al.*, « Two-Year-Olds' Object Retrieval Based on Television: Testing a Perceptual Account », *Media Psychol*, 9, 2007.
39. Kirkorian H. *et al.*, « Video Deficit in Toddlers' Object Retrieval: », *Infancy*, 21, 2016.
40. Kim D.H. *et al.*, « Effects of live and video form action observation training on upper limb function in children with hemiparetic cerebral palsy », *Technol Health Care*, 26, 2018.
41. Reiß M. *et al.*, « Theory of Mind and the Video Deficit Effect », *Media Psychol*, 22, 2019.
42. Barr R. *et al.*, « Developmental changes in imitation from television during infancy », *Child Dev*, 70, 1999.
43. Hayne H. *et al.*, « Imitation from television by 24- and 30-month-olds », *Dev Sci*, 6, 2003.
44. Thierry K. *et al.*, « A real-life event enhances the accuracy of preschoolers' recall », *Appl Cogn Psychol*, 18, 2004.
45. Yadav S. *et al.*, « Children aged 6-24 months like to watch YouTube videos but could not learn anything from them », *Acta Paediatr*, 107, 2018.219
46. Madigan S. *et al.*, « Association Between Screen Time and Children's Performance on a Developmental Screening Test », *JAMA Pediatr*, 2019.
47. Kildare C. *et al.*, « Impact of parents mobile device use on parent-child interaction », *Comput Hum Behav*, 75, 2017.
48. Napier C., « How use of screen media affects the emotional development of infants », *Prim Health Care*, 24, 2014.
49. Radesky J. *et al.*, « Maternal mobile device use during a structured parent-child interaction task », *Acad Pediatr*, 15, 2015.
50. Radesky J.S. *et al.*, « Patterns of mobile device use by caregivers and children during meals in fast food restaurants », *Pediatrics*, 133, 2014.
51. Stockdale L. *et al.*, « Parent and Child Technoference and socioemotional behavioral outcomes », *Comput Hum Behav*, 88, 2018.
52. Kushlev K. *et al.*, « Smartphones distract parents from cultivating feelings of connection when spending time with their children », *J Soc Pers Relatsh*, 0, 2018.
53. Rotondi V. *et al.*, « Connecting alone », *J Econ Psychol*, 63, 2017.
54. Dwyer R. *et al.*, « Smartphone use undermines enjoyment of face-to-face social interactions », *J Exp Soc Psychol*, 78, 2018.
55. Christakis D.A. *et al.*, « Audible television and decreased adult words, infant vocalizations, and conversational turns », *Arch Pediatr Adolesc Med*, 163, 2009.
56. Kirkorian H.L. *et al.*, « The impact of background television on parent-child interaction », *Child Dev*, 80, 2009.
57. Tomopoulos S. *et al.*, « Is exposure to media intended for preschool children associated with less parent-child shared reading aloud and teaching activities? », *Ambul Pediatr*, 7, 2007.
58. Tanimura *M. et al.*, « Television viewing, reduced parental utterance, and delayed speech development in infants and young children », *Arch Pediatr Adolesc Med*, 161, 2007.
59. Vandewater E.A. *et al.*, « Time well spent? Relating television use to children's free-time activities », *Pediatrics*, 117, 2006.
60. Chaput J.P. *et al.*, « Sleeping hours: what is the ideal number and how does age impact this? », *Nat Sci Sleep*, 10, 2018.
61. Rideout V., « The common sense census : Media use by tweens and teens », Common sense media, 2015.
62. Rideout V., « The common sense census : Media use by kids age zero to eight », Common sense media, 2017.
63. Wartella E. *et al.*, « Parenting in the Age of Digital Technology », Center on Media and Human Development School of Communication Northwestern University, 2014.
64. Donnat O., *Les Pratiques culturelles des Français à l'ère numérique : Enquête 2008* [FR], La Découverte, 2009.
65. Desmurget M., *TV Lobotomie* [FR], J'ai Lu, 2013.
66. Schmidt M.E. *et al.*, « The effects of background television on the toy play behavior of very young children », *Child Dev*, 79, 2008.
67. Kubey R. *et al.*, « Television addiction is no mere metaphor », *Sci. Am*, 286, 2002.
68. Huston A.C. *et al.*, « Communicating More than Content », *J Commun*, 31, 1981.
69. Bermejo Berros J., *Génération Télévision* [FR], De Boeck, 2007.
70. Lachaux J., *Le Cerveau attentif* [FR], Odile Jacob, 2011.

71. Przybylski A. *et al.*, « Can you connect with me now? How the presence of mobile communication technology influences face-to-face conversation quality », *J Soc Pers Relatsh*, 30, 2013.
72. McDaniel B. *et al.*, « "Technoference" », *Psychol Pop Media Cult*, 5, 2016.
73. McDaniel B. *et al.*, « "Technoference" and implications for mothers' and fathers' couple and coparenting relationship quality », *Comput Hum Behav*, 80, 2018.
74. Roberts J. *et al.*, « My life has become a major distraction from my cell phone », *Comput Hum Behav*, 54, 2016.
75. Halpern D. *et al.*, « Texting's consequences for romantic relationships », *Comput Hum Behav*, 71, 2017.
76. Winn M., *The Plug-In-Drug (revised edition)*, Penguin Group, 2002.
77. Coyne S. *et al.*, « Gaming in the Game of Love », *Fam Relat*, 61, 2012.
78. Ahlstrom M. *et al.*, « Me, My Spouse, and My Avatar », *J Leis Res*, 44, 2012.
79. Parke R.D., « Development in the family », *Annu Rev Psychol*, 55, 2004.220
80. El-Sheikh M. *et al.*, « Family conflict, autonomic nervous system functioning, and child adaptation », *Dev Psychopathol*, 23, 2011.
81. Lucas-Thompson R.G. *et al.*, « Family relationships and children's stress responses », *Adv Child Dev Behav*, 40, 2011.
82. Sternberg R., in *The nature of vocabulary acquisition* (eds. McKeown M. et al.), « Most vocabulary is learned from context », Lawrence Erlbaum Associates, 1987.
83. Duch H. *et al.*, « Association of screen time use and language development in Hispanic toddlers », *Clin Pediatr (Phila)*, 52, 2013.
84. Lin L.Y. *et al.*, « Effects of television exposure on developmental skills among young children », *Infant Behav Dev*, 38, 2015.
85. Pagani L.S. *et al.*, « Early childhood television viewing and kindergarten entry readiness », *Pediatr Res*, 74, 2013.
86. Tomopoulos S. *et al.*, « Infant media exposure and toddler development », *Arch Pediatr Adolesc Med*, 164, 2010.
87. Zimmerman F.J. *et al.*, « Associations between media viewing and language development in children under age 2 years », *J Pediatr*, 151, 2007.
88. Byeon H. *et al.*, « Relationship between television viewing and language delay in toddlers », *PLoS One*, 10, 2015.
89. Chonchaiya W. *et al.*, « Television viewing associates with delayed language development », *Acta Paediatr*, 97, 2008.
90. van den Heuvel M. *et al.*, « Mobile Media Device Use is Associated with Expressive Language Delay in 18-Month-Old Children », *J Dev Behav Pediatr*, 40, 2019.
91. Collet M. *et al.*, « Case-control study found that primary language disorders were associated with screen exposure », *Acta Paediatr*, 2018.
92. Madigan S. *et al.*, « Associations Between Screen Use and Child Language Skills: A Systematic Review and Meta-analysis », *JAMA Pediatr*, 2020.
93. Tremblay M.S. *et al.*, « Canadian 24-Hour Movement Guidelines for Children and Youth: An Integration of Physical Activity, Sedentary Behaviour, and Sleep », *Appl Physiol Nutr Metab*, 41, 2016.
94. Walsh J.J. *et al.*, « Associations between 24 hour movement behaviours and global cognition in US children », *Lancet Child Adolesc Health*, 2, 2018.
95. Takeuchi H. *et al.*, « The impact of television viewing on brain structures », *Cereb Cortex*, 25, 2015.
96. Takeuchi H. *et al.*, « Impact of videogame play on the brain's microstructural properties », *Mol Psychiatry*, 21, 2016.
97. Mitra P. *et al.*, « Clinical and molecular aspects of lead toxicity », *Crit Rev Clin Lab Sci*, 54, 2017.
98. Chiodo L.M. *et al.*, « Blood lead levels and specific attention effects in young children », *Neurotoxicol Teratol*, 29, 2007.
99. Horowitz-Kraus T. *et al.*, « Brain connectivity in children is increased by the time they spend reading books and decreased by the length of exposure to screen-based media », *Acta Paediatr*, 107, 2018.
100. Takeuchi H. *et al.*, « Impact of frequency of internet use on development of brain structures and verbal intelligence: Longitudinal analyses », *Hum Brain Mapp*, 39, 2018.
101. Hutton J.S. *et al.*, « Potential Association of Screen Use With Brain Development in Preschool-Aged Children-Reply », *JAMA Pediatr*, 2020.
102. Farah M.J., « The Neuroscience of Socioeconomic Status: Correlates, Causes, and Consequences », *Neuron*, 96, 2017.
103. Mohammed A.H. *et al.*, « Environmental enrichment and the brain », *Prog Brain Res*, 138, 2002.

104. van Praag H. *et al.*, « Neural consequences of environmental enrichment », *Nat Rev Neurosci*, 1, 2000.
105. Huttenlocher *J. et al.*, « Early vocabulary growth », *Dev Psychol*, 27, 1991.
106. Walker D. *et al.*, « Prediction of school outcomes based on early language production and socioeconomic factors », *Child Dev*, 65, 1994.
107. Hoff E., « The specificity of environmental influence », *Child Dev*, 74, 2003.
108. Zimmerman F.J. *et al.*, « Teaching by listening », *Pediatrics*, 124, 2009.
109. Cartmill E.A. *et al.*, « Quality of early parent input predicts child vocabulary 3 years later », *Proc Natl Acad Sci USA*, 110, 2013.
110. Bloom P., *How Children Learn the Meaning of Words*, MIT Press, 2000.
111. Takeuchi H. *et al.*, « Impact of reading habit on white matter structure », *Neuroimage*, 133, 2016.221
112. Gilkerson J. *et al.*, « Language Experience in the Second Year of Life and Language Outcomes in Late Childhood », *Pediatrics*, 142, 2018.
113. Hart B. *et al.*, « American parenting of language-learning children », *Dev Psychol*, 28, 1992.
114. Romeo R.R. *et al.*, « Language Exposure Relates to Structural Neural Connectivity in Childhood », *J Neurosci*, 38, 2018.
115. Damgé M., « Ecrans et capacités cognitives, une relation complexe [FR] », lemonde.fr, 2019.
116. Davis N., « Study links high levels of screen time to slower child development », theguardian.com, 2019.
117. Kostyrka-Allchorne K. *et al.*, « The relationship between television exposure and children's cognition and behaviour », *Dev Rev*, 44, 2017.
118. Krcmar M., « Word Learning in Very Young Children From Infant-Directed Dvds », *J Commun*, 61, 2011.
119. Richert R.A. *et al.*, « Word learning from baby videos », *Arch Pediatr Adolesc Med*, 164, 2010.
120. Robb M.B. *et al.*, « Just a talking book? Word learning from watching baby videos », *Br J Dev Psychol*, 27, 2009.
121. DeLoache J.S. *et al.*, « Do babies learn from baby media? », *Psychol Sci*, 21, 2010.
122. Kaminski J. *et al.*, « Word learning in a domestic dog », *Science*, 304, 2004.
123. Carey S., in *Linguistic Theory and Psychological Reality* (eds. Halle M. *et al.*), « The child as word learner », MIT press, 1978.
124. Krcmar M., « Can Infants and Toddlers Learn Words from Repeat Exposure to an Infant Directed DVD? », *J Broadcast Electron Media*, 58, 2014.
125. Gola A.A.H. *et al.*, in *Handbook of Children and the Media (2nd edition)* (eds. Singer D.G. et al.), « Television as incidental language teacher », Sage Publications, 2012.
126. Van Lommel S. *et al.*, « Foreign-grammar acquisition while watching subtitled television programmes », *Br J Educ Psychol*, 76, 2006.
127. Roseberry S. *et al.*, « Live action: can young children learn verbs from video? », *Child Dev*, 80, 2009.
128. Baudelaire C., *Oeuvres complètes (IV) : petits poèmes en prose*, Michel Lévy Frères, 1869.
129. Brown P. *et al.*, *Make it stick*, Harvard University Press, 2014.
130. Veneziano E., in *L'Acquisition du langage: Le langage en émergence. De la naissance à trois ans* (eds. Kail M. *et al.*), « Interaction, conversation et acquisition du langage dans les trois premières années de la vie [FR] », PUF, 2000.
131. Hickok G. *et al.*, « The cortical organization of speech processing », *Nat Rev Neurosci*, 8, 2007.
132. Lopez-Barroso D. *et al.*, « Word learning is mediated by the left arcuate fasciculus », *Proc Natl Acad Sci USA*, 110, 2013.
133. Collectif, « Children and Adolescents and Digital Media », *Pediatrics*, 138, 2016.
134. Stanovich K., in *Advances of child development and behavior (Vol 24)* (ed. Reese H.), « Does reading make you smarter? Literacy and the development of verbal intelligence », Academic Press, 1993.
135. Hayes D., « Speaking and writing », *J Mem Lang*, 27, 1988.
136. Cunningham A. *et al.*, « What reading does for the mind », *Am. Educ.*, 22, 1998.
137. Collectif, « Rentrée 2008 : évaluation du niveau d'orthographe et de grammaire des élèves qui entrent en classe de seconde [FR] », sauv.net, 2009.
138. Mathieu-Colas M., « Maîtrise du français [FR] », lefigaro.fr, 2010.
139. Anderson R. *et al.*, « Growth in reading and how children spend their time outside of school », *Read Res Q*, 23, 1988.
140. Esteban-Cornejo I. *et al.*, « Objectively measured and self-reported leisure-time sedentary

behavior and academic performance in youth », *Prev Med*, 77, 2015.
141. Sullivan A. *et al.*, « Social inequalities in cognitive scores at age 16: the role of reading, CLS Working Paper 2013/10 », Centre for Longitudinal Studies, Institute of Education, University of London, 2013.
142. Mol S.E. *et al.*, « To read or not to read », *Psychol Bull*, 137, 2011.
143. NEA, « To Read or Not To Read, Reasearch Report #47 », National Endowment for the Arts, 2007.
144. Shin N., « Exploring pathways from television viewing to academic achievement in school age children », *J Genet Psychol*, 165, 2004.
145. Head Zauche L. *et al.*, « The Power of Language Nutrition for Children's Brain Development, Health, and Future Academic Achievement », *J Pediatr Health Care*, 31, 2017.
146. Barr-Anderson D.J. *et al.*, « Characteristics associated with older adolescents who have a television in their bedrooms », *Pediatrics*, 121, 2008.222
147. Merga M. *et al.*, « The influence of access to eReaders, computers and mobile phones on children's book reading frequency », *Comput Educ*, 109, 2017.
148. Gentile D.A. *et al.*, « Bedroom media », *Dev Psychol*, 53, 2017.
149. Rideout V. *et al.*, « Generation M2 : Media in the lives of 8-18 year-olds », Kaiser Family Foundation, 2010.
150. Garcia-Continente X. *et al.*, « Factors associated with media use among adolescents », *Eur J Public Health*, 24, 2014.
151. Wiecha J.L. *et al.*, « Household television access », *Ambul Pediatr*, 1, 2001.
152. Gadberry S., « Effects of restricting first graders' TV-viewing on leisure time use, IQ change, and cognitive style », *J Appl Dev Psychol*, 1, 1980.
153. Cummings H.M. *et al.*, « Relation of adolescent video game play to time spent in other activities », *Arch Pediatr Adolesc Med*, 161, 2007.
154. Corteen R.S. *et al., in The Impact of Television: a Natural Experiment in Three Communities* (ed. MacBeth Williams T.), « Television and reading skills », Academic Press, 1986.
155. Vandewater E.A. *et al.*, « When the Television Is Always On », *Am Behav Sci*, 48, 2005.
156. Koolstra C.M. *et al.*, « Television's Impact on Children's Reading Comprehension and Decoding Skills », *Read Res* Q, 32, 1997.
157. « Children's Reading for Pleasure: trends and challenges (Egmont Books Report) », egmont.co.uk, 2020.
158. Clark C. *et al.*, « Children and young people's reading in 2019 (National Literacy Trust research report) », literacytrust.org.uk, 2020.
159. Lombardo P. *et al.*, « Cinquante ans de pratiques culturelles en France [FR] », culture.gouv.fr, 2020.
160. Rideout V. *et al.*, « The common sense census : Media use by tweens and teens », Common sense media, 2019.
161. Mauléon F., « cité in Rollot, O. Nouvelles pédagogies : « L'étudiant doit être la personne la plus importante dans une école [FR] » », lemonde.fr, 2013.
162. Manilève V., « Dire que les "jeunes lisent moins qu'avant" n'a plus aucun sens à l'heure d'internet [FR] », slate.fr, 2015.
163. Octobre S., *Deux pouces et des neurones* [FR], Ministère de la culture et de la communication, 2014.
164. Octobre S. in Buratti L., « Les jeunes lisent toujours, mais pas des livres [FR] », lemonde.fr, 2014.
165. Duncan L.G. *et al.*, « Adolescent reading skill and engagement with digital and traditional literacies as predictors of reading comprehension », *Br J Psychol*, 107, 2016.
166. Pfost M. *et al.*, « Students' extracurricular reading behavior and the development of vocabulary and reading comprehension », *Learn Individ Differ*, 26, 2013.
167. Mangen A. *et al.*, « Reading linear texts on paper versus computer screen », *Int J Educ Res*, 58, 2013.
168. Kong Y. *et al.*, « Comparison of reading performance on screen and on paper », *Comput Educ*, 123, 2018.
169. Delgado P. *et al.*, « Don't throw away your printed books », *Educ Res Rev*, 25, 2018.
170. Singer L. *et al.*, « Reading Across Mediums », *J Exp Educ*, 85, 2017.
171. Toulon A., « Des jeux-vidéo pour lutter contre la dyslexie [FR] », Europe1.fr, 2014.
172. « Video games 'help reading in children with dyslexia' », bbc.com, 2013.
173. Serna J., « Study: A day of video games tops a year of therapy for dyslexic readers », LaTimes.

com, 2013.
174. Solis M., « Video Games May Treat Dyslexia », scientificamerican.com, 2013.
175. Harrar V. *et al.*, « Multisensory integration and attention in developmental dyslexia », *Curr Biol*, 24, 2014.
176. « Les jeux vidéo d'action recommandés aux dyslexiques [FR] », cNewsMatin.fr, 2014.
177. de la Bigne Y., « Les juex viédos conrte la dislexye [FR] », Europe1.fr, 2014.
178. Kipling R., *Histoires comme ça*, Livre de Poche, 2007.
179. Franceschini S. *et al.*, « Action video games make dyslexic children read better », *Curr Biol*, 23, 2013.
180. Tressoldi P.E. *et al.*, « The development of reading speed in Italians with dyslexia », *J Learn Disabil*, 34, 2001.
181. Tressoldi P.E. *et al.*, « Efficacy of an intervention to improve fluency in children with developmental dyslexia in a regular orthography », *J Learn Disabil*, 40, 2007.
182. Collins N., « Video games 'teach dyslexic children to read' », Telegraph.co.uk, 2013.
183. Guarini D., « 9 Ways Video Games Can Actually Be Good For You », huffingtonpost.com, 2013.223
184. Green C.S. *et al.*, « Action video game modifies visual selective attention », *Nature*, 423, 2003.
185. Blakeslee S., « Video-Game Killing Builds Visual Skills, Researchers Report », nytimes.com, 2003.
186. Debroise A., « Les effets positifs des jeux vidéo [FR] », LePoint.fr, 2012.
187. « Les jeux de tirs sont bons pour le cerveau [FR] », lefigaro.fr, 2012.
188. Fleming N., « Why video games may be good for you », bbc.com, 2013.
189. Bach J. *et al.*, L'Enfant et les écrans : Un avis de l'académie des sciences [FR], Le Pommier, 2013.
190. Bavelier D. *et al.*, « Brain plasticity through the life span », *Annu Rev Neurosci*, 35, 2012.
191. Weisburg R.W., in *Handbook of creativity* (ed. Sternberg R.), « Creativity and knowledge », Cambridge University Press, 1999.
192. Colvin G., Talent *is overrated*, Portfolio, 2010.
193. Gladwell M., *Outliers*, Black Bay Books, 2008.
194. Ericsson A. *et al.*, *Peak*, Houghton Mifflin Harcourt, 2016.
195. Cain S., *Quiet*, Broadway Paperbacks, 2013.
196. Dunnette M. *et al.*, « The effect of group participation on brainstorming effectiveness for 2 industrial samples », *J Appl Psychol*, 47, 1963.
197. Mongeau P. *et al.*, « Reconsidering brainstorming », *Group Facilitation*, 1, 1999.
198. Furnham, « The Brainstorming Myth », *Bus Strategy Rev*, 11, 2000.
199. Dye M.W. *et al.*, « Increasing Speed of Processing With Action Video Games », *Curr Dir Psychol Sci*, 18, 2009.
200. Castel A.D. *et al.*, « The effects of action video game experience on the time course of inhibition of return and the efficiency of visual search », *Acta Psychol (Amst)*, 119, 2005.
201. Green C.S. *et al.*, « Improved probabilistic inference as a general learning mechanism with action video games », *Curr Biol*, 20, 2010.
202. Murphy K. *et al.*, « Playing video games does not make for better visual attention skills », *JASNH*, 6, 2009.
203. Boot W.R. *et al.*, « The effects of video game playing on attention, memory, and executive control », *Acta Psychol (Amst)*, 129, 2008.
204. Boot W.R. *et al.*, « Do action video games improve perception and cognition? », *Front Psychol*, 2, 2011.
205. Irons J. *et al.*, « Not so fast », *Aust J Psychol*, 63, 2011.
206. Donohue S.E. *et al.*, « Cognitive pitfall! Videogame players are not immune to dual-task costs », *Atten Percept Psychophys*, 74, 2012.
207. Boot W.R. *et al.*, « The Pervasive Problem With Placebos in Psychology: Why Active Control Groups Are Not Sufficient to Rule Out Placebo Effects », *Perspect Psychol Sci*, 8, 2013.
208. Collins E. *et al.*, « Video game use and cognitive performance », *Cyberpsychol Behav Soc Netw*, 17, 2014.
209. Gobet F. *et al.*, « "No level up!" », *Front Psychol*, 5, 2014.
210. Unsworth N. *et al.*, « Is playing video games related to cognitive abilities? », *Psychol Sci*, 26, 2015.
211. Redick T.S. *et al.*, « Don't Shoot the Messenger – A Reply to Green et al. (2017) », *Psychol Sci*, 28, 2017.
212. Memmert D. *et al.*, « The relationship between visual attention and expertise in sports », *Psychol Sport Exerc*, 10, 2009.
213. Kida N. *et al.*, « Intensive baseball practice

improves the Go/Nogo reaction time, but not the simple reaction time », *Brain Res Cogn Brain Res*, 22, 2005.
214. Azemar G. *et al.*, *Neurobiologie des comportements moteurs* [FR], INSEP, 1982.
215. Ripoll H. *et al.*, *Neurosciences du sport* [FR], INSEP, 1987.
216. Underwood G. *et al.*, « Visual search while driving », *Transp Res Part F*, 5, 2002.
217. Savelsbergh G.J. *et al.*, « Visual search, anticipation and expertise in soccer goalkeepers », *J Sports Sci*, 20, 2002.
218. Muller S. *et al.*, « Expert anticipatory skill in striking sports », *Res Q Exerc Sport*, 83, 2012.
219. Helsen W. *et al.*, « The Relationship between Expertise and Visual Information Processing in Sport »,*Adv Psychol*, 102, 1993.
220. Steffens M., « Video games are good for you », abc.net.au, 2009.
221. Jäncke L. *et al.*, « Expertise in Video Gaming and Driving Skills », *Z Neuropsychol*, 22, 2011.
222. Ciceri M. *et al.*, « Does driving experience in video games count? Hazard anticipation and visual exploration of male gamers as function of driving experience », *Transp Res Part F*, 22, 2014.224
223. Fischer P. *et al.*, « The effects of risk-glorifying media exposure on risk-positive cognitions, emotions, and behaviors », *Psychol Bull*, 137, 2011.
224. Fischer P. *et al.*, « The racing-game effect », *Pers Soc Psychol Bull*, 35, 2009.
225. Beullens K. *et al.*, « Excellent gamer, excellent driver? The impact of adolescents' video game playing on driving behavior », *Accid Anal Prev*, 43, 2011.
226. Beullens K. *et al.*, « Predicting Young Drivers' Car Crashes », *Media Psychol*, 16, 2013.
227. Beullens K. *et al.*, « Driving Game Playing as a Predictor of Adolescents' Unlicensed Driving in Flanders », *J Child Med*, 7, 2013.
228. Hull J.G. *et al.*, « A longitudinal study of risk-glorifying video games and behavioral deviance », *J Pers Soc Psychol*, 107, 2014.
229. Rozières G., « Jouer à Mario Kart fait de vous un meilleur conducteur, c'est scientifiquement prouvé [FR] », huffingtonpost.fr, 2016.
230. « Jouer à Mario Kart fait de vous un meilleur conducteur, c'est scientifiquement prouvé ! [FR] », Elle.fr, 2017.
231. Priam E., « Jouer à Mario Kart fait de vous un meilleur conducteur [FR] », femmeactuelle.fr, 2017.
232. Aratani L., « Study Confirms 'Mario Kart' Really Does Make You A Better Driver », huffingtonpost.com, 2016.
233. « Playing Mario Kart CAN make you a better driver », dailymail.co.uk, 2016.
234. Li L. *et al.*, « Playing Action Video Games Improves Visuomotor Control », *Psychol Sci*, 27, 2016.
235. « Les fans de Mario Kart seraient de meilleurs conducteurs, selon la science [FR] », public.fr, 2017.
236. Bediou B. *et al.*, « Meta-analysis of action video game impact on perceptual, attentional, and cognitive skills », *Psychol Bull*, 144, 2018.
237. Powers K.L. *et al.*, « Effects of video-game play on information processing », *Psychon Bull Rev*, 20, 2013.
238. Schlickum M.K. *et al.*, « Systematic video game training in surgical novices improves performance in virtual reality endoscopic surgical simulators », *World J Surg*, 33, 2009.
239. Rosser J.C., Jr. *et al.*, « The impact of video games on training surgeons in the 21st century », *Arch Surg*, 142, 2007.
240. McKinley R.A. *et al.*, « Operator selection for unmanned aerial systems », *Aviat Space Environ Med*, 82, 2011.
241. Oei A.C. *et al.*, « Are videogame training gains specific or general? », *Front Syst Neurosci*, 8, 2014.
242. Przybylski A.K. *et al.*, « A large scale test of the gaming-enhancement hypothesis », *PeerJ*, 4, 2016.
243. van Ravenzwaaij D. *et al.*, « Action video games do not improve the speed of information processing in simple perceptual tasks », *J Exp Psychol Gen*, 143, 2014.
244. Gaspar J.G. *et al.*, « Are gamers better crossers? An examination of action video game experience and dual task effects in a simulated street crossing task », *Hum Factors*, 56, 2014.
245. Owen A.M. *et al.*, « Putting brain training to the test », *Nature*, 465, 2010.
246. Simons D.J. *et al.*, « Do "Brain-Training" Programs Work? », *Psychol Sci Public Interest*, 17, 2016.
247. Azizi E. *et al.*, « The influence of action video game playing on eye movement behaviour during visual search in abstract, in-game and natural scenes », *Atten Percept Psychophys*, 79, 2017.
248. Sala G. *et al.*, « Video game training does not enhance cognitive ability », *Psychol Bull*, 144, 2018.

249. Conti J., « Ces jeux vidéo qui vous font du bien [FR] », LeTemps.ch, 2013.
250. Fritel J., « Jeux vidéo : les nouveaux maîtres du monde [FR] », documentaire Arte, 15/11/2016.
251. Dehaene S., « Matinale de France Inter, Le grand entretien », franceinter.fr, 2018.
252. Gazzaley A. *et al.*, *The Distracted Mind*, MIT Press, 2016.
253. Katsuki F. *et al.*, « Bottom-up and top-down attention », *Neuroscientist*, 20, 2014.
254. Chun M.M. *et al.*, « A taxonomy of external and internal attention », *Annu Rev Psychol*, 62, 2011.
255. Johansen-Berg H. *et al.*, « Attention to touch modulates activity in both primary and secondary somatosensory areas », *Neuroreport*, 11, 2000.
256. Duncan G.J. *et al.*, « School readiness and later achievement », *Dev Psychol*, 43, 2007.
257. Pagani L.S. *et al.*, « School readiness and later achievement », *Dev Psychol*, 46, 2010.
258. Horn W. *et al.*, « Early Identification of Learning Problems », *J Educ Psychol*, 77, 1985.
259. Polderman T.J. *et al.*, « A systematic review of prospective studies on attention problems and academic achievement », *Acta Psychiatr Scand*, 122, 2010.
260. Rhoades B. *et al.*, « Examining the link between preschool social–emotional competence and first grade academic achievement », *Early Child Res Q*, 26, 2011.225
261. Johnson J.G. *et al.*, « Extensive television viewing and the development of attention and learning difficulties during adolescence », *Arch Pediatr Adolesc Med*, 161, 2007.
262. Frazier T.W. *et al.*, « ADHD and achievement », *J Learn Disabil*, 40, 2007.
263. Loe I.M. *et al.*, « Academic and educational outcomes of children with ADHD », *J Pediatr Psychol*, 32, 2007.
264. Hinshaw S.P., « Externalizing behavior problems and academic underachievement in childhood and adolescence », *Psychol Bull*, 111, 1992.
265. Inoue S. *et al.*, « Working memory of numerals in chimpanzees », Curr Biol, 17, 2007.
266. Wilson D.E. et al., « Practice in visual search produces decreased capacity demands but increased distraction », *Percept Psychophys*, 70, 2008.
267. Bailey K. *et al.*, « A negative association between video game experience and proactive cognitive control », *Psychophysiology*, 47, 2010.
268. Chan P.A. *et al.*, « A cross-sectional analysis of video games and attention deficit hyperactivity disorder symptoms in adolescents », *Ann Gen Psychiatry*, 5, 2006.
269. Gentile D., « Pathological video-game use among youth ages 8 to 18 », *Psychol Sci*, 20, 2009.
270. Gentile D. *et al.*, « Video game playing, attention problems, and impulsiveness », *Psychol Pop Media Cult*, 1, 2012.
271. Swing E.L. *et al.*, « Television and video game exposure and the development of attention problems », *Pediatrics*, 126, 2010.
272. Swing E.L., « Plugged in: The effects of electronic media use on attention problems, cognitive control, visual attention, and aggression. PhD Dissertation», Iowa State University, 2012.
273. Hastings E.C. *et al.*, « Young children's video/computer game use », *Issues Ment Health Nurs*, 30, 2009.
274. Rosen L.D. *et al.*, « Media and technology use predicts ill-being among children, preteens and teenagers independent of the negative health impacts of exercise and eating habits », *Comput Hum Behav*, 35, 2014.
275. Trisolini D.C. *et al.*, « Is action video gaming related to sustained attention of adolescents? », *Q J Exp Psychol (Hove)*, 71, 2017.
276. Bavelier D. *et al.*, « Brains on video games », *Nat Rev Neurosci*, 12, 2011.
277. Thivent V., « Quand l'Académie des sciences penche en faveur des jeux vidéo [FR] », lemonde.fr, 2014.
278. Suchert V. *et al.*, « Sedentary behavior and indicators of mental health in school-aged children and adolescents », *Prev Med*, 76, 2015.
279. Nikkelen S.W. *et al.*, « Media use and ADHD-related behaviors in children and adolescents », *Dev Psychol*, 50, 2014.
280. Mundy L.K. *et al.*, « The Association Between Electronic Media and Emotional and Behavioral Problems in Late Childhood », *Acad Pediatr*, 17, 2017.
281. Christakis D.A. *et al.*, « Early television exposure and subsequent attentional problems in children », *Pediatrics*, 113, 2004.
282. Landhuis C.E. *et al.*, « Does childhood television viewing lead to attention problems in adolescence? Results from a prospective longitudinal study », *Pediatrics*, 120, 2007.
283. Miller C.J. *et al.*, « Television viewing and risk for attention problems in preschool children », *J*

Pediatr Psychol, 32, 2007.
284. Ozmert E. *et al.*, « Behavioral correlates of television viewing in primary school children evaluated by the child behavior checklist », *Arch Pediatr Adolesc Med*, 156, 2002.
285. Zimmerman F.J. *et al.*, « Associations between content types of early media exposure and subsequent attentional problems », *Pediatrics*, 120, 2007.
286. Kushlev K. *et al.*, « "Silence Your Phones": Smartphone Notifications Increase Inattention and Hyperactivity Symptoms ». Proceedings of the 2016 CHI Conference on Human Factors in Computing Systems, 2016.
287. Levine L. *et al.*, « Mobile media use, multitasking and distractibility », *Int J Cyber Behav Psychol*, 2, 2012.
288. Seo D. *et al.*, « Mobile phone dependency and its impacts on adolescents' social and academic behaviors », *Comput Hum Behav*, 63, 2016.
289. Zheng F. *et al.*, « Association between mobile phone use and inattention in 7102 Chinese adolescents », *BMC Public Health*, 14, 2014.226
290. Borghans L. *et al.*, « What grades and achievement tests measure », *Proc Natl Acad Sci USA*, 113, 2016.
291. Duckworth A.L. *et al.*, « Self-discipline outdoes IQ in predicting academic performance of adolescents », *Psychol Sci*, 16, 2005.
292. Bushman B.J. *et al.*, « Media violence and the American public. Scientific facts versus media misinformation », *Am. Psychol*, 56, 2001.
293. Tamana S.K. *et al.*, « Screen-time is associated with inattention problems in preschoolers », *PLoS One*, 14, 2019.
294. Microsoft Canada,Attention spans: Consumer Insights, 2015.
295. Dahl R.E., « The impact of inadequate sleep on children's daytime cognitive function », *Semin Pediatr Neurol*, 3, 1996.
296. Lim J. *et al.*, « Sleep deprivation and vigilant attention », *Ann N Y Acad Sci*, 1129, 2008.
297. Lim J. *et al.*, « A meta-analysis of the impact of short-term sleep deprivation on cognitive variables », *Psychol Bull*, 136, 2010.
298. Beebe D.W., « Cognitive, behavioral, and functional consequences of inadequate sleep in children and adolescents », *Pediatr Clin North Am*, 58, 2011.
299. Maass A. *et al.*, « Does Media Use Have a Short-Term Impact on Cognitive Performance? », *J Media Psychol*, 23, 2011.
300. Kuschpel M.S. *et al.*, « Differential effects of wakeful rest, music and video game playing on working memory performance in the n-back task », *Front Psychol*, 6, 2015.
301. Lillard A.S. *et al.*, « Further examination of the immediate impact of television on children's executive function », *Dev Psychol*, 51, 2015.
302. Lillard A.S. *et al.*, « Television and children's executive function », *Adv Child Dev Behav*, 48, 2015.
303. Lillard A.S. *et al.*, « The immediate impact of different types of television on young children's executive function », *Pediatrics*, 128, 2011.
304. Markowetz A., *Digitaler Burnout*, Droemer, 2015.
305. « Usages Mobiles [FR] », deloitte.com, 2017.
306. Pielot M. *et al.*,« An in-situ study of mobile phone notifications », Proceedings of the 16th international conference on Human-computer interaction with mobile devices. Toronto (CA), 2014.
307. Shirazi A. *et al.*,« Large-scale assessment of mobile notifications », Proceedings of the 32nd annual ACM conference on Human factors in computing systems. Toronto (CA), 2014.
308. Greenfield S., *Mind Change*, Rider, 2014.
309. Gottlieb J. et al., « Information-seeking, curiosity, and attention », *Trends Cogn Sci*, 17, 2013.
310. Kidd C. *et al.*, « The Psychology and Neuroscience of Curiosity », *Neuron*, 88, 2015.
311. Wolniewicz C.A. et al., « Problematic smartphone use and relations with negative affect, fear of missing out, and fear of negative and positive evaluation », Psychiatry Res, 262, 2018.
312. Beyens I. *et al.*, « "I don't want to miss a thing" », *Comput Hum Behav*, 64, 2016.
313. Elhai J. *et al.*, « Fear of missing out, need for touch, anxiety and depression are related to problematic smartphone use », *Comput Hum Behav*, 63, 2016.
314. Rosen L. *et al.*, « Facebook and texting made me do it », *Comput Hum Behav*, 29, 2013.
315. Thornton B. *et al.*, « The mere presence of a cell phone may be distracting », *Soc Psychol*, 45, 2014.
316. Stothart C. *et al.*, « The attentional cost of receiving a cell phone notification », *J Exp Psychol Hum Percept Perform*, 41, 2015.
317. Altmann E.M. *et al.*, « Momentary

interruptions can derail the train of thought », *J Exp Psychol Gen*, 143, 2014.
318. Lee B. *et al.*, « The Effects of Task Interruption on Human Performance », *Hum Factors Man*, 25, 2015.
319. Borst J. *et al.*, «What Makes Interruptions Disruptive?», Proceedings of the 33rd Annual ACM Conference on Human Factors in Computing Systems. Seoul (Korea), 2015.
320. Mark G. *et al.*,« No task left behind? », Proceedings of the SIGCHI Conference on Human Factors in Computing Systems. Portland (OR), 2005.
321. APA, « Multitasking: Switching costs », American Psychological Association, 2006.
322. Klauer S.G. *et al.*, « Distracted driving and risk of road crashes among novice and experienced drivers », *N Engl J Med*, 370, 2014.
323. Caird J.K. *et al.*, « A meta-analysis of the effects of texting on driving », *Accid Anal Prev*, 71, 2014.227
324. Olson R. *et al.*, « Driver Distraction in Commercial Vehicle Operations », Report No. FMCSA-RRR-09-042 », fmcsa.dot.gov, 2009.
325. Roney L. *et al.*, « Distracted driving behaviors of adults while children are in the car », *J Trauma Acute Care Surg*, 75, 2013.
326. Kirschner P. *et al.*, « The myths of the digital native and the multitasker », *Teach Teach Educ*, 67, 2017.
327. Greenfield P.M., « Technology and informal education », *Science*, 323, 2009.
328. Pashler H., « Dual-task interference in simple tasks », *Psychol Bull*, 116, 1994.
329. Koechlin E. *et al.*, « The role of the anterior prefrontal cortex in human cognition », *Nature*, 399, 1999.
330. Braver T.S. *et al.*, « The role of frontopolar cortex in subgoal processing during working memory », *Neuroimage*, 15, 2002.
331. Dux P.E. *et al.*, « Isolation of a central bottleneck of information processing with time-resolved FMRI », *Neuron*, 52, 2006.
332. Roca M. *et al.*, « The role of Area 10 (BA10) in human multitasking and in social cognition: a lesion study », *Neuropsychologia*, 49, 2011.
333. Foerde K. *et al.*, « Modulation of competing memory systems by distraction », *Proc Natl Acad Sci USA*, 103, 2006.
334. Dindar M. *et al.*, « Effects of multitasking on retention and topic interest », *Learn Instr*, 41, 2016.
335. Uncapher M.R. *et al.*, « Media multitasking and memory », *Psychon Bull Rev*, 23, 2016.
336. Mueller P. *et al.*, « Technology and note-taking in the classroom, boardroom, hospital room, and courtroom », *Trends Neurosci Educ*, 5, 2016.
337. Mueller P.A. *et al.*, « The pen is mightier than the keyboard », *Psychol Sci*, 25, 2014.
338. Diemand-Yauman C. *et al.*, « Fortune favors the bold (and the Italicized) », *Cognition*, 118, 2011.
339. Hirshman E. *et al.*, « The generation effect », *J Exp Psychol Learn Mem Cogn*, 14, 1988.
340. « The social dilemma », Documentary, Netflix, 2020
341. Lanier J., *Ten Arguments for Deleting Your Social Media Accounts Right Now*, Vintage, 2019.
342. Solon O., « Ex-Facebook president Sean Parker: site made to exploit human 'vulnerability' », theguardian.com, 2017.
343. Guyonnet P., « Facebook a été conçu pour exploiter les faiblesses des gens, prévient son ancien président Sean Parker [FR] », huffingtonpost.fr, 2017.
344. Wong J., « Former Facebook executive: social media is ripping society apart », guardian.com, 2017.
345. « D'anciens cadres de Facebook expriment leurs remords d'avoir contribué à son succès [FR] », lemonde.fr, 2017.
346. Bowles N., « A Dark Consensus About Screens and Kids Begins to Emerge in Silicon Valley », nytimes.com, 2018.
347. Ophir E. *et al.*, « Cognitive control in media multitaskers », *Proc Natl Acad Sci USA*, 106, 2009.
348. Cain M.S. *et al.*, « Media multitasking in adolescence », *Psychon Bull Rev*, 23, 2016.
349. Cain M.S. *et al.*, « Distractor filtering in media multitaskers », *Perception*, 40, 2011.
350. Sanbonmatsu D.M. *et al.*, « Who multitasks and why? Multitasking ability, perceived multitasking ability, impulsivity, and sensation seeking », *PLoS One*, 8, 2013.
351. Gorman T.E. *et al.*, « Short-term mindfulness intervention reduces the negative attentional effects associated with heavy media multitasking », *Sci Rep*, 6, 2016.
352. Lopez R.B. *et al.*, « Media multitasking is associated with altered processing of incidental, irrelevant cues during person perception », *BMC Psychol*, 6, 2018.
353. Yang X. *et al.*, « Predictors of media multitasking in Chinese adolescents », *Int J*

Psychol, 51, 2016.
354. Moisala M. *et al*., « Media multitasking is associated with distractibility and increased prefrontal activity in adolescents and young adults », *Neuroimage*, 134, 2016.
355. Uncapher M.R. *et al*., « Minds and brains of media multitaskers », *Proc Natl Acad Sci USA*, 115, 2018.
356. Hadar A. *et al*., « Answering the missed call: Initial exploration of cognitive and electrophysiological changes associated with smartphone use and abuse », *PLoS One*, 12, 2017.
357. *Le Trésor de la langue française informatisé* [FR], http://atilf.atilf.fr/, accès 03/2019.
358. Greenough W.T. *et al*., « Experience and brain development », Child Dev, 58, 1987.
359. Christakis D.A. *et al*., « How early media exposure may affect cognitive function », *Proc Natl Acad Sci USA*, 115, 2018.
360. Christakis D.A. *et al*., « Overstimulation of newborn mice leads to behavioral differences and deficits in cognitive performance », *Sci Rep*, 2, 2012.228
361. Ravinder S. *et al*., « Excessive Sensory Stimulation during Development Alters Neural Plasticity and Vulnerability to Cocaine in Mice », *eNeuro*, 3, 2016.
362. Capusan A.J. *et al*., « Comorbidity of Adult ADHD and Its Subtypes With Substance Use Disorder in a Large Population-Based Epidemiological Study », *J Atten Disord*, 2016.
363. Karaca S. *et al*., « Comorbidity between Behavioral Addictions and Attention Deficit/ Hyperactivity Disorder », *Int J Ment Health Addiction*, 15, 2017.
364. Wilens T. *et al*., in *Oxford Textbook of Attention Deficit Hyperactivity Disorder* (eds. Banaschewski T. *et al*.), « ADHD and substance misuse », Oxford University Press, 2018.
365. Hadas I. *et al*., « Exposure to salient, dynamic sensory stimuli during development increases distractibility in adulthood », *Sci Rep*, 6, 2016.
366. Wachs T., « Noise in the nursery », *Child Environ Q*, 3, 1986.
367. Wachs T. *et al*., « Cognitive development in infants of different age levels and from different environmental backgrounds », *Merrill Palmer Q*, 17, 1971.
368. Klaus R.A. *et al*., « The early training project for disadvantaged children », *Monogr Soc Res Child Dev*, 33, 1968.
369. Heft H., « Background and Focal Environmental Conditions of the Home and Attention in Young Children », *J Appl Soc Psychol*, 9, 1979.
370. Raman S.R. *et al*., « Trends in attention-deficit hyperactivity disorder medication use », *Lancet Psychiatry*, 5, 2018.
371. Visser S.N. *et al*., « Trends in the parent-report of health care provider-diagnosed and medicated attention-deficit/hyperactivity disorder: United States, 2003-2011 », *J Am Acad Child Adolesc Psychiatry*, 53, 2014.
372. Xu G. *et al*., « Twenty-Year Trends in Diagnosed Attention-Deficit/Hyperactivity Disorder Among US Children and Adolescents, 1997-2016 », *JAMA Netw Open*, 1, 2018.
373. Ra C.K. *et al*., « Association of Digital Media Use With Subsequent Symptoms of AttentionDeficit/Hyperactivity Disorder Among Adolescents », *JAMA*, 320, 2018.
374. Weiss M.D. *et al*., « The screens culture », *Atten Defic Hyperact Disord*, 3, 2011.
375. Rymer R., Genie. *A Scientific Tragedy, HarperPerennial*, 1994.

健康

1. Christakis D.A. *et al*., « Media as a public health issue », *Arch Pediatr Adolesc Med*, 160, 2006.
2. Strasburger V.C. *et al*., « Health effects of media on children and adolescents », *Pediatrics*, 125, 2010.
3. Strasburger V.C. *et al*., « Children, adolescents, and the media », *Pediatr Clin North Am*, 59, 2012.
4. Desmurget M., *TV Lobotomie* [FR], J'ai Lu, 2013.
5. Bach J. *et al*., L'Enfant et les écrans : Un avis de l'académie des sciences [FR], Le Pommier, 2013.
6. Duflo S., *Quand les écrans deviennent neurotoxiques* [FR], Marabout, 2018.
7. Freed R., *Wired Child*, CreateSpace, 2015.
8. Winn M., *The Plug-In-Drug* (revised edition), Penguin Group, 2002.
9. Siniscalco M. *et al*., *Parents, enfants écrans* [FR], Nouvelle Cité, 2014.
10. Institute of Medicine of the National Academies, Sleep Disorders and *Sleep Deprivation: An Unmet Public Health Problem*, The National Academies Press, 2006.
11. Owens J. *et al*., « Insufficient sleep in adolescents and young adults », Pediatrics, 134, 2014.
12. Buysse D.J., « Sleep health », *Sleep*, 37, 2014.
13. Gangwisch J.E. *et al*., « Earlier parental set

bedtimes as a protective factor against depression and suicidal ideation », *Sleep*, 33, 2010.
14. Goldstein A.N. *et al.*, « The role of sleep in emotional brain function », *Annu Rev Clin Psychol*, 10, 2014.
15. Gujar N. *et al.*, « Sleep deprivation amplifies reactivity of brain reward networks, biasing the appraisal of positive emotional experiences », *J Neurosci*, 31, 2011.
16. Yoo S.S. *et al.*, « The human emotional brain without sleep--a prefrontal amygdala disconnect », *Curr Biol*, 17, 2007.
17. Desmurget M., *L'Antirégime au quotidien* [FR], Belin, 2017.
18. Desmurget M., *L'Antirégime* [FR], Belin, 2015.
19. Chaput J.P. *et al.*, « Risk factors for adult overweight and obesity », *Obes Facts*, 3, 2010.
20. Brondel L. *et al.*, « Acute partial sleep deprivation increases food intake in healthy men », *Am J Clin Nutr*, 91, 2010.229
21. Greer S.M. *et al.*, « The impact of sleep deprivation on food desire in the human brain », *Nat Commun*, 4, 2013.
22. Benedict C. *et al.*, « Acute sleep deprivation reduces energy expenditure in healthy men », *Am J Clin Nutr*, 93, 2011.
23. Seegers V. *et al.*, « Short persistent sleep duration is associated with poor receptive vocabulary performance in middle childhood », *J Sleep Res*, 25, 2016.
24. Jones J.J. *et al.*, « Association between late-night tweeting and next-day game performance among professional basketball players », *Sleep Health*, 5, 2019.
25. Harrison Y. *et al.*, « The impact of sleep deprivation on decision making », *J Exp Psychol Appl*, 6, 2000.
26. Venkatraman V. *et al.*, « Sleep deprivation elevates expectation of gains and attenuates response to losses following risky decisions », *Sleep*, 30, 2007.
27. Venkatraman V. *et al.*, « Sleep deprivation biases the neural mechanisms underlying economic preferences », *J Neurosci*, 31, 2011.
28. Kirszenblat L. *et al.*, « The Yin and Yang of Sleep and Attention », *Trends Neurosci*, 38, 2015.
29. Lim J. *et al.*, « Sleep deprivation and vigilant attention », *Ann N Y Acad Sci*, 1129, 2008.
30. Lim J. *et al.*, « A meta-analysis of the impact of short-term sleep deprivation on cognitive variables », Psychol Bull, 136, 2010.
31. Lowe C.J. *et al.*, « The neurocognitive consequences of sleep restriction », *Neurosci Biobehav Rev*, 80, 2017.
32. Sadeh A. *et al.*, « Infant Sleep Predicts Attention Regulation and Behavior Problems at 3-4 Years of Age », *Dev Neuropsychol*, 40, 2015.
33. Beebe D.W., « Cognitive, behavioral, and functional consequences of inadequate sleep in children and adolescents », *Pediatr Clin North Am*, 58, 2011.
34. Dahl R.E., « The impact of inadequate sleep on children's daytime cognitive function », *Semin Pediatr Neurol*, 3, 1996.
35. Chen Z. *et al.*, « Deciphering Neural Codes of Memory during Sleep », *Trends Neurosci,* 40, 2017.
36. Diekelmann S., « Sleep for cognitive enhancement », *Front Syst Neurosci*, 8, 2014.
37. Diekelmann S. *et al.*, « The memory function of sleep », *Nat Rev Neurosci*, 11, 2010.
38. Frank M.G., « Sleep and developmental plasticity not just for kids », *Prog Brain Res*, 193, 2011.
39. Dutil C. *et al.*, « Influence of sleep on developing brain functions and structures in children and adolescents », *Sleep Med Rev*, 2018.
40. Tarokh L. *et al.*, « Sleep in adolescence », *Neurosci Biobehav Rev*, 70, 2016.
41. Telzer E.H. et al., « Sleep variability in adolescence is associated with altered brain development », *Dev Cogn Neurosci*, 14, 2015.
42. Gruber R. *et al.*, « Short sleep duration is associated with poor performance on IQ measures in healthy school-age children », *Sleep Med*, 11, 2010.
43. Touchette E. *et al.*, « Associations between sleep duration patterns and behavioral/cognitive functioning at school entry », *Sleep*, 30, 2007.
44. Lewis P.A. *et al.*, « How Memory Replay in Sleep Boosts Creative Problem-Solving », *Trends Cogn Sci*, 22, 2018.
45. Curcio G. *et al.*, « Sleep loss, learning capacity and academic performance », *Sleep Med Rev*, 10, 2006.
46. Dewald J.F. *et al.*, « The influence of sleep quality, sleep duration and sleepiness on school performance in children and adolescents », *Sleep Med Rev*, 14, 2010.
47. Hysing M. *et al.*, « Sleep and academic performance in later adolescence », *J Sleep Res*, 25, 2016.
48. Schmidt R.E. *et al.*, « The Relations Between

Sleep, Personality, Behavioral Problems, and School Performance in Adolescents », *Sleep Med Clin*, 10, 2015.
49. Shochat T. *et al.*, « Functional consequences of inadequate sleep in adolescents », *Sleep Med Rev*, 18, 2014.
50. Astill R.G. *et al.*, « Sleep, cognition, and behavioral problems in school-age children », Psychol Bull, 138, 2012.
51. Litwiller B. *et al.*, « The relationship between sleep and work », *J Appl Psychol*, 102, 2017.
52. Rosekind M.R. *et al.*, « The cost of poor sleep », *J Occup Environ Med*, 52, 2010.
53. Roberts R.E. *et al.*, « The prospective association between sleep deprivation and depression among adolescents », *Sleep*, 37, 2014.
54. Short M.A. *et al.*, « Sleep deprivation leads to mood deficits in healthy adolescents », *Sleep Med*, 16, 2015.230
55. Baum K.T. *et al.*, « Sleep restriction worsens mood and emotion regulation in adolescents », *J Child Psychol Psychiatry*, 55, 2014.
56. Pilcher J.J. et al., « Effects of sleep deprivation on performance », Sleep, 19, 1996.
57. Liu X., « Sleep and adolescent suicidal behavior », Sleep, 27, 2004.
58. Gregory A.M. *et al.*, « The direction of longitudinal associations between sleep problems and depression symptoms », *Sleep*, 32, 2009.
59. Pires G.N. *et al.*, « Effects of experimental sleep deprivation on anxiety-like behavior in animal research », *Neurosci Biobehav Rev*, 68, 2016.
60. Touchette E. *et al.*, « Short nighttime sleep-duration and hyperactivity trajectories in early childhood », *Pediatrics*, 124, 2009.
61. Paavonen E.J. *et al.*, « Short sleep duration and behavioral symptoms of attention-deficit/hyperactivity disorder in healthy 7- to 8-year-old children », *Pediatrics*, 123, 2009.
62. Kelly Y. *et al.*, « Changes in bedtime schedules and behavioral difficulties in 7 year old children », *Pediatrics*, 132, 2013.
63. Telzer E.H. *et al.*, « The effects of poor quality sleep on brain function and risk taking in adolescence », *Neuroimage*, 71, 2013.
64. Kamphuis J. *et al.*, « Poor sleep as a potential causal factor in aggression and violence », *Sleep Med*, 13, 2012.
65. Cappuccio F.P. *et al.*, « Meta-analysis of short sleep duration and obesity in children and adults », *Sleep*, 31, 2008.
66. Chaput J.P. *et al.*, « Lack of sleep as a contributor to obesity in adolescents », *Int J Behav Nutr Phys Act*, 13, 2016.
67. Chen X. *et al.*, « Is sleep duration associated with childhood obesity? A systematic review and metaanalysis », *Obesity (Silver Spring)*, 16, 2008.
68. Fatima Y. *et al.*, « Longitudinal impact of sleep on overweight and obesity in children and adolescents », *Obes Rev*, 16, 2015.
69. Miller M.A. *et al.*, « Sleep duration and incidence of obesity in infants, children, and adolescents », *Sleep*, 41, 2018.
70. Wu Y. *et al.*, « Short sleep duration and obesity among children », *Obes Res Clin Pract*, 11, 2017.
71. Shan Z. *et al.*, « Sleep duration and risk of type 2 diabetes », *Diabetes Care*, 38, 2015.
72. Dutil C. *et al.*, « Inadequate sleep as a contributor to type 2 diabetes in children and adolescents », *Nutr Diabetes*, 7, 2017.
73. Cappuccio F.P. *et al.*, « Sleep and Cardio-Metabolic Disease », *Curr Cardiol Rep*, 19, 2017.
74. Cappuccio F.P. *et al.*, « Sleep duration predicts cardiovascular outcomes », *Eur Heart J*, 32, 2011.
75. Gangwisch J.E., « A review of evidence for the link between sleep duration and hypertension », *Am J Hypertens*, 27, 2014.
76. Miller M.A. *et al.*, « Biomarkers of cardiovascular risk in sleep-deprived people », *J Hum Hypertens*, 27, 2013.
77. St-Onge M.P. *et al.*, « Sleep Duration and Quality », *Circulation*, 134, 2016.
78. Irwin M.R., « Why sleep is important for health », *Annu Rev Psychol*, 66, 2015.
79. Irwin M.R. *et al.*, « Sleep Health », *Neuropsychopharmacology*, 42, 2017.
80. Bryant P.A. *et al.*, « Sick and tired », *Nat Rev Immunol*, 4, 2004.
81. Zada D. *et al.*, « Sleep increases chromosome dynamics to enable reduction of accumulating DNA damage in single neurons », *Nat Commun*, 10, 2019.
82. Grandner M.A. *et al.*, « Mortality associated with short sleep duration », *Sleep Med Rev*, 14, 2010.
83. Cappuccio F.P. *et al.*, « Sleep duration and all-cause mortality », *Sleep*, 33, 2010.
84. Bioulac S. *et al.*, « Risk of Motor Vehicle Accidents Related to Sleepiness at the Wheel », *Sleep*, 40, 2017.
85. Horne J. *et al.*, « Vehicle accidents related to sleep », *Occup Environ Med*, 56, 1999.
86. Uehli K. *et al.*, « Sleep problems and work

injuries », *Sleep Med Rev*, 18, 2014.
87. Spira A.P. *et al.*, « Impact of sleep on the risk of cognitive decline and dementia », *Curr Opin Psychiatry*, 27, 2014.
88. Ju Y.E. et al., « Sleep and Alzheimer disease pathology--a bidirectional relationship », *Nat Rev Neurol*, 10, 2014.
89. Zhang F. *et al.*, « The missing link between sleep disorders and age-related dementia », *J Neural Transm (Vienna)*, 124, 2017.231
90. Macedo A.C. *et al.*, « Is Sleep Disruption a Risk Factor for Alzheimer's Disease? », *J Alzheimers Dis*, 58, 2017.
91. Wu L. *et al.*, « A systematic review and dose-response meta-analysis of sleep duration and the occurrence of cognitive disorders », *Sleep Breath*, 22, 2018.
92. Lo J.C. *et al.*, « Sleep duration and age-related changes in brain structure and cognitive performance », *Sleep*, 37, 2014.
93. Vriend J. *et al.*, « Emotional and Cognitive Impact of Sleep Restriction in Children », *Sleep Med Clin*, 10, 2015.
94. Vriend J.L. *et al.*, « Manipulating sleep duration alters emotional functioning and cognitive performance in children », *J Pediatr Psychol*, 38, 2013.
95. Dewald-Kaufmann J.F. *et al.*, « The effects of sleep extension on sleep and cognitive performance in adolescents with chronic sleep reduction », *Sleep Med,* 14, 2013.
96. Dewald-Kaufmann J.F. *et al.*, « The effects of sleep extension and sleep hygiene advice on sleep and depressive symptoms in adolescents », *J Child Psychol Psychiatry*, 55, 2014.
97. Sadeh A. *et al.*, « The effects of sleep restriction and extension on school-age children », *Child Dev*, 74, 2003.
98. Gruber R. *et al.*, « Impact of sleep extension and restriction on children's emotional lability and impulsivity », *Pediatrics*, 130, 2012.
99. Chaput J.P. *et al.*, « Sleep duration estimates of Canadian children and adolescents », *J Sleep Res*, 25, 2016.
100. Hawkins S.S. *et al.*, « Social determinants of inadequate sleep in US children and adolescents », *Public Health*, 138, 2016.
101. Patte K.A. *et al.*, « Sleep duration trends and trajectories among youth in the COMPASS study », *Sleep Health*, 3, 2017.
102. Rognvaldsdottir V. *et al.*, « Sleep deficiency on school days in Icelandic youth, as assessed by wrist accelerometry », *Sleep Med*, 33, 2017.
103. Twenge J.M. *et al.*, « Decreases in self-reported sleep duration among U.S. adolescents 2009-2015 and association with new media screen time », *Sleep Med*, 39, 2017.
104. LeBourgeois M.K. *et al.*, « Digital Media and Sleep in Childhood and Adolescence », *Pediatrics*, 140, 2017.
105. Keyes K.M. *et al.*, « The great sleep recession », *Pediatrics*, 135, 2015.
106. Cain N. *et al.*, « Electronic media use and sleep in school-aged children and adolescents », *Sleep Med*, 11, 2010.
107. Carter B. *et al.*, « Association Between Portable Screen-Based Media Device Access or Use and Sleep Outcomes », *JAMA Pediatr*, 170, 2016.
108. AAP, « Children and Adolescents and Digital Media. American Academy of Pediatrics. Council on Communications and Media », *Pediatrics*, 138, 2016.
109. Arora T. *et al.*, « Associations between specific technologies and adolescent sleep quantity, sleep quality, and parasomnias », *Sleep Med*, 15, 2014.
110. Chahal H. *et al.*, « Availability and night-time use of electronic entertainment and communication devices are associated with short sleep duration and obesity among Canadian children », *Pediatr Obes*, 8, 2013.
111. Cheung C.H. *et al.*, « Daily touchscreen use in infants and toddlers is associated with reduced sleep and delayed sleep onset », *Sci Rep*, 7, 2017.
112. Falbe J. *et al.*, « Sleep duration, restfulness, and screens in the sleep environment », *Pediatrics*, 135, 2015.
113. Hysing M. *et al.*, « Sleep and use of electronic devices in adolescence », *BMJ Open*, 5, 2015.
114. Scott H. *et al.*, « Fear of missing out and sleep », *J Adolesc*, 68, 2018.
115. Twenge J.M. *et al.*, « Associations between screen time and sleep duration are primarily driven by portable electronic devices », *Sleep Med*, 2018.
116. Owens J. *et al.*, « Television-viewing habits and sleep disturbance in school children », *Pediatrics*, 104, 1999.
117. Brockmann P.E. *et al.*, « Impact of television on the quality of sleep in preschool children », *Sleep Med*, 20, 2016.
118. Gentile D.A. *et al.*, « Bedroom media », *Dev Psychol*, 53, 2017.232
119. Li S. *et al.*, « The impact of media use on sleep

patterns and sleep disorders among school-aged children in China », *Sleep*, 30, 2007.
120. Shochat T. *et al.*, « Sleep patterns, electronic media exposure and daytime sleep-related behaviours among Israeli adolescents », *Acta Paediatr*, 99, 2010.
121. Sisson S.B. *et al.*, « TVs in the bedrooms of children », *Prev Med*, 52, 2011.
122. Van den Bulck J., « Television viewing, computer game playing, and Internet use and self-reported time to bed and time out of bed in secondary-school children », *Sleep*, 27, 2004.
123. Garrison M.M. *et al.*, « Media use and child sleep », *Pediatrics*, 128, 2011.
124. AAP, « School start times for adolescents », *Pediatrics*, 134, 2014.
125. Minges K.E. *et al.*, « Delayed school start times and adolescent sleep », *Sleep Med Rev*, 28, 2016.
126. Chang A.M. *et al.*, « Evening use of light-emitting eReaders negatively affects sleep, circadian timing, and next-morning alertness », *Proc Natl Acad Sci USA*, 112, 2015.
127. Tosini G. *et al.*, « Effects of blue light on the circadian system and eye physiology », *Mol Vis*, 22, 2016.
128. Touitou Y. *et al.*, « Disruption of adolescents' circadian clock », *J Physiol Paris*, 110, 2016.
129. Rosen L. *et al.*, « Sleeping with technology », *Sleep Health*, 2, 2016.
130. Gradisar M. *et al.*, « The sleep and technology use of Americans: findings from the National Sleep Foundation's 2011 Sleep in America poll », *J Clin Sleep Med*, 9, 2013.
131. Van den Bulck J., « Adolescent use of mobile phones for calling and for sending text messages after lights out », *Sleep*, 30, 2007.
132. Munezawa T. *et al.*, « The association between use of mobile phones after lights out and sleep disturbances among Japanese adolescents », *Sleep*, 34, 2011.
133. Thomee S. *et al.*, « Mobile phone use and stress, sleep disturbances, and symptoms of depression among young adults--a prospective cohort study », *BMC Public Health*, 11, 2011.
134. Schoeni A. *et al.*, « Symptoms and Cognitive Functions in Adolescents in Relation to Mobile Phone Use during Night », *PLoS One*, 10, 2015.
135. Adams S. *et al.*, « Sleep Quality as a Mediator Between Technology-Related Sleep Quality, Depression, and Anxiety », *Cyberpsychol Behav Soc Netw*, 16, 2013.
136. Paavonen E.J. *et al.*, « TV exposure associated with sleep disturbances in 5- to 6-year-old children », *J Sleep Res*, 15, 2006.
137. Dworak M. *et al.*, « Impact of singular excessive computer game and television exposure on sleep patterns and memory performance of school-aged children », Pediatrics, 120, 2007.
138. Walker M.P., « The role of slow wave sleep in memory processing », *J Clin Sleep Med*, 5, 2009.
139. Wilckens K.A. *et al.*, « Slow-Wave Activity Enhancement to Improve Cognition », *Trends Neurosci*, 41, 2018.
140. King D.L. *et al.*, « The impact of prolonged violent video-gaming on adolescent sleep: an experimental study », *J Sleep Res*, 22, 2013.
141. OCDE, « L'égalité des sexes dans l'éducation [FR] », OCDE, 2015.
142. Tisseron S., in Buthigieg R. *et al.*,« La télévision est-elle un danger pour les enfants ? [FR] », TeleStar, n° 1830, 29 octobre-4 novembre 2011.
143. Vandewater E.A. *et al.*, « Digital childhood: electronic media and technology use among infants, toddlers, and preschoolers », *Pediatrics*, 119, 2007.
144. Eggermont S. *et al.*, « Nodding off or switching off? The use of popular media as a sleep aid in secondary-school children », *J Paediatr Child Health*, 42, 2006.
145. Wise R.A., « Brain reward circuitry », *Neuron*, 36, 2002.
146. Hinkley T. *et al.*, « Early childhood electronic media use as a predictor of poorer well-being », *JAMA Pediatr*, 168, 2014.
147. Kasser T., *The High Price of Materialism*, MIT Press, 2002.
148. Public Health England, « How healthy behaviour supports children's wellbeing », gov.uk, 2013.
149. Kross E. *et al.*, « Facebook use predicts declines in subjective well-being in young adults », *PLoS One*, 8, 2013.
150. Verduyn P. *et al.*, « Passive Facebook usage undermines affective well-being: Experimental and longitudinal evidence », *J Exp Psychol Gen*, 144, 2015.
151. Tromholt M., « The Facebook Experiment », *Cyberpsychol Behav Soc Netw*, 19, 2016.
152. Lin L.Y. *et al.*, « Association between Social Media Use and Depression among U.S. Young Adults », *Depress Anxiety*, 33, 2016.233
153. Primack B.A. *et al.*, « Social Media Use and

Perceived Social Isolation Among Young Adults in the U.S », *Am J Prev Med*, 53, 2017.
154. Primack B.A. *et al.*, « Association between media use in adolescence and depression in young adulthood », *Arch Gen Psychiatry*, 66, 2009.
155. Costigan S.A. *et al.*, « The health indicators associated with screen-based sedentary behavior among adolescent girls », *J Adolesc Health*, 52, 2013.
156. Shakya H.B. *et al.*, « Association of Facebook Use With Compromised Well-Being », *Am J Epidemiol*, 185, 2017.
157. Babic M. *et al.*, « Longitudinal associations between changes in screen-time and mental health outcomes in adolescents », *Ment Health Phys Act*, 12, 2017.
158. Twenge J. *et al.*, « Increases in Depressive Symptoms, Suicide-Related Outcomes, and Suicide Rates Among U.S. Adolescents After 2010 and Links to Increased New Media Screen Time », *Clin Psychol Sci*, 6, 2018.
159. Twenge J.M. *et al.*, « Decreases in Psychological Well-Being Among American Adolescents After 2012 and Links to Screen Time During the Rise of Smartphone Technology », *Emotion*, 2018.
160. Kelly Y. *et al.*, « Social Media Use and Adolescent Mental Health », *EClinicalMedicine*, 2019.
161. Demirci K. *et al.*, « Relationship of smartphone use severity with sleep quality, depression, and anxiety in university students », *J Behav Addict*, 4, 2015.
162. Hunt M. *et al.*, « No More FOMO », *J Soc Clin Psychol*, 37, 2018.
163. Seo J.H. *et al.*, « Late use of electronic media and its association with sleep, depression, and suicidality among Korean adolescents », *Sleep Med*, 29, 2017.
164. Hoare E. *et al.*, « The associations between sedentary behaviour and mental health among adolescents », *Int J Behav Nutr Phys Act*, 13, 2016.
165. Hoge E. *et al.*, « Digital Media, Anxiety, and Depression in Children », *Pediatrics*, 140, 2017.
166. « Tisseron S., in Buthigieg R., «La télévision nuit-elle au sommeil ?», TeleStar, n° 1800, 2-8 avril 2011. »,
167. « Enquête de santé – Abus d'écrans : notre cerveau en danger ? [FR] », France 5, 23 juin 2020.
168. Royant-Parola S. *et al.*, « The use of social media modifies teenagers' sleep-related behavior [in French] », *Encephale*, 44, 2018.
169. « 18ème Journée du sommeil : le sommeil des jeunes (15-24 ans) [FR] », Enquête INSV/MGEN, institutsommeil-vigilance.org, 03/2018.
170. Galland B.C. *et al.*, « Establishing normal values for pediatric nighttime sleep measured by actigraphy: a systematic review and meta-analysis », *Sleep*, 41, 2018.
171. Chaput J.P. *et al.*, « Sleeping hours: what is the ideal number and how does age impact this? », *Nat Sci Sleep*, 10, 2018.
172. Przybylski A.K., « Digital Screen Time and Pediatric Sleep: Evidence from a Preregistered Cohort Study », *J Pediatr*, 205, 2019.
173. Maccoby E.E., « Television: Its Impact on School Children », Public Opin Q, 15, 1951.
174. Asaoka S. *et al.*, « Does television viewing cause delayed and/or irregular sleep–wake patterns? », *Sleep Biol Rhythms*, 5, 2007.
175. Owen N. *et al.*, « Too much sitting », Exerc Sport Sci Rev, 38, 2010.
176. Booth F.W. et al., « Role of Inactivity in Chronic Diseases: Evolutionary Insight and Pathophysiological Mechanisms », *Physiol Rev*, 97, 2017.
177. Dunstan D.W. *et al.*, « Television viewing time and mortality », Circulation, 121, 2010.
178. Basterra-Gortari F.J. et al., « Television viewing, computer use, time driving and all-cause mortality », *J Am Heart Assoc*, 3, 2014.
179. Stamatakis E. *et al.*, « Screen-based entertainment time, all-cause mortality, and cardiovascular events: population-based study with ongoing mortality and hospital events follow-up », *J Am Coll Cardiol*, 57, 2011.
180. Katzmarzyk P.T. *et al.*, « Sedentary behaviour and life expectancy in the USA », *BMJ Open*, 2, 2012.
181. Veerman J.L. *et al.*, « Television viewing time and reduced life expectancy », *Br J Sports Med*, 46, 2012.
182. Grontved A. *et al.*, « Television viewing and risk of type 2 diabetes, cardiovascular disease, and all-cause mortality », *JAMA*, 305, 2011.
183. Keadle S.K. *et al.*, « Causes of Death Associated With Prolonged TV Viewing », *Am J Prev Med*, 49, 2015.234
184. Allen M.S. *et al.*, « Sedentary behaviour and risk of anxiety », *J Affect Disord*, 242, 2019.
185. van Uffelen J.G. *et al.*, « Sitting-time, physical activity, and depressive symptoms in mid-aged

women », *Am J Prev Med*, 45, 2013.
186. Ellingson L.D. *et al.*, « Changes in sedentary time are associated with changes in mental wellbeing over 1year in young adults », *Prev Med Rep*, 11, 2018.
187. Falck R.S. *et al.*, « What is the association between sedentary behaviour and cognitive function? A systematic review », *Br J Sports Med*, 51, 2017.
188. Hamilton M.T. *et al.*, « Role of low energy expenditure and sitting in obesity, metabolic syndrome, type 2 diabetes, and cardiovascular disease », *Diabetes*, 56, 2007.
189. Zderic T.W. *et al.*, « Identification of hemostatic genes expressed in human and rat leg muscles and a novel gene (LPP1/PAP2A) suppressed during prolonged physical inactivity (sitting) », *Lipids Health Dis*, 11, 2012.
190. Hamburg N.M. *et al.*, « Physical inactivity rapidly induces insulin resistance and microvascular dysfunction in healthy volunteers », *Arterioscler Thromb Vasc Biol*, 27, 2007.
191. Pagani L.S. *et al.*, « Prospective associations between early childhood television exposure and academic, psychosocial, and physical well-being by middle childhood », *Arch Pediatr Adolesc Med*, 164, 2010.
192. Babey S.H. *et al.*, « Adolescent sedentary behaviors », *J Adolesc Health*, 52, 2013.
193. Barr-Anderson D.J. *et al.*, « Characteristics associated with older adolescents who have a television in their bedrooms », *Pediatrics*, 121, 2008.
194. Bennett G.G. *et al.*, « Television viewing and pedometer-determined physical activity among multiethnic residents of low-income housing », *Am J Public Health*, 96, 2006.
195. Carlson S.A. *et al.*, « Influence of limit-setting and participation in physical activity on youth screen time », *Pediatrics*, 126, 2010.
196. Jago R. *et al.*, « BMI from 3-6 y of age is predicted by TV viewing and physical activity, not diet », *Int J Obes (Lond)*, 29, 2005.
197. Salmon J. *et al.*, « Television viewing habits associated with obesity risk factors », *Med J Aust*, 184, 2006.
198. LeBlanc A.G. *et al.*, « Correlates of Total Sedentary Time and Screen Time in 9-11 Year-Old Children around the World », *PLoS One*, 10, 2015.
199. MacBeth Williams T. *et al.*, in *The Impact of Television: a Natural Experiment in Three Communities*(ed. MacBeth Williams T.), « Television and other leisure activities », Academic Press, 1986.
200. Tomkinson G. *et al.*, in *Pediatric Fitness. Secular Trends and Geographic Variability* (eds. Tomkinson G. *et al.*), « Secular Changes in Pediatric Aerobic Fitness Test Performance », Karger, 2007.
201. Tomkinson G.R. *et al.*, « Temporal trends in the cardiorespiratory fitness of children and adolescents representing 19 high-income and upper middle-income countries between 1981 and 2014 », *Br JSports Med*, 53, 2019.
202. Morales-Demori R. *et al.*, « Trend of Endurance Level Among Healthy Inner-City Children and Adolescents Over Three Decades », *Pediatr Cardiol*, 38, 2017.
203. Fédération française de cardiologie, « Depuis 40 ans, les enfants ont perdu près de 25% de leur capacité cardio-vasculaire ! [FR] » Communiqué de presse, fedecardio.org, 02/2016.
204. Ferreira I. *et al.*, « Environmental correlates of physical activity in youth - a review and update », *Obes Rev*, 8, 2007.
205. Ding D. *et al.*, « Neighborhood environment and physical activity among youth a review », *Am J Prev Med*, 41, 2011.
206. Tremblay M.S. et al., « Systematic review of sedentary behaviour and health indicators in school-aged children and youth », *Int J Behav Nutr Phys Act*, 8, 2011.
207. de Rezende L.F. *et al.*, « Sedentary behavior and health outcomes », *PLoS One*, 9, 2014.
208. Chinapaw M.J. *et al.*, « Relationship between young peoples' sedentary behaviour and biomedical health indicators », *Obes Rev*, 12, 2011.
209. Landhuis E. *et al.*, « Programming obesity and poor fitness », *Obesity (Silver Spring)*, 16, 2008.
210. Lepp A. *et al.*, « The relationship between cell phone use, physical and sedentary activity, and cardiorespiratory fitness in a sample of U.S. college students », *Int J Behav Nutr Phys Act*, 10, 2013.
211. Gopinath B. *et al.*, « Influence of physical activity and screen time on the retinal microvasculature in young children », *Arterioscler Thromb Vasc Biol*, 31, 2011.235
212. Newman A.R. *et al.*, « Review of paediatric retinal microvascular changes as a predictor of cardiovascular disease », *Clin Exp Ophthalmol*, 45, 2017.
213. Li L.J. *et al.*, « Can the retinal

microvasculature offer clues to cardiovascular risk factors in early life? », *Acta Paediatr*, 102, 2013.
214. Li L.J. *et al.*, « Retinal vascular imaging in early life », *J Physiol*, 594, 2016.
215. Sasongko M.B. *et al.*, « Retinal arteriolar changes », *Microcirculation*, 17, 2010.
216. George M.G. *et al.*, « Prevalence of Cardiovascular Risk Factors and Strokes in Younger Adults », *JAMA Neurol*, 74, 2017.
217. Bejot Y. *et al.*, « Trends in the incidence of ischaemic stroke in young adults between 1985 and 2011 », *J Neurol Neurosurg Psychiatry*, 85, 2014.
218. Santana C.C.A. *et al.*, « Physical fitness and academic performance in youth », *Scand J Med Sci Sports*, 27, 2017.
219. de Greeff J.W. *et al.*, « Effects of physical activity on executive functions, attention and academic performance in preadolescent children », *J Sci Med Sport*, 21, 2018.
220. Donnelly J.E. *et al.*, « Physical Activity, Fitness, Cognitive Function, and Academic Achievement in Children », *Med Sci Sports Exerc*, 48, 2016.
221. Poitras V.J. *et al.*, « Systematic review of the relationships between objectively measured physical activity and health indicators in school-aged children and youth », *Appl Physiol Nutr Metab*, 41, 2016.
222. Janssen I. *et al.*, « Systematic review of the health benefits of physical activity and fitness in school-aged children and youth », *Int J Behav Nutr Phys Act*, 7, 2010.
223. 2018 Physical Activity Guidelines Advisory Committee Scientific Report. U.S. Department of Health and Human Services, health.gov, 02/2018.
224. OMS, « Global recommendations on physical activity for health », who.int, 2010.
225. Piercy K.L. *et al.*, « The Physical Activity Guidelines for Americans », *JAMA*, 320, 2018.
226. Kahlmeier S. *et al.*, « National physical activity recommendations », *BMC Public Health*, 15, 2015.
227. Kalman M. *et al.*, « Secular trends in moderate-to-vigorous physical activity in 32 countries from 2002 to 2010 », *Eur J Public Health*, 25 Suppl 2, 2015.
228. ONAP, *Etat des lieux de l'activité physique et de la sédentarité en france* [FR], onaps.fr, 2018.
229. Katzmarzyk P.T. *et al.*, « Results from the United States 2018 Report Card on Physical Activity for Children and Youth », *J Phys Act Health*, 15, 2018.
230. Varma V.R. *et al.*, « Re-evaluating the effect of age on physical activity over the lifespan », *Prev Med*, 101, 2017.
231. AAP, « Active healthy living », *Pediatrics*, 117, 2006.
232. de Saint-Exupéry A., *Le petit prince* [FR], Gallimard, 1945/1999.
233. Wikenheiser A.M. *et al.*, « Over the river, through the woods », *Nat Rev Neurosci*, 17, 2016.
234. Morton N.W. *et al.*, « Memory integration constructs maps of space, time, and concepts », *Curr Opin Behav Sci*, 17, 2017.
235. Eichenbaum H., « Memory », *Annu Rev Psychol*, 68, 2017.
236. Meyer D.E. *et al.*, « Facilitation in recognizing pairs of words », *J Exp Psychol*, 90, 1971.
237. Anderson J., « A spreading activation theory of memory », *J Verbal Learning Verbal Behav*, 22, 1983.
238. Roediger H. *et al.*, « Creating false memories », *J Exp Psychol Learn Mem Cogn*, 21, 1995.
239. Seamon J. *et al.*, « Creating false memories of words with or without recognition of list items », *Psychol Sci*, 9, 1998.
240. Eichenbaum H., « On the Integration of Space, Time, and Memory », *Neuron*, 95, 2017.
241. Uitvlugt M.G. *et al.*, « Temporal Proximity Links Unrelated News Events in Memory », *Psychol Sci*, 30, 2019.
242. Plassmann H. *et al.*, « Marketing actions can modulate neural representations of experienced pleasantness », *Proc Natl Acad Sci USA*, 105, 2008.
243. Koenigs M. *et al.*, « Prefrontal cortex damage abolishes brand-cued changes in cola preference », *Soc Cogn Affect Neurosci*, 3, 2008.
244. Kuhn S. *et al.*, « Does taste matter? How anticipation of cola brands influences gustatory processing in the brain », *PLoS One*, 8, 2013.
245. McClure S.M. *et al.*, « Neural correlates of behavioral preference for culturally familiar drinks », *Neuron*, 44, 2004.
246. Robinson T.N. *et al.*, « Effects of fast food branding on young children's taste preferences », *Arch Pediatr Adolesc Med*, 161, 2007.236
247. Hinton P., « Implicit stereotypes and the predictive brain », *Palgrave Commun*, 3, 2017.
248. Mlodinow L., *Subliminal*, Vintage, 2012.
249. Greenwald A. *et al.*, « Implicit Bias », *Cal L Rev*, 94, 2006.
250. Greenwald A.G. *et al.*, « Statistically small

effects of the Implicit Association Test can have societally large effects », *J Pers Soc Psychol*, 108, 2015.
251. Custers R. *et al.*, « The unconscious will », *Science*, 329, 2010.
252. Dijksterhuis A. *et al.*, « The perception-behavior expressway », *Adv Exp Soc Psychol*, 33, 2001.
253. Dijksterhuis A. *et al.*, « Goals, attention, and (un)consciousness », *Annu Rev Psychol*, 61, 2010.
254. Reuben E. *et al.*, « How stereotypes impair women's careers in science », *Proc Natl Acad Sci USA*, 111, 2014.
255. Shih M. *et al.*, « Stereotype Susceptibility », *Psychol Sci*, 10, 1999.
256. Bargh J.A. *et al.*, « Automaticity of social behavior », *J Pers Soc Psychol,* 71, 1996.
257. Brunner T.A. *et al.*, « Reduced food intake after exposure to subtle weight-related cues », *Appetite*, 58, 2012.
258. Aarts H. *et al.*, « Preparing and motivating behavior outside of awareness », *Science*, 319, 2008.
259. Ostria V., « Par le petit bout de la lucarne [FR] », *Les inrockuptibles*, 792, 2011.
260. Anizon E. *et al.*, « “On me transforme en marchand de cerveaux” : quand Patrick Le Lay tentait de se défendre [FR] », telerama.fr, 2020.
261. OMS, « Tabagisme », who.int, 2018.
262. CDC, « Tobacco-Related Mortality », cdc.gov, 2018.
263. Ribassin-Majed L. *et al.*, « Trends in tobacco-attributable mortality in France », *Eur J Public Health*, 25, 2015.
264. Banque mondiale, Données de population 2017 [FR], banquemondiale.org, accès 11/2020.
265. US Census Bureau, 2019 Population estimates, data.census.gov, accès 11/2020.
266. Goodchild M. *et al.*, « Global economic cost of smoking-attributable diseases », *Tob Control*, 27, 2018.
267. OFDT, « Le coût social des drogues en France [FR]», note de synthèse 2015-04, ofdt.fr, 2015.
268. WHO, « WHO report on the global tobacco epidemic », who.int, 2008.
269. WHO, « Tobacco industry interference », who.int, 2012.
270. OMS, « WHO report on the global tobacco epidemic 2017: Monitoring tobacco use and prevention policies », who.int, 2017.
271. WHO, « Tobacco », who.int, 2020.
272. CDC, « Youth and Tobacco Use », cdc.gov, 2019.
273. Gaillard B., « Un cow-boy Marlboro meurt du cancer du poumon [FR] », europe1.fr, 2014.
274. Pearce M., « At least four Marlboro Men have died of smoking-related diseases », latimes.com, 2014.
275. OMS, « Smoke-free movies : from evidence to action », who.int, 2015.
276. Millett C. *et al.*, « European governments should stop subsidizing films with tobacco imagery », *Eur J Public Health*, 22, 2012.
277. Glantz S.A. *et al.*, T*he Cigarette Papers*, University of California Press, 1998.
278. Oreskes N. *et al.*, *Merchants of doubt*, Bloombury, 2010.
279. Desmurget M., « La cigarette dans les films, un débat plus narquois qu'étayé [FR] », lemonde.fr, 2017.
280. Commentaires en réactions à l'article de Desmurget M., « La cigarette dans les films, un débat plus narquois qu'étayé [FR] », lemonde.fr, 2017.
281. Felder A., « How comments shape perception of sites' quality -and affect traffic », theatlantic.com, 2014.
282. Polansky J. *et al.*, « Smoking in top-grossing US movies 2018 », escholarship.org, 2019.
283. Gabrielli J. *et al.*, « Industry Television Ratings for Violence, Sex, and Substance Use », *Pediatrics*, 138, 2016.
284. FCC, « The V-Chip: Options to Restrict What Your Children Watch on TV », fcc.gov,
285. Barrientos-Gutierrez I. *et al.*, « Comparison of tobacco and alcohol use in films produced in Europe, Latin America, and the United States », *BMC Public Health*, 15, 2015.
286. « Tabac et Cinéma (étude conjoints IPSOS, Ligue contre le cancer) [FR] », ligue-cancer.net, 2012.
287. « While you were streaming », truthinitiative.org, 2018.
288. « Preventing Tobacco Use Among Youth and Young Adults. A report of the Surgeon General », U.S. Department of Health and Human Services, 2012.
289. OMS, « WHO report on the global tobacco epidemic 2013: Enforcing bans on tobacco advertising, promotion and sponsorship », who.int, 2013.237
290. Freeman B., « New media and tobacco control

», *Tob Control*, 21, 2012.
291. Ribisl K.M. *et al.*, « Tobacco control is losing ground in the Web 2.0 era », *Tob Control*, 21, 2012.
292. Elkin L. *et al.*, « Connecting world youth with tobacco brands », *Tob Control*, 19, 2010.
293. Richardson A. *et al.*, « The cigar ambassador », *Tob Control*, 23, 2014.
294. Liang Y. *et al.*, « Exploring how the tobacco industry presents and promotes itself in social media », *J Med Internet Res*, 17, 2015.
295. Liang Y. *et al.*, « Characterizing Social Interaction in Tobacco-Oriented Social Networks », *Sci Rep*, 5, 2015.
296. Kostygina G. *et al.*, « "Sweeter Than a Swisher" », *Tob Control*, 25, 2016.
297. Cortese D. *et al.*, « Smoking Selfies », *SM+S*, 4, 2018.
298. Barrientos-Gutierrez T. *et al.*, « Video games and the next tobacco frontier: smoking in the Starcraft universe », *Tob Control*, 21, 2012.
299. Forsyth S.R. *et al.*, « Tobacco Content in Video Games », *Nicotine Tob Res*, 21, 2019.
300. Forsyth S.R. *et al.*, « "Playing the Movie Directly" », *Annu Rev Nurs Res*, 36, 2018.
301. « Played: Smoking and Video Game », truthinitiative.org, 2016.
302. « Some video games glamorize smoking so much that cigarettes can help players win », truthinitiative.org, 2018.
303. « Are video games glamorizing tobacco use? », truthinitiative.org, 2017.
304. Ferguson S. *et al.*, « An Analysis of Tobacco Placement in Youtube Cartoon Series The Big Lez Show », *Nicotine Tob Res*, 2019.
305. Richardson A. *et al.*, « YouTube: a promotional vehicle for little cigars and cigarillos? », *Tob Control*, 23, 2014.
306. Tsai F.J. *et al.*, « Portrayal of tobacco in Mongolian language YouTube videos: policy gaps », *Tob Control*, 25, 2016.
307. Forsyth S.R. *et al.*, « "I'll be your cigarette--light me up and get on with it" », *Nicotine Tob Res*, 12, 2010.
308. Cranwell J. *et al.*, « Adolescents' exposure to tobacco and alcohol content in YouTube music videos », *Addiction*, 110, 2015.
309. Cranwell J. *et al.*, « Adult and adolescent exposure to tobacco and alcohol content in contemporary YouTube music videos in Great Britain », *J Epidemiol Community Health*, 70, 2016.
310. Knutzen K.E. *et al.*, « Combustible and Electronic Tobacco and Marijuana Products in Hip-Hop Music Videos, 2013-2017 », *JAMA Intern Med*, 178, 2018.
311. Forsyth S.R. *et al.*, « Tobacco imagery in video games », *Tob Control*, 25, 2016.
312. Gentile D., « Pathological video-game use among youth ages 8 to 18 », *Psychol Sci*, 20, 2009.
313. Feldman C., « Grand Theft Auto IV steals sales records », cnn.com, 2008.
314. « Grand Theft Auto V 'has made more money than any film in history' », telegraph.co.uk, 2018.
315. Rideout V. *et al.*, « Generation M2 : Media in the lives of 8-18 year-olds », Kaiser Family Foundation, 2010.
316. Worth K. *et al.*, « Character Smoking in Top Box Office Movies », truthinitiative.org, 2007.
317. Charlesworth A. *et al.*, « Smoking in the movies increases adolescent smoking », *Pediatrics*, 116, 2005.
318. Polansky J. *et al.*, « First-Run Smoking Presentations in U.S. Movies 1999-2006 », Center for Tobacco Control Research And Education (UCSF), 2007.
319. National Cancer Institute, « Davis R.M., « The Role of the Media in Promoting and Reducing Tobacco Use», Tobacco Control Monograph No. 19, National Cancer Institute, 2008. », cancer.gov, 2008.
320. « The Health Consequences of Smoking -50 Years of Progress. A report of the Surgeon General », U.S. Department of Health and Human Services, 2014.
321. CDC, « Smoking in the Movies », cdc.gov, 2017.
322. Cancer Council Australia, « Position statement. Smoking in movies », cancer.org.au, 2007.
323. NCI, « Tobacco Control Monograph No. 19 : The Role of the Media in Promoting and Reducing Tobacco Use », National Cancer Institute, 2008.
324. Arora M. *et al.*, « Tobacco use in Bollywood movies, tobacco promotional activities and their association with tobacco use among Indian adolescents », *Tob Control*, 21, 2012.
325. Hanewinkel R. *et al.*, « Exposure to smoking in popular contemporary movies and youth smoking in Germany », *Am J Prev Med*, 32, 2007.
326. Hull J.G. *et al.*, « A longitudinal study of risk-glorifying video games and behavioral deviance », *J Pers Soc Psychol*, 107, 2014.238
327. Morgenstern M. *et al.*, « Smoking in movies and adolescent smoking », *Thorax*, 66, 2011.

328. Sargent J.D. *et al.*, « Exposure to movie smoking », *Pediatrics*, 116, 2005.
329. Sargent J.D. *et al.*, « Effect of seeing tobacco use in films on trying smoking among adolescents », *BMJ*, 323, 2001.
330. Thrasher J.F. *et al.*, « Exposure to smoking imagery in popular films and adolescent smoking in Mexico », *Am J Prev Med*, 35, 2008.
331. Depue J.B. *et al.*, « Encoded exposure to tobacco use in social media predicts subsequent smoking behavior », *Am J Health Promot*, 29, 2015.
332. Cranwell J. *et al.*, « Alcohol and Tobacco Content in UK Video Games and Their Association with Alcohol and Tobacco Use Among Young People », *Cyberpsychol Behav Soc Netw*, 19, 2016.
333. Dalton M.A. *et al.*, « Early exposure to movie smoking predicts established smoking by older teens and young adults », *Pediatrics*, 123, 2009.
334. Sargent J.D. *et al.*, « Influence of motion picture rating on adolescent response to movie smoking », *Pediatrics*, 130, 2012.
335. Hancox R.J. *et al.*, « Association between child and adolescent television viewing and adult health », *Lancet*, 364, 2004.
336. Watkins S.S. *et al.*, « Neural mechanisms underlying nicotine addiction », *Nicotine Tob Res*, 2, 2000.
337. Gutschoven K. *et al.*, « Television viewing and smoking volume in adolescent smokers », *Prev Med*, 39, 2004.
338. Lochbuehler K. *et al.*, « Attentional bias in smokers », *J Psychopharmacol*, 25, 2011.
339. Baumann S.B. *et al.*, « Smoking cues in a virtual world provoke craving in cigarette smokers », *Psychol Addict Behav*, 20, 2006.
340. Sargent J.D. *et al.*, « Movie smoking and urge to smoke among adult smokers », *Nicotine Tob Res*, 11, 2009.
341. Tong C. *et al.*, « Smoking-related videos for use in cue-induced craving paradigms », *Addict Behav*, 32, 2007.
342. Shmueli D. *et al.*, « Effect of smoking scenes in films on immediate smoking », *Am J Prev Med*, 38, 2010.
343. Wagner D.D. *et al.*, « Spontaneous action representation in smokers when watching movie characters smoke », *J Neurosci*, 31, 2011.
344. OMS, « Global status report on alcohol and health 2018 », who.int, 2018.
345. « Australian guidelines to reduce health risks from drinking alcohol », nhmrc.gov.au, 2009.
346. « The surgeon general's call to action to prevent and reduce underage drinking », nih.gov, 2007.
347. IARD, « Minimum Legal Age Limits », 2019.
348. Squeglia L.M. *et al.*, « Alcohol and Drug Use and the Developing Brain », *Curr Psychiatry Rep*, 18, 2016.
349. Squeglia L.M. *et al.*, « The effect of alcohol use on human adolescent brain structures and systems », *Handb Clin Neurol*, 125, 2014.
350. Grant B.F. *et al.*, « Age at onset of alcohol use and its association with DSM-IV alcohol abuse and dependence », *J Subst Abuse*, 9, 1997.
351. INVS, « L'alcool, toujours un facteur de risque majeur pour la santé en France [FR] », *BEH*, 16-18, 2013.
352. Bonnie R.J. *et al.*, «Reducing Underage Drinking: A Collective Responsibility» Report from the National Research Council, National Academies Press, 2004.
353. « The Impact of Alcohol Advertising», Report of the National Foundation for Alcohol Prevention, europa.eu, 2007.
354. CDC, « Youth exposure to alcohol advertising on television », *MMWR Morb Mortal Wkly Rep*, 62, 2013.
355. Dal Cin S. *et al.*, « Youth exposure to alcohol use and brand appearances in popular contemporary movies », *Addiction*, 103, 2008.
356. Jernigan D.H. *et al.*, « Self-Reported Youth and Adult Exposure to Alcohol Marketing in Traditional and Digital Media », *Alcohol Clin Exp Res*, 41, 2017.
357. Barry A.E. *et al.*, « Alcohol Marketing on Twitter and Instagram », *Alcohol Alcohol*, 51, 2016.
358. Simons A. *et al.*, « Alcohol Marketing on Social Media », eucam.info, 2017.
359. Eisenberg M.E. *et al.*, « What Are We Drinking? Beverages Shown in Adolescents' Favorite Television Shows », *J Acad Nutr Diet*, 117, 2017.239
360. Hendriks H. *et al.*, « Social Drinking on Social Media », J Med Internet Res, 20, 2018.
361. Keller-Hamilton B. et al., « Tobacco and Alcohol on Television », *Prev Chronic Dis*, 15, 2018.
362. Lobstein T. *et al.*, « The commercial use of digital media to market alcohol products », *Addiction*, 112 Suppl 1, 2017.
363. Primack B.A. *et al.*, « Portrayal of alcohol intoxication on YouTube », *Alcohol Clin Exp Res*,

39, 2015.
364. Primack B.A. *et al.*, « Portrayal of Alcohol Brands Popular Among Underage Youth on YouTube », *J Stud Alcohol Drugs*, 78, 2017.
365. Anderson P. *et al.*, « Impact of alcohol advertising and media exposure on adolescent alcohol use », *Alcohol Alcohol*, 44, 2009.
366. Hanewinkel R. *et al.*, « Portrayal of alcohol consumption in movies and drinking initiation in low-risk adolescents », *Pediatrics*, 133, 2014.
367. Hanewinkel R. *et al.*, « Exposure to alcohol use in motion pictures and teen drinking in Germany », *Int J Epidemiol*, 36, 2007.
368. Jernigan D. *et al.*, « Alcohol marketing and youth alcohol consumption », *Addiction*, 112 Suppl 1, 2017.
369. Mejia R. *et al.*, « Exposure to Alcohol Use in Movies and Problematic Use of Alcohol », *J Stud Alcohol Drugs*, 80, 2019.
370. Waylen A. *et al.*, « Alcohol use in films and adolescent alcohol use », *Pediatrics*, 135, 2015.
371. Hanewinkel R. *et al.*, « Longitudinal study of parental movie restriction on teen smoking and drinking in Germany », *Addiction*, 103, 2008.
372. Hanewinkel R. *et al.*, « Longitudinal study of exposure to entertainment media and alcohol use among german adolescents », *Pediatrics*, 123, 2009.
373. Tanski S.E. *et al.*, « Parental R-rated movie restriction and early-onset alcohol use », *J Stud Alcohol Drugs*, 71, 2010.
374. Engels R.C. *et al.*, « Alcohol portrayal on television affects actual drinking behaviour », *Alcohol Alcohol*, 44, 2009.
375. Koordeman R. *et al.*, « Effects of alcohol portrayals in movies on actual alcohol consumption », *Addiction*, 106, 2011.
376. Koordeman R. *et al.*, « Do we act upon what we see? Direct effects of alcohol cues in movies on young adults' alcohol drinking », *Alcohol Alcohol*, 46, 2011.
377. Koordeman R. *et al.*, « Exposure to soda commercials affects sugar-sweetened soda consumption in young women. An observational experimental study », *Appetite*, 54, 2010.
378. OMS, « Obésité et surpoids [FR] », who.int, 2018.
379. GBD *et al.*, « Health Effects of Overweight and Obesity in 195 Countries over 25 Years », *N Engl J Med*, 377, 2017.
380. AAP, « Children, adolescents, obesity, and the media », *Pediatrics*, 128, 2011.
381. Robinson T.N. *et al.*, « Screen Media Exposure and Obesity in Children and Adolescents », *Pediatrics*, 140, 2017.
382. World Cancer Research Fund, « Diet, nutrition and physical activity », wcrf.org, 2018.
383. Wu L. *et al.*, « The effect of interventions targeting screen time reduction », *Medicine (Baltimore)*, 95, 2016.
384. Kelly C., « Lutte contre l'obésité infantile : Les paradoxes de la télévision, partenaire d'une régulation à la française [FR] », lemonde.fr, 2010.
385. « Association of Canadian Advertisers Comment for the Consultation Regarding Health Canada's June 10, 2017 “Marketing to Children” Proposal », acaweb.ca, 2017.
386. Wilcock D. *et al.*, « Boris's junk food ad ban would be a 'slap in the face' for food industry after it 'worked so hard during coronavirus', insiders say - as advertisers blast 'significant impact at a time when the economy is already under strain' », dailymail.co.uk, 2020.
387. Zimmerman F.J., « Using marketing muscle to sell fat », *Annu Rev Public Health*, 32, 2011.
388. Cairns G. *et al.*, « Systematic reviews of the evidence on the nature, extent and effects of food marketing to children. A retrospective summary », *Appetite*, 62, 2013.
389. Boyland E.J. *et al.*, « Television advertising and branding. Effects on eating behaviour and food preferences in children », *Appetite*, 62, 2013.
390. Boyland E.J. *et al.*, « Advertising as a cue to consume: a systematic review and meta-analysis of the effects of acute exposure to unhealthy food and nonalcoholic beverage advertising on intake in children and adults », *Am J Clin Nutr*, 103, 2016.240
391. Boyland E. *et al.*, « Digital Food Marketing to Young People: A Substantial Public Health Challenge », *Ann Nutr Metab*, 76, 2020.
392. Castello-Martinez A. *et al.*, « Obesity and food-related content aimed at children on YouTube », *Clin Obes*, 10, 2020.
393. Qutteina Y. *et al.*, « Media food marketing and eating outcomes among pre-adolescents and adolescents: A systematic review and meta-analysis », *Obes Rev*, 20, 2019.
394. Qutteina Y. *et al.*, « What Do Adolescents See on Social Media? A Diary Study of Food Marketing Images on Social Media », *Front Psychol*, 10, 2019.
395. Smith R. *et al.*, « Food Marketing Influences Children's Attitudes, Preferences and Consumption:

A Systematic Critical Review », *Nutrients*, 11, 2019.
396. Russell S.J. *et al.*, « The effect of screen advertising on children's dietary intake: A systematic review and meta-analysis », *Obes Rev*, 20, 2019.
397. Harris J.L. *et al.*, « A crisis in the marketplace », *Annu. Rev. Public Health*, 30, 2009.
398. Zimmerman F.J. *et al.*, « Associations of television content type and obesity in children », *Am. J. Public Health*, 100, 2010.
399. Veerman J.L. *et al.*, « By how much would limiting TV food advertising reduce childhood obesity? », *Eur J Public Health*, 19, 2009.
400. Chou S. *et al.*, « Food Restaurant Advertising on Television and Its Influence on Childhood Obesity »,*J Law Econ*, 51, 2008.
401. Lobstein T. *et al.*, « Evidence of a possible link between obesogenic food advertising and child overweight », *Obes Rev*, 6, 2005.
402. UFC-QueChoisir, « Marketing télévisé pour les produits alimentaires à destination des enfants [FR] », quechoisir.irg, 2010.
403. Dalton M.A. *et al.*, « Child-targeted fast-food television advertising exposure is linked with fast-food intake among pre-school children », *Public Health Nutr*, 20, 2017.
404. Utter J. *et al.*, « Associations between television viewing and consumption of commonly advertised foods among New Zealand children and young adolescents », *Public Health Nutr*, 9, 2006.
405. Miller S.A. *et al.*, « Association between television viewing and poor diet quality in young children », *Int J Pediatr Obes*, 3, 2008.
406. Dixon H.G. *et al.*, « The effects of television advertisements for junk food versus nutritious food on children's food attitudes and preferences », *Soc Sci Med*, 65, 2007.
407. Wiecha J.L. *et al.*, « When children eat what they watch », *Arch Pediatr Adolesc Med*, 160, 2006.
408. Hill J.O., « Can a small-changes approach help address the obesity epidemic? A report of the Joint Task Force of the American Society for Nutrition, Institute of Food Technologists, and International Food Information Council », *Am J Clin Nutr*, 89, 2009.
409. Hall K.D. *et al.*, « Quantification of the effect of energy imbalance on bodyweight », *Lancet*, 378, 2011.
410. Birch L.L., « Development of food preferences », *Annu Rev Nutr*, 19, 1999.
411. Gugusheff J.R. *et al.*, « The early origins of food preferences », *FASEB J*, 29, 2015.
412. Breen F.M. *et al.*, « Heritability of food preferences in young children », *Physiol Behav*, 88, 2006.
413. Haller R. *et al.*, « The influence of early experience with vanillin on food preference later in life », *Chem Senses*, 24, 1999.
414. Whitaker R.C. *et al.*, « Predicting obesity in young adulthood from childhood and parental obesity », *N Engl J Med*, 337, 1997.
415. Bouchard C., « Childhood obesity », *Am J Clin Nutr*, 89, 2009.
416. Boswell R.G. *et al.*, « Food cue reactivity and craving predict eating and weight gain », *Obes Rev*, 17, 2016.
417. Schor J., *The Overspent American*, HarperPerennial, 1998.
418. Schor J., *The Overworked american*, Basic Books, 1991.
419. « Etude Nutrinet-Santé. Etat d'avancement et résultats préliminaires 3 ans après le lancement [FR] », etude-nutrinet-sante.fr, 2012.
420. Rubinstein S. *et al.*, « Is Miss America an undernourished role model? », *JAMA*, 283, 2000.
421. Volonte P., « The thin ideal and the practice of fashion », *J Consum Cult*, 19, 2019.
422. Record K.L. *et al.*, « "Paris Thin": A Call to Regulate Life-Threatening Starvation of Runway Models in the US Fashion Industry », *Am J Public Health*, 106, 2016.
423. Swami V. *et al.*, « Body image concerns in professional fashion models: are they really an at-risk group? », *Psychiatry Res*, 207, 2013.241
424. Tovee M.J. *et al.*, « Supermodels: stick insects or hourglasses? », *Lancet*, 350, 1997.
425. Fryar C. *et al.*, « Prevalence of Underweight Among Adults Aged 20 and Over: United States, 1960–1962 Through 2015–2016 », cdc.gov, 2018.
426. Mears A., *Pricing Beauty: The Making of a Fashion Model* University of California Press, 2011.
427. Effron L. et al., « Fashion Models: By the Numbers », abcnews.go.com, 14/09/2011.
428. CDC, « Anthropometric Reference Data for Children and Adults: United States, 2011–2014 », cdc.gov, 2016.
429. Greenberg B.S. et al., « Portrayals of overweight and obese individuals on commercial television », *Am J Public Health*, 93, 2003.
430. Flegal K.M. *et al.*, « Prevalence and trends in obesity among US adults, 1999-2008 », *JAMA*, 303,

2010.
431. Pont S.J. *et al.*, « Stigma Experienced by Children and Adolescents With Obesity », *Pediatrics*, 140, 2017.
432. Puhl R.M. *et al.*, « The stigma of obesity », *Obesity (Silver Spring)*, 17, 2009.
433. Puhl R.M. *et al.*, « Stigma, obesity, and the health of the nation's children », *Psychol Bull*, 133, 2007.
434. Karsay K. *et al.*, « “Weak, Sad, and Lazy Fatties”: Adolescents’ Explicit and Implicit Weight Bias Following Exposure to Weight Loss Reality TV Shows », *Media Psychol*, 22, 2019.
435. Grabe S. *et al.*, « The role of the media in body image concerns among women », *Psychol Bull*, 134, 2008.
436. Becker A.E. *et al.*, « Eating behaviours and attitudes following prolonged exposure to television among ethnic Fijian adolescent girls », *Br J Psychiatry*, 180, 2002.
437. AAP, « Policy statement--sexuality, contraception, and the media », *Pediatrics*, 126, 2010.
438. Kunkel D. *et al.*, « Sex on TV -4 », kff.org, 2005.
439. Bleakley A. *et al.*, « Trends of sexual and violent content by gender in top-grossing U.S. films, 1950-2006 », *J Adolesc Health*, 51, 2012.
440. Bleakley A. *et al.*, « It Works Both Ways », *Media Psychol*, 11, 2008.
441. Ashby S.L. *et al.*, « Television viewing and risk of sexual initiation by young adolescents », *Arch Pediatr Adolesc Med*, 160, 2006.
442. Collins R.L. *et al.*, « Relationships Between Adolescent Sexual Outcomes and Exposure to Sex in Media », *Dev Psychol*, 47, 2011.
443. Brown J.D. *et al.*, « Sexy media matter », *Pediatrics*, 117, 2006.
444. O'Hara R.E. *et al.*, « Greater exposure to sexual content in popular movies predicts earlier sexual debut and increased sexual risk taking », *Psychol Sci*, 23, 2012.
445. Wright P., « Mass Media Effects on Youth Sexual Behavior Assessing the Claim for Causality », *Ann Int Comm Ass*, 35, 2011.
446. Collins R.L. *et al.*, « Watching sex on television predicts adolescent initiation of sexual behavior », *Pediatrics*, 114, 2004.
447. Chandra A. *et al.*, « Does watching sex on television predict teen pregnancy? Findings from a national longitudinal survey of youth », *Pediatrics*, 122, 2008.
448. Wingood G.M. *et al.*, « A prospective study of exposure to rap music videos and African American female adolescents' health », *Am J Public Health*, 93, 2003.☆
449. Quadrara A. *et al.*, « The effects of pornography on children and young people, Research Report, Australian Institute of Family Studies », aifs.gov.au, 2017.
450. Australian Psychological Society, « Submission to the Senate Environment and Communications References Committee Inquiry into the harm being done to Australian children through access to pornography on the internet », psychology.org.au, 2016.
451. Flood M., « The harms of pornography exposure among children and young people », *Child Abuse Review*, 18, 2009.
452. Ybarra M.L. *et al.*, « X-rated material and perpetration of sexually aggressive behavior among children and adolescents: is there a link? », *Aggress Behav*, 37, 2011.
453. Peter J. *et al.*, « Adolescents and Pornography: A Review of 20 Years of Research », *J Sex Res*, 53, 2016.
454. Collins R.L. *et al.*, « Sexual Media and Childhood Well-being and Health », *Pediatrics*, 140, 2017.
455. Principi N. *et al.*, « Consumption of sexually explicit internet material and its effects on minors' health: latest evidence from the literature », *Minerva Pediatr*, 2019.242
456. Gestos M. *et al.*, « Representation of Women in Video Games: A Systematic Review of Literature in Consideration of Adult Female Wellbeing », *Cyberpsychol Behav Soc Netw*, 21, 2018.
457. Dill K. *et al.*, « Effects of exposure to sex-stereotyped video game characters on tolerance of sexual harassment », *J Exp Soc Psychol*, 44, 2008.
458. Stermer S. *et al.*, « SeX-Box: Exposure to sexist video games predicts benevolent sexism », *Psychol Pop Media Cult*, 4, 2015.
459. Stermer S. *et al.*, « Xbox or SeXbox? An Examination of Sexualized Content in Video Games », *Soc Pers Psychol Comp*, 6, 2012.
460. Ward L., « Media and Sexualization: State of Empirical Research, 1995–2015 », *J Sex Res*, 53, 2016.
461. Gabbiadini A. *et al.*, « Grand Theft Auto is a "Sandbox" Game, but There are Weapons, Criminals, and Prostitutes in the Sandbox: Response

to Ferguson and Donnellan (2017) », *J Youth Adolesc*, 46, 2017.
462. Gabbiadini A. *et al.*, « Acting like a Tough Guy: Violent-Sexist Video Games, Identification with Game Characters, Masculine Beliefs, & Empathy for Female Violence Victims », *PLoS One*, 11, 2016.
463. Fox J. *et al.*, « Lifetime Video Game Consumption, Interpersonal Aggression, Hostile Sexism, and Rape Myth Acceptance: A Cultivation Perspective », *J Interpers Violence*, 31, 2016.
464. Begue L. *et al.*, « Video Games Exposure and Sexism in a Representative Sample of Adolescents », *Front Psychol*, 8, 2017.
465. Kahneman D., *Thinking, Fast and Slow*, Farrar, Straus and Giroux, 2011.
466. Danziger S. *et al.*, « Extraneous factors in judicial decisions », *Proc Natl Acad Sci USA*, 108, 2011.
467. Wansink B., *Mindless eating*, Bantam Books, 2007.
468. Zuboff S., *The Age of Surveillance Capitalism*, Profiles Books, 2019.
469. Cadwalladr C., « Fresh Cambridge Analytica leak 'shows global manipulation is out of control' », theguardian.com, 2020.
470. Confessore N., « Cambridge Analytica and Facebook: The Scandal and the Fallout So Far », nytimes.com, 2018.
471. Wylie C., *Mindf*ck*, Random House, 2019.
472. « The Great Hack », Documentary, Netflix, 2019
473. Dixon T., *in Race And Gender in Electronic Media* (ed. Lind R.), « Understanding How the Internet and Social Media Accelerate Racial Stereotyping and Social Division: The Socially Mediated Stereotyping Modelnull », Taylor & Francis, 2017.
474. Dixon T. *et al.*, in *Oxford Research Encyclopedia of Communication*, « Media Constructions of Culture, Race, and Ethnicity », Oxford University Press, 2019.
475. Appel M. *et al.*, « Do Mass Mediated Stereotypes Harm Members of Negatively Stereotyped Groups? A Meta-Analytical Review on Media-Generated Stereotype Threat and Stereotype Lift », *Comm Res*, 2017.
476. Collectif, « Virtual Violence (AAP Council on Communications and Media) », *Pediatrics*, 138, 2016.
477. Anderson C.A. *et al.*, « Violent video game effects on aggression, empathy, and prosocial behavior in eastern and western countries », *Psychol Bull*, 136, 2010.
478. Greitemeyer T. *et al.*, « Video games do affect social outcomes: A Meta-Analytic Review of the Effects of Violent and Prosocial Video Game Play », *Pers Soc Psychol Bull*, 40, 2014.
479. Bushman B.J. *et al.*, « Understanding Causality in the Effects of Media Violence », *Am Behav Sci*, 59, 2015.
480. Bushman B.J., « Violent media and hostile appraisals: A meta-analytic review », *Aggress Behav*, 42, 2016.
481. Anderson C. *et al.*, « SPSSI Research Summary on Media Violence », *Anal. Soc. Issues Public Policy*, 15, 2015.
482. Calvert S.L. *et al.*, « The American Psychological Association Task Force assessment of violent video games », *Am Psychol*, 72, 2017.
483. Bender P.K. *et al.*, « The effects of violent media content on aggression », *Curr Opin Psychol*, 19, 2018.
484. Prescott A.T. *et al.*, « Metaanalysis of the relationship between violent video game play and physical aggression over time », *Proc Natl Acad Sci USA*, 115, 2018.
485. Plante C. *et al.*, in *The Wiley Handbook of Violence and Aggression (Vol 1)* (ed. Sturmey P.), « Media, Violence, Aggression, and Antisocial Behavior: Is the Link Causal? », Wiley-Blackwell, 2017.
486. Carey B., « Shooting in the Dark », nytimes.com, 2013.243
487. Soullier L., « Jeux vidéo: le coupable idéal [FR] », lexpress.fr, 2012.
488. Bushman B.J. *et al.*, « There is broad consensus », *Psychol Pop Media Cult*, 4, 2015.
489. Bushman B. *et al.*, « Agreement across stakeholders is consensus », *Psychol Pop Media Cult*, 4, 2015.
490. Anderson C. *et al.*, « Consensus on media violence effects », *Psychol Pop Media Cult*, 4, 2015.
491. « Surgeon General's Scientific Advisory Committee on Television and Social Behavior. Television and growing up: The impact of televised violence », Washington, DC: U.S. Government Printing Office, 1972.
492. NSF, « Youth violence: what we need to know », National Science foundation, 2013.
493. « Joint Statement on the Impact of

Entertainment Violence on Children »,
Congressional Public Health Summit, 26 juillet
2000. Signed by: The American Academy of
Pediatrics, The American Academy of Child &
Adolescent Psychiatry, The American Psychological
Association, The American Medical Association,
The American Academy of Family Physicians and
The American Psychiatric Association, aap.org,
accès 08/2010.
494. AAP, « Policy statement – Media violence »,
Pediatrics, 124, 2009.
495. Appelbaum M. *et al.*, « Technical report on the
violent video game literature», APA task force on
violent media, 2015.
496. ISRA, « Report of the Media Violence
Commission », *Aggress Behav*, 38, 2012.
497. Bushman B.J. *et al.*, « Short-term and long-
term effects of violent media on aggression in
children and adults », *Arch. Pediatr. Adolesc. Med*,
160, 2006.
498. Huesmann L.R. *et al.*, « The role of media
violence in violent behavior », *Annu. Rev. Public
Health*, 27, 2006.
499. Paik H. *et al.*, « The effects of television
violence on antisocial behavior », *Comm Res*, 21,
1994.
500. Anderson C.A. *et al.*, « Effects of violent video
games on aggressive behavior, aggressive cognition,
aggressive affect, physiological arousal, and
prosocial behavior », *Psychol Sci*, 12, 2001.
501. Bushman B. *et al.*, « Twenty-Five Years of
Research on Violence in Digital Games and
Aggression Revisited », *Eur Psychol*, 19, 2014.
502. Mifflin L., « Many Researchers Say Link Is
Already Clear on Media and Youth Violence »,
nytimes.com, 1999.
503. Bushman B.J. *et al.*, « Media violence and the
American public. Scientific facts versus media
misinformation », *Am. Psychol*, 56, 2001.
504. Martins N. *et al.*, « A Content Analysis of Print
News Coverage of Media Violence and Aggression
Research », *J Commun*, 63, 2013.
505. Rideout V., « The common sense census :
Media use by tweens and teens », Common sense
media, 2015.
506. Strasburger V.C. *et al.*, « Why is it so hard to
believe that media influence children and
adolescents? », *Pediatrics*, 133, 2014.
507. Ferguson C.J., « No Consensus Among
Scholars on Media Violence », huffingtonpost.com,
2013.
508. Ferguson C.J., « Video Games Don't Make
Kids Violent », time.com, 2011.
509. Ferguson C.J., « Stop Blaming Violent Video
Games », usnews.com, 2016.
510. DeCamp W. *et al.*, « The Impact of Degree of
Exposure to Violent Video Games, Family
Background, and Other Factors on Youth Violence
», *J Youth Adolesc*, 46, 2017.
511. Ferguson C.J., « Do Angry Birds Make for
Angry Children? A Meta-Analysis of Video Game
Influences on Children's and Adolescents'
Aggression, Mental Health, Prosocial Behavior, and
Academic Performance », *Perspect Psychol Sci*, 10,
2015.
512. Ferguson C.J., « A further plea for caution
against medical professionals overstating video
game violence effects », *Mayo Clin Proc*, 86, 2011.
513. Ferguson C.J. *et al.*, « The public health risks
of media violence », *J Pediatr*, 154, 2009.
514. Ferguson C.J., « The good, the bad and the
ugly », *Psychiatr Q*, 78, 2007.
515. Ferguson C., « Evidence for publication bias in
video game violence effects literature », *Aggress
Violent Behav*, 12, 2007.
516. Bushman B. *et al.*, « Much ado about
something: Reply to Ferguson and Kilburn (2010)
», *Psychol Bull*, 136, 2010.
517. Gentile D.A., « What Is a Good Skeptic to Do?
The Case for Skepticism in the Media Violence
Discussion », *Perspect Psychol Sci*, 10, 2015.
518. Boxer P. *et al.*, « Video Games Do Indeed
Influence Children and Adolescents' Aggression,
Prosocial Behavior, and Academic Performance »,
Perspect Psychol Sci, 10, 2015.244
519. Rothstein H.R. *et al.*, « Methodological and
Reporting Errors in Meta-Analytic Reviews Make
Other Meta-Analysts Angry: A Commentary on
Ferguson (2015) », *Perspect Psychol Sci*, 10, 2015.
520. Comprehensive Meta-Analysis, meta-analysis.
com, accès 10/2020
521. Borenstein M. *et al.*, *Introduction to Meta-
Analysis*, Wiley & Sons, 2009.
522. Borenstein M. *et al.*, *Computing Effect Sizes
for Meta-analysis*, Wiley & Sons, 2018.
523. Rothstein H.R. *et al.*, *Publication Bias in
Meta-Analysis, Wiley & Sons*, 2005.
524. Borenstein M. *et al.*, « A basic introduction to
fixed-effect and random-effects models for meta-
analysis », *Res Synth Methods*, 1, 2010.
525. Borenstein M. *et al.*, « Basics of meta-analysis
», *Res Synth Methods*, 8, 2017.

526. Valentine J.C. *et al.*, « How Many Studies Do You Need? », *J. Educ. Behav. Stat*, 35, 2010.
527. Anderson C.A. *et al.*, « Psychology. The effects of media violence on society », *Science*, 295, 2002.
528. Federman *J., National Television Violence Study*, Vol. 3, Sage, 1998.
529. Carver C.S. *et al.*, « Modeling: An Analysis in Terms of Category Accessibility », *J Exp Soc Psychol*, 19, 1983.
530. Bushman B., « Priming Effects of Media Violence on the Accessibility of Aggressive Constructs in Memory », *Pers Soc Psychol Bull*, 24, 1998.
531. Zillmann D. *et al.*, « Effects of prolonged exposure to gratuitous media violence on provoked and unprovoked hostile behavior », *J Appl Soc Psychol*, 29, 1999.
532. Leyens J.P. *et al.*, « Effects of movie violence on aggression in a field setting as a function of group dominance and cohesion », *J Pers Soc Psychol*, 32, 1975.
533. Lovaas O.I., « Effect of exposure to symbolic aggression on aggressive behavior », *Child Dev*, 32, 1961.
534. Liebert R.M. *et al.*, in *Television and Social Behavior. Reports and Papers, Vol. II. Television and Social Learning* (eds. Murray J.P. *et al.*), « Short term effects of television aggression on children's aggressive behavior », US Government Printing Office, 1972.
535. Hasan Y. *et al.*, « The more you play, the more aggressive you become: A long-term experimental study of cumulative violent video game effects on hostile expectations and aggressive behavior », *J Exp Soc Psychol*, 49, 2013.
536. Robinson T.N. *et al.*, « Effects of reducing children's television and video game use on aggressive behavior: a randomized controlled trial », *Arch Pediatr Adolesc Med*, 155, 2001.
537. Joy L.A. *et al.*, in The Impact of Television: a Natural Experiment in Three Communities (ed. MacBeth Williams T.), « Television and Children's Aggressive Behavior », *Academic Press*, 1986.
538. Zimmerman F.J. *et al.*, « Early cognitive stimulation, emotional support, and television watching as predictors of subsequent bullying among grade-school children », *Arch Pediatr Adolesc Med*, 159, 2005.
539. Christakis D.A. *et al.*, « Violent television viewing during preschool is associated with antisocial behavior during school age », *Pediatrics*, 120, 2007.
540. Huesmann L.R. *et al.*, « Longitudinal relations between children's exposure to TV violence and their aggressive and violent behavior in young adulthood », *Dev Psychol*, 39, 2003.
541. Anderson C.A. *et al.*, « Longitudinal effects of violent video games on aggression in Japan and the United States », *Pediatrics*, 122, 2008.
542. Graber J. *et al.*, « A Longitudinal Examination of Family, Friend, and Media Influences on Competent Versus Problem Behaviors Among Urban Minority Youth », *Appl Dev Sci*, 10, 2006.
543. Johnson J.G. *et al.*, « Television viewing and aggressive behavior during adolescence and adulthood », *Science*, 295, 2002.
544. Krahe B. *et al.*, « Longitudinal effects of media violence on aggression and empathy among German adolescents », *J Appl Dev Psychol*, 31, 2010.
545. Moller I. *et al.*, « Exposure to violent video games and aggression in German adolescents: a longitudinal analysis », *Aggress Behav*, 35, 2009.
546. Bandura A., *Social learning theory*, Prentice Hall, 1977.
547. Dominick J. *et al.*, in *Television and Social Behavior. Reports and Papers, Vol. III. Television and adolescent aggressiveness* (eds. Comstock G. *et al.*), « Attitudes towards violence », US Government Printing Office, 1972.
548. Huesmann L.R. *et al.*, « Children's normative beliefs about aggression and aggressive behavior », *J Pers Soc Psychol*, 72, 1997.245
549. Funk J.B. *et al.*, « Violence exposure in real-life, video games, television, movies, and the internet: is there desensitization? », *J Adolesc*, 27, 2004.
550. Krahe B. *et al.*, « Playing violent electronic games, hostile attributional style, and aggression-related norms in German adolescents », *J Adolesc*, 27, 2004.
551. Uhlmann E. *et al.*, « Exposure to violent video games increases automatic aggressiveness », *J Adolesc*, 27, 2004.
552. Tighe T. *et al.*, *Habituation*, Routledge, 1976.
553. Dalton P., « Psychophysical and behavioral characteristics of olfactory adaptation », *Chem Senses*, 25, 2000.
554. Anderson C.A. *et al.*, « The Influence of Media Violence on Youth », *Psychol Sci Public Interest*, 4, 2003.
555. Nias D.K., « Desensitisation and media violence », *J Psychosom Res*, 23, 1979.

556. Brockmyer J.F., « Playing violent video games and desensitization to violence », Child *Adolesc Psychiatr Clin N Am*, 24, 2015.
557. Prot S. *et al.*, « Long-term relations among prosocial-media use, empathy, and prosocial behavior », *Psychol Sci*, 25, 2014.
558. Hummer T., « Media Violence Effects on Brain Development », *Am Behav Sci*, 59, 2015.
559. Kelly C.R. *et al.*, « Repeated exposure to media violence is associated with diminished response in an inhibitory frontolimbic network », *PLoS One*, 2, 2007.
560. Strenziok M. *et al.*, « Fronto-parietal regulation of media violence exposure in adolescents », *Soc Cogn Affect Neurosci*, 6, 2011.
561. Strenziok M. *et al.*, « Lower lateral orbitofrontal cortex density associated with more frequent exposure to television and movie violence in male adolescents », *J Adolesc Health*, 46, 2010.
562. Cline V.B. *et al.*, « Desensitization of children to television violence », *J Pers Soc Psychol*, 27, 1973.
563. Thomas M.H. *et al.*, « Desensitization to portrayals of real-life aggression as a function of exposure to television violence », *J. Pers. Soc. Psychol,* 35, 1977.
564. Bartholow B. *et al.*, « Chronic violent video game exposure and desensitization to violence: Behavioral and event-related brain potential data », *J Exp Soc Psychol*, 42, 2006.
565. Montag C. *et al.*, « Does excessive play of violent first-person-shooter-video-games dampen brainactivity in response to emotional stimuli? », *Biol Psychol*, 89, 2012.
566. Gentile D. *et al.*, « Differential neural recruitment during violent video game play in violent- and nonviolent-game players », *Psychol Pop Media Cult*, 5, 2016.
567. Engelhardt C. *et al.*, « This is your brain on violent video games », *J Exp Soc Psychol,* 47, 2011.
568. Fanti K.A. *et al.*, « Desensitization to media violence over a short period of time », *Aggress Behav*, 35, 2009.
569. Cantor J., in *Handbook of Children and the Media* (eds. Singer D.G. *et al.*), « The media and children's fears, anxieties, and perception of danger », Sage Publications, 2001.
570. Houston J., « Media Coverage of Terrorism: A Meta-Analytic Assessment of Media Use and Posttraumatic Stress », *Journal Mass Commun Q*, 86, 2009.
571. Wilson B.J., « Media and children's aggression, fear, and altruism », *Future Child*, 18, 2008.
572. Hopwood T. *et al.*, « Psychological outcomes in reaction to media exposure to disasters and large-scale violence: A meta-analysis », *Psychol Violence*, 7, 2017.
573. Pearce L. *et al.*, « The Impact of "Scary" Tv and Film on Children's Internalizing Emotions: A Meta-Analysis », *Hum Commun Res*, 42, 2016.
574. Pettit H., « Countries that play more violent video games such as Grand Theft Auto and Call of Duty have FEWER murders », dailymail.co.uk, 2017.
575. Fisher M., « Ten-country comparison suggests there's little or no link between video games and gun murders », thewashingtonpost.com, 2012.
576. Abad-Santos A., « Don't Blame Violent Video Games for Monday's Mass Shooting », theatlantic.com, 2013.
577. Murphy M., « Nations where video games like Call of Duty, Halo, and Grand Theft Auto are hugely popular have FEWER murders and violent assaults », thesun.co.uk, 2017.
578. Roeder O. *et al.*, « What caused the crime decline? », Brennan Center for Justice, 2015.
579. Carpenter D.O. *et al.*, « Environmental causes of violence », *Physiol Behav*, 99, 2010.
580. National Research Council, *Understanding Crime Trends: Workshop Report*, The National Academies Press, 2008.246
581. Shader M., « Risk Factors for Delinquency », US Department of Justice, 2004.
582. Levitt S., « Understanding Why Crime Fell in the 1990s: Four Factors that Explain the Decline and Six that Do Not », *J Econ Perspect*, 18, 2004.
583. Greenfeld L., « Alcohol and Crime », U.S. Department of Justice, 1998.
584. Kain E., « As Video Game Sales Climb Year Over Year, Violent Crime Continues To Fall », forbes.com, 2012.
585. Markey P. *et al.*, « Violent video games and real-world violence », *Psychol Pop Media Cult*, 4, 2015.
586. Garcia V., « Les jeux vidéo violents réduisent-ils la criminalité ? [FR] », lexpress.fr, 2014.
587. « Les jeux vidéo violents réduiraient la criminalité [FR] », 7sur7.be, 2014.
588. ESA, « Essential Facts About Games and Violence », theesa.com, 2016.
589. Supreme Court of the United States, Brown vs EMA (No 08-1448), supremecourt.gov, 06/2011.

590. Bushman B.J. *et al.*, « Supreme Court decision on violent video games was based on the First Amendment, not scientific evidence », *Am Psychol*, 69, 2014.
591. Liptak A., « Justices Reject Ban on Violent Video Games for Children », nytimes.com, 2011.

エピローグ

1. Reich W., *Écoute, petit homme* [FR], Payot & Rivages, 1973.
2. Postman N., *The Disappearance of childhood*, Vintage Book, 1994/1982.
3. Santi P., « Ecrans : appel des académies à une "vigilance raisonnée" [FR] », lemonde.fr, 2019.
4. Sophocle, *Antigone* [FR], Hachette, 1868.
5. Bowles N., « A Dark Consensus About Screens and Kids Begins to Emerge in Silicon Valley », nytimes.com, 2018.
6. Desmurget M., *L'Antirégime au quotidien* [FR], Belin, 2017.
7. Castellion S., in Zweig S., *The Right to Heresy: Castellio Against Calvin*, The Viking Press, 1936

ミシェル・デミュルジェ（Michel Desmurget）
1965年生まれ。専門は認識神経科学。フランス国立学術センター研究員、同国立衛生医学研究所所長を歴任。米国に約8年間滞在、マサチューセッツ工科大学やカリフォルニア大学など多くの大学で研究。著書に『テレビ・ロボトミー——テレビの影響に関する科学的な真実』（2012年）、『アンチ食事療法、健康的に痩せる』（2015年）があり、いずれもベストセラーに。

［訳］鳥取絹子（とっとり・きぬこ）
1947年、富山県生まれ。フランス語翻訳家、ジャーナリスト。お茶の水女子大卒。出版社勤務の後、1972～74年パリ滞在。帰国後フリーライターとして、おもに女性雑誌などで人物取材・ルポ記事を書くほか、シャンソンの対訳や翻訳をする。近年はフランス語の書籍の翻訳に主力をおき、企画提案からたずさわる。
著書に、『星の王子さま——隠された物語』（2014年、KKベストセラーズ）など多数。訳書に、『資本主義って悪者なの？』（2019年、CCCメディアハウス）、『理不尽な国　ニッポン』（2020年、河出書房新社）など多数。

本作品はアンスティチュ・フランセの助成金を受給しています。
Cet ouvrage a bénéficié du soutien du Programme d'aide à la publication de l'Institut français de Paris.

デジタル馬鹿

2021年6月20日　初版第1刷発行

著者————ミシェル・デミュルジェ
訳者————鳥取絹子
発行者———平田　勝
発行————花伝社
発売————共栄書房
〒101-0065　東京都千代田区西神田2-5-11 出版輸送ビル2F
電話　03-3263-3813
FAX　03-3239-8272
E-mail　info@kadensha.net
URL　http://www.kadensha.net
振替　00140-6-59661
装幀————黒瀬章夫（ナカグログラフ）
印刷・製本——中央精版印刷株式会社

ISBN978-4-7634-0972-0　C0036